作者小传

　　谢晖，1964年生于甘肃省天水市，现任山东大学法学院教授，山东大学校学术委员会委员，法学院学术委员会主任，理论法学研究所所长（济南）、民间法研究所所长（威海），理论法学学科组组长。出版的个人学术作品有：《行政权探索》（云南人民出版社，1995年）；《法律信仰的理念与基础》（山东人民出版社，1997年，1998年、2003年、2004年分别重印）；《价值重建与规范选择——中国法制现代化沉思》（山东人民出版社，1998年，2000年、2001年分别重印）；《法学范畴的矛盾辨思》（山东人民出版社，1999年，2001年、2004年重印）；《法的思辨与实证》（法律出版社，2001年，2004年重印）；《法律：诠释与应用》（上海译文出版社2002年版）；《法律的意义追问——诠释学视野中的法哲学》（商务印书馆2003年，2004年重印）；《象牙塔上放哨》（法律出版社2003年版）；《法理学》（高等教育出版社2005年版）；《法治演讲录》（广西师范大学出版社2005年拟出版）。发表学术论文150余篇，学术随笔60余篇。主编大型法学丛书《法理文库》（山东人民出版社，现已出至47部）和《公法研究》（山东人民出版社，现已出至20部）；主编《民间法》和《法律方法》等学术刊物；担任《中国诠释学》的主要编辑人。

中青年法学文库

中国古典法律
解释的哲学向度

谢 晖 著

中国政法大学出版社

中青年法学文库

总　　序

　　中华民族具有悠久的学术文化传统。在我们的古典文化中，经学、史学、文学等学术领域都曾有过极为灿烂的成就，成为全人类文化遗产的重要组成部分。但是，正如其他任何国家的文化传统一样，中国古典学术文化的发展并不均衡，也有其缺陷。最突出的是，虽然我们有着漫长的成文法传统，但以法律现象为研究对象的法学却迟迟得不到发育、成长。清末以降，随着社会结构的变化、外来文化的影响以及法律学校的设立，法学才作为一门学科而确立其独立的地位。然而，一个世纪以来中国坎坷曲折的历史终于使法律难以走上坦途，经常在模仿域外法学与注释现行法律之间徘徊。到十年文革期间更索性彻底停滞。先天既不足，后天又失调，中国法学真可谓命运多舛、路途艰辛。

　　1970 年代末开始，改革开放国策的确立、法律教育的恢复以及法律制度的渐次发展提供了前所未有的良好环境。十多年来，我国的法学研究水准已经有了长足的提高；法律出版物的急剧增多也从一个侧面反映了这样的成绩。不过，至今没有一套由本国学者所撰写的理论法学丛书无疑是一个明显的缺憾。我们认为，法学以及法制的健康发展离不开深层次的理论探索。比起自然科学，法学与生活现实固然有更为紧密的联系，但这并不是说它仅仅是社会生活经验的反光镜，或只是国家实在法的回音壁。法学应当有其超越的一面，它必须在价值层面以及理论分析上给实在法以导引。在建设性的同时，它需要有一种批判的性格。就中国特定的学术背景而言，它还要在外来学说与固有传统之间寻找合理的平衡，追求适度的超越，从而不仅为中国的现代化法制建设提供蓝图，而且对世界范围内重大法律课题作出创造性回应。这是当代中国法学家的使命，而为这种使命的完成而创造条件乃是法律出版者的职责。

"中青年法学文库"正是这样一套以法学理论新著为发表范围的丛书。我们希望文库能够成为高层次理论成果得以稳定而持续成长的一方园地，成为较为集中地展示中国法学界具有原创力学术作品的窗口。我们知道，要使这样的构想化为现实，除了出版社方面的努力外，更重要的是海内外中国法学界的鼎力推助和严谨扎实的工作。"庙廊之才，非一木之枝"；清泉潺潺，端赖源头活水。区区微衷，尚请贤明鉴之。

中国政法大学出版社

中文摘要

中国古代存在以"经学解释"为代表的解释传统。其中，律书解释和案例解释是具有重要价值的组成部分。用现代哲学解释学原理分析中国古典法律解释的目的，一方面，是方便地归纳和总结中国古典法律解释中的哲学问题，另一方面，则是以中国经验进一步丰富、发展解释学，从而建立以解释学为思想源头之基础的中国法律解释学。以这种认识为基础，本文从哲学向度对中国古典法律解释的八个方面进行了阐述，概述如下：

第一部分从现代解释学和符号学的基本理论出发，用中国古典解释例阐述了法律符号的解释属性：概括性、逻辑性和沟通性。中国古代的法律主要是指刑律，因此，对中国古典法律解释在解释学意义上的审视，主要是针对刑律解释而言的。从现代解释学与中国古典法律解释的关系看，中国古典法律解释的丰硕成果足以丰富和支持解释学研究；而现代西方解释学理论在学理层面可以很好地梳理、总结和提升这些材料，从而使中国古典法律解释能够获得更好的理论说明。

第二部分从法律解释主体角度对中国古典法律解释进行分析。中国古典之官方法律解释具有一定的垄断性，它属于以皇帝为代表的官方有效解释，其主要目的是寻求法律的原意，解释对象主要是生效的当朝官方法律；中国古典之民间法律解释属于私家法律解释，其解释主体、目的、方法和对象都是多元的，并且一般不具有法律效力；由于没有专门的司法机关和独立的司法，所以，中国古典的司法解释可称为"司法性解释"；其主体是古代的判官，直接目的是为了更好地适用法律，解决两造的纠纷，故效力一般只及于判官本人所处理的个案，除非该判例进一步上升为官方的"成例"。

第三部分主要在于挖掘中国古典法律解释所具有的独特的哲理意义。从一定意义上说，中国古典哲学爱"仁"，西方传统哲学爱"智"。以"仁道精神"为核心的儒家文化占据了中国官方主导的"大传统"，这个哲学的价值趋向反映出了中国古典法律解释的基本态度。因此，中国古典法律解释不是通过解释达致对法律之"求真"，相反，在很多情况下"趋善抑真"寻求心理的事实成为中国古典法律解释的重要哲理智慧。

第四部分从形上角度分析了中国古典法律解释的基本任务，即刑法典之立法解释的合法性问题。从中国古典法律解释的"天人关系"看，具有"究天人之际"的高远追求，其宗旨是寻求法律之"道"，法律是否合乎"道"是对以皇权为代表的权力合法性的追问和约束。从中国古典法律解释的"群己关系"看，具有"通古今之变"的形上智慧，其透射出了法律解释的本体意义和方法意蕴。从中国古典法律解释的"身心关系"看，具有"致内外之和"的道德追求，中国古典法律解释总是希望通过两造的道德内省达致对两造的道德约束，以实现社会秩序而不是个人自由。

第五部分通过目的向度分析了中国古典法律解释的实用路向。中国古典法律解释具有浓重的"情理交融"特点，同时，为了使法律解释具有可接受性，其"实用理性"特征便凸显出来。当然，古中国法律解释之"情理交融"和"实用理性"的具体实现还依赖于主体的参与，这就形成了法律解释中的实践互动。实践互动的一个基本前提是参与主体间的"妥协意向"，借此，古典的法律秩序才得以呈现。

第六部分主要介绍了中国古典法律解释的方法。独断体解释方法表现在解释主体、权力、对象和效力的独断性上；问答体解释方法表现了解释者对请问者的教示，是解释者与文本之间的交流，而不是解释者与请问者间的交流；注释体解释是通过"文法"而阐释法律文本中的律意，是关于法律解释中的"是什么"的说明；判例体解释是通过事实而"发现"法律的过程，判例在古典中国照例是案件事实和法律规定相结合的产物，是事实与规范相博弈的结果。

第七部分主要包括"附生于政治哲学（经学）的法律解释智慧"、"相对独立的法律解释智慧——律学"、"作为裁判方式的法律解释智慧——司法过程"、"作为裁判结果的法律解释智慧——判词"四个方面。以判词为例，中国古代判词的知识智慧不仅体现在其所反映出来的法学世界观、法律方法论上，而且还体现在其"遵循先例"、"先例识别"等法律发现的方法上。

第八部分主要是剖析了中国古典法律解释的意义。从学术角度看，古中国法律解释为中国法学提供了宝贵的古典资源；从立法意义上说，中国古典法律解释所透射出来的对实质合理性的价值追求是当下中国法治建设的一项值得关注的资源；从法治角度看，中国古典法律解释为法治中国文化的本土化提供了可资借鉴的内容，中国法治的全球化面向不可能撇开自身的文化积淀和现实关切；从法律实施角度看，古典法律是在解释中实现的，法律解释通过创造法律和说明法律的合法性等行为推进制定法的实现，这对当下的中国法律实施而言亦然。

【**关键词**】法律解释、解释学、古中国

ABSTRACT

There is a Hermeneutic tradition in ancient China, which originated from "Sutra Interpretation". Among the tradition, legal interpretation is a significative component. The intention to study Chinese classical legal interpretation by means of Hermeneutic is to induce the philosophical principles, methodologies and merits of Chinese classical legal interpretations and to sublime the legal interpretation practices into theories. The article discusses 8 points about Chinese legal interpretation by the view of philosophy inclination.

Based on the basic theory of Hermeneutic and Semeiology, Chapter I explains the attribute of law interpretation in ancient China, which includes 3 aspects: recapitulation, logicality and communication. As well known, the main law in ancient China is criminal law. So, the study of Chinese classical law interpretation is mainly about criminal law in ancient China. The author thinks the relation between Chinese classical law interpretation and Hermeneutic is a reciprocal one: the former is materials and the latter is methodology. Chapter II expounds the Chinese classical law interpretation from the point of view of the subject. There are 3 typical kinds of law interpretation in ancient China. One is the legislative, the goal of which is to release original intention of code, and the object of which is state law. The other is the civilian, the main character of which is plural: the goal, object and method are all plural. The last is judicial interpretation, the goal of which is to judge individual case. Generally speaking, the legislative and the judicial are official and efficient, while the civilian isn't.

Chapter III is to explore the philosophy principle of Chinese classical legal interpretation. In a sense, Chinese classical philosophy is about virtue and occident philosophy is about wisdom. Confucianism is the "great tradition" in ancient China, which influences the basic attitude of Chinese legal interpretation. Thus, the chief goal of Chinese ancient legal interpretation isn't true but good, which is contrary to that of the occident.

Chapter IV analyses the main aim of Chinese classical legal interpretation, which is about the legitimacy of legislative law interpretation, in metaphysical way. The author thinks the legitimacy of ancient Chinese monarchy lied on the Tao. Then, the author points out there are great significance of ontological and methodology in Chinese classical law interpretation. At last, the author draws a conclusion that the aim of Chinese classical legal interpretation is not for individual freedom but for society order.

Chapter V explores the practicability inclination of Chinese classical legal interpretation. In ancient China, the legal interpretation was always based on both sensibility and reason. Furthermore, to make the conclusion of the legal interpretation acceptable, the interpretation usually had a inclination — — practicability. The pursuit of sensibility, reason and practicability makes legal interpretation in ancient China have a unique character, which the author names "spirit of compromise".

Chapter VI analyses several typical method of Chinese classical legal interpretation, which is about legitimacy of judicial legal interpretation. There are 4 kinds of judicial legal interpretation in ancient China: the arbitrary interpretation, the dialogic interpretation, the dogmatic interpretation and the case — facing interpretation. The author thinks the first is arbitrary in 4 aspects, which are the subject, the object, the power and the efficient, The second mainly is not the conversation between the questioner and answerer but between the text and the subject, The third is a kind of interpretation which is main done by semantic and syntax, The last is to identify the law by analyzing the fact of individual case.

Chapter VII expounds the episteme and wisdom in Chinese legal interpretation. There is a general viewpoint that there is no jurisprudence in ancient China. But in this chapter, the author argued there are not only jurisprudence but also civil law in ancient China. He points definitely out the jurisprudence in ancient China is different from the occident or modern: the former is attached to political philosophy while the latter relative independence; the former is mainly about rule and practice while the latter principle and theory; the former pays much more attention to judicature while the latter legislation.

The last chapter explores the significance of studying Chinese classical legal interpretation. From the author's view, there are 4 aspects of the significance should be noticed: the first is for the academic; the second is for legislation; the third is for Chinese traditional legal culture; the last is for fulfillment of law. In a word, the author believes that the modernization of legal – system in China should be based on the studying of Chinese classical legal interpretation.

【key words】 legal interpretation; Hermeneutic; ancient China

目　录

第一章　符号、解释学与中国
古典法律解释

在二十世纪西方哲学中，解释学属于最富创意的哲学流派之一，其所提供的丰富的思想——理解、解释和应用的方法，成为在方法层面影响人文科学诸领域的最重要的成果，[1] 甚至也直接影响着自然科学学科的发展。[2] 其中对法律和法学研究，其影响尤为显要。这是因为，一方面，古典的法律解释、特别是罗马法解释，和圣经解释、语文解释一样，是解释学得以诞生的解释实践基础；另一方面，法律作为近代以来人类管理社会的最重要的技术方式，是典型的实践理性。[3] 但是，我们知道，再详尽的法律，和变幻莫测的社会事实相比较，它永远是、并且只能是"原则"，因此，根据社会事实的需要进行必要的解释，是法律真正走向社会交往实践的不可或缺的"程序"。中国古典法律是世所公认的"五大法系"之一，其法律发展源远流长，延绵悠久，其法律学术也颇具特色，形成了以实践应用为目的的律学（法律解释学）体系。

---

[1] 例如，在我国，由洪汉鼎先生主持编辑了一套丛书，该丛书名即为"诠释学与人文社会科学"丛书。该丛书由上海译文出版社于 2001 年出版。

[2] 我们知道，科学哲学家波普尔、拉卡托斯等的研究，已经将诠释学理念带入到科学哲学的研究中。参见［英］波普尔著：《猜想与反驳——科学知识的增长》，傅季重等译，上海译文出版社 1986 年版；《客观知识———个进化论的研究》，舒炜光等译，上海译文出版社 1987 年版；［英］拉卡托斯著：《证明与反驳——数学发现的逻辑》，康宏逵译，上海译文出版社 1987 年版等。

[3] 相关具体论述，参见颜厥安著：《法与实践理性》，（台北）允辰文化事业有限公司 1998 年版。

但如果要用当代解释学的标准衡量，其学理化程度明显不足，于是，如何运用当代解释学原理解读中国古典的法律解释，就可能是一个饶有兴味的学术话题。

一、法律符号的解释属性

法律是人类交往行为的符号体系。[4] 同人类所表达的任何符号都指向某种事实一样，它只是人们对人类交往事实的归纳、总结和表达。但它又永远只是相关事实及其处理符号，而不是相关事实及其处理行为本身，因此，在实践中通过解释来伸展法律符号的内容，就殊为必要。例如，《唐律》及《唐律疏议》把"忌日作乐"这种行为（事实），在符号处理上作为犯罪行为予以安排，并规定了相关的处理规则：

> "诸国忌废务日作乐者，杖一百；私忌，减二等。"
>
> "议曰：'国忌'，谓在令废务日。若辄有作乐者，杖一百。私家忌日作乐者，减二等，合杖八十。"[5]

引述《唐律》及《唐律疏议》关于"忌日作乐"的规定，是要进一步说明：在《唐律》中，对于形形色色的忌日作乐现象，仅仅用16个文字符作出了规定。即使《唐律疏议》对之的解释，也不过33个文字符。以如此简洁明了的符号来总括千千万万的忌日作乐行为，其挂一漏万势所难免。因此，不论立法者还是司法者，根据法律运行的实践对其作出具体解释，就格外必要。否则，法律实践就会因法律符号自身的迂阔反而不切实际。这大概是何以

---

[4]　参见谢晖著：《法律的意义追问——诠释学视野中的法哲学》，商务印书馆2003
　　年版，第1页以下。

[5]　（唐）长孙无忌等撰：《唐律疏议》，中华书局1983年版，第480页。

英美法系国家更喜欢用法官在司法实践中得出的具体判例作为法律渊源之原因了。

自从文字主导人类文明以来，法律作为符号，主要是通过文字符号表达的。我们知道，文字符号既有以表音为主的，如英文；也有以表意为主的，如形形色色的象形文字；还有表音和表意并重的，最典型者如中文。[6] 但不论哪种文字，都以概括性、逻辑性和沟通性为其基本特征。**概括性是指一个文字、一个词汇或者一个句子往往在表达着某一类事实**（尽管不排除其表达某一个或某几个事实的情形，但这只有被置于特定的语境中时才能更好地判断）。逻辑性则是指文字符号和语言符号相比较，更注重字、词和句子之间的内在逻辑关联。事实上，这种关联的前提是字、词和句子所要表达的对象之内容间的内在逻辑关联。正因如此，字、词之间的逻辑关联，所表达的是"真理"问题。至于沟通性，所指的则是文字总是提供给人们一种方便地理解对象和主体间交往的方式和条件。即一方面，通过文字人们可以更好地理解和主体相对的对象世界；另一方面，借助文字可使人们之间的交往行为能够得到更好的沟通。一言以蔽之，文字提供给人们以方便地交往和理解的条件。

既然近代以来、甚至整个文明时代以来，法律主要是以文字来记载、表现和呈现其意义的，那么，文字的以上所有特征皆可转换为法律符号的特征，因而，法律符号也就具有了概括性、逻辑性和沟通性的基本特征。现分述如下：

第一，法律符号的概括性。法律以人们在交往行为中所结成的具体社会关系为调整对象，它既是主体社会交往关系的"设计图"，同时又永远是主体社会交往关系的记载者。作为设计图和记

---

〔6〕 宋人孙奭等所撰之《律音义》一书，自律学角度表明着汉字的音、意并重之特征。该书附录于注5所引书后，可参见。

载者，法律不能、也不可能一事一符号地具体规定形形色色的社会交往关系（那是典型的个别调整方式），否则，法律也就失去了其对复杂社会关系的统一调整功能，甚至法律的制定本身也变成了多余。因为正如古人所云：

> "法者，编著之图籍，设之于官府，而布之于百姓者也。"[7]

> "法者，宪令著于官府，刑罚必于民心，赏存乎慎法，而罚加乎奸令者也。"[8]

以上所言，都涉及到法律的统一和信用。商鞅改法为律尽管在中国法制史上是一件大事，但其所改之内容仍然没有脱离开以刑法为宗旨，只是"律"和"法"相比较，更加强化了其统一性和普遍性的方面。其核心内容，主要在刑。因此，在古典中国，作为社会规范意义的法与律没有实质的区别。古人每每将法、律、刑三者互释，[9]其中原委，就在于此。

既然法律只是一种"编著之图籍、设之于官府、布之于百姓"的符号系统，那么，其也只能作为人们日常交往关系的规范形式，或者根据某种理念而设计的人们交往行为的模式。即它只能概括性地表达我们的日常生活世界，而不是完备无遗地给人们的生活交往以安排。在此意义上讲，是我们的生活决定着法律符号的"规

---

[7] 《韩非子·难三》。
[8] 《韩非子·定法》。
[9] 如《唐律疏议·名例》云："法，亦律也"；《说文》云："法，刑也"；《尔雅·释诂》云："刑，法也"，"律，法也。"以刑为主的法、律、刑主导着中国古典的制度。尽管在这种法律的背后，我们也不难找到其宗旨在于像保姆一般保护人们日常交往行为的动机（因此，它与现代法律理念中通过自我的努力而保护、争取权利显然不同：前者是"人主"恩赐的；后者是"天赋"或法律赋予的）。

划",而不是法律符号决定着我们的生活。尽管人们深知,一旦一部法律制定了,会对人们的日常生活发生巨大的影响,甚至成为人们日常生活的"决定者",但即使如此,法律也不能包办我们的生活世界,因为这明显不是作为符号的法律所能做到或胜任的——相对于人们的交往事实而言,法律符号是概括的。

中国古人似乎意识到了法律调整社会生活的此种局限,因此孟轲云:

> "徒善不足以为政,徒法不足以自行。"[10]

荀况则云:

> "故法不能独立,类不能自行。得其人则存,失其人则亡。法者,治之端也;君子者,法之原也。故有君子,则法虽省,足以遍矣。无君子,则法虽具,失先后之施,不能应事之变,足以乱矣。"[11]

如上引言,曾是我们批评儒家学派主张"人治"的重要证据,但也许恰恰在这种对作为"治之端"的法律的反思中,人们才能更好地寻取或完善"垂法而治"的方式。甚至我们通过此种论述更能进一步领会为什么在英美法系国家,要选取最优秀的人做法官,并通过他们在事实中发现规则、修立法律(判例法);也才能通过此进一步领会在大陆法系国家,解释法律的任务,只能由那些从品行兼优、德高望重的人中选出的法官来担当。一旦我们在制度设计中纳入人的因素,那么,儒家学说对人的关注就无可厚非了。

---

〔10〕《孟子·离娄上》。
〔11〕《荀子·君道》。

因为法律符号作为人的理性，作为概括性的制度事实，其所存在的问题和不足，其对社会主体交往行为难以自足的调整，都不可避免地需要人通过进一步解释得以完善。

可见，在法律符号的概括属性中，业已蕴含着对其加以解释的需要。如果说所有法律符号都具有概括性特征的话，那么，在古典中国的立法中，其体现得更为充分。因为强调立法的"简约"，几乎是中国古典社会立法的主要宗旨之一。杜预云：

> "法者……文约而例直，听省而禁简。例直易见，禁简难犯。易见则人知所避，难犯则几于刑措。""简书愈繁，官方愈伪，法令滋彰，巧饰弥多。"[12]

唐太宗云：

> "国家法令，惟须简约，不可一罪作数种条，格式既多，官人不能尽记，更生奸诈，若欲出罪即引轻条，若欲入罪即引重条。"[13]

这种简约的立法要求，其必然结果是法律自身的简约性。如《唐律》（《永徽律》）总共502条；《宋刑统》也是502条；《大清律》共458条。以如此简约的律文来调整一个泱泱大国的国民交往关系，法律符号在这里的高度概括性可见一斑。这也意味着，中国古典社会的法律和其他法律相比较，更具有必须借助解释才能较好地调整纷繁复杂的社会关系之要求。

尽管用来解释的文字以及业已解释出来的法律解释成果，仍然

---

〔12〕（唐）房玄龄等撰：《晋书·杜预传》。
〔13〕（唐）吴兢著：《贞观政要·赦令》，中华书局1978年版，第251页。

只是概括性的符号，但和如上简约的法律规定相比较，法律解释毕竟和社会交往事实更接近了一步，因此，之于法律本身，法律解释多了一种实践途径；之于社会生活，法律解释创生了一种调整方式。

第二，法律符号的逻辑性。法律符号的逻辑性可从两个方面来理解：

首先，作为符号的法律与它所调整的社会事实间具有一种内在的逻辑关联。如有关买卖合同的法律规范与其所要规范的买卖事实间必须有内在逻辑关联，否则，它便不对买卖事实发生调整效力；同样，有关航空管制的法律规范需合乎航空业发展的事实，即法律规则与该事实间具有逻辑关联，否则，该规范对航空业发展的事实无法起调整作用。

这种情形当然也体现在中国古典的法律与其所规范的事实关系中。例如《唐律》针对"知情藏匿罪人"就规定：

> "诸知情藏匿罪人，若过致资给，令得隐避者，各减罪人罪一等。"[14]

我们知道，这短短 24 个文字符号之所以对当时形形色色的知情藏匿"罪人"的社会事实起到实际调整作用，就在于它与相关事实间存在着逻辑关联，即一方面，法条所指称的社会事实是存在的，从而，以文字符号表达的法律和其所要调整的事实间形成内在逻辑关联；其次，法律所设定的惩罚机制，既能够威慑知情藏匿罪人的行为，也能够恰当地惩罚相关行为，于是，在法律的惩罚规定和预防并尽量减少知情藏匿罪人的目标追求之间，也形成了另一重正当逻辑关联。

---

[14] 长孙无忌等撰：《唐律疏议》，中华书局 1983 年版，第 540 页。

如果把法律规则的构成要素设定为条件预设、行为模式和处置措施三个方面的话,[15] 那么,可以肯定的是这三个方面都无可例外地关联着相关的事实。

条件预设关联着人们的行为模式选择有无法律意义,从而是形成事实与法律间能否关联,从而能否使事实产生法律意义的"事实语境"。

行为模式关联着实践中人们行为选择的模式。要人们接受法律规范对人们行为模式选择的安排,就需要行为模式选择的法律安排本身符合人们行为选择的内心要求和行为选择的实际状况。在此意义上,法律规则就是要设法和人们行为模式选择的要求和事实间搭建起逻辑桥梁,或者更通俗些讲,就是要使法律规则"讨好"、"迎合"人们行为模式的选择要求和可能的选择方略。

而处置措施则是和立法者的"目的期待"这种"主观事实"相关联的。如果说主体的需要构成社会事实的话,那么,立法者作为主体对法律调整结果的目的期待本身就构成一种社会事实。当主体的行为模式选择和立法者的"目的期待"相吻合时,法律所能施与的,便是奖赏;当该选择和立法者的"目的期待"并不违背时,法律所能施与的就是放任;而当该选择公然违背立法者的"目的期待"时,法律所能施与的就是惩罚。在这里,立法者及其法律以迎合主体社会需要和相关行为选择始,以能否满足法律的"目的期待"作为处置措施而终。显然,"目的期待"本身就成为处置措施这一法律规范要素所必需关联的事实。

以这种学理来理解中国古典的法律与其所调整的社会事实之间的内在逻辑关联,自然也是适合的。因为在古典的法律规定中,上述法律规范的逻辑构成要素照样存在。以《唐律》"丁夫杂匠亡"条的规定来说明:

---

〔15〕 相关具体论述,参见谢晖:《论法律规则》,载"北大法律信息网"。

　　"诸丁夫、杂匠在役及工、乐、杂户（条件预设）亡者（行为模式），一日（条件预设和行为模式的结合）笞三十（处置措施），十日（条件预设和行为模式的结合）加一等（处置措施），罪止徒三年（处置措施）。……"[16]

　　这是我随意在《唐律》中挑出了其中一条所做的分析。事实上，在中国古典法律中，只要是一条完整的法律规范，就莫不以此三个要素而构成。通过此，显然可以更进一步剖析中国古典法律规定中规则与事实间的内在逻辑关联。

　　其次，法律符号内部的逻辑关联。该种关联，在宏观上讲，涉及法律体系内部法律与法律间的逻辑关联上，因为只有通过这诸多的法律的合作性调整，才能形成整体性的社会秩序；在中观上讲，则涉及到具体某一部门或者某一部法律之间的内容关联；在微观上讲，则涉及到前述法律规范内在的逻辑构成问题。

　　严格说来，以上问题都属于语义学的范畴——法律符号所运用的语言文字本身与其所关联的对象事实间的意义关联以及法律符号不同于日常语言文字符号的特殊意义规定（如在现代法律中"约因"、"标的"、"无因管理"、"不当得利"等法律用语的专门意义），因此，对法律符号意义的理解，有必要引入语义学的分析观念和范式。

　　在几乎所有的古典法律中，法律体系大致表现为以某种体系庞大的法典为核心，统揽一个国家的法律体系。如在古典中国，历朝历代的法律都以某一部法典为中心而构造其体系。因此，这部法典就成为在宏观上法律符号内部逻辑关联的前提。这也导致在古典社

---

[16]　长孙无忌等撰：《唐律疏议》，中华书局 1983 年版，第 534 页。括弧内文字系我根据法律规范构成的学理所做的解释。

会，部门法的概念并不必要（当然，放在事实层面分析，这是和古典社会之社会分工尚不发达相关的）。至于中国古典法律在法律规范之微观层面的逻辑关联，前已述及，此不赘述。

然而，法律符号内部的逻辑关联不仅涉及到前述法律符号的语义学问题，而且也涉及到其语用学问题。语用学视界中语言符号的意义，主要不是来自于语言符号所代表的事实对象本身，而是语言符号的用法以及运用中的语境，即语言符号自身的运用方式、运用语境就产生着某种意义。对此，有人写道：

> "在'语言游戏'的平台上，语言的意义取决于它们的用法，即取决于它们在受规则指导的'生活形式'中的使用，并且这种使用包含了一个前提：即与规则纠缠在一起的语言就是言语行为，因此规则也不再是既有的句法规则，而是用法规则。"[17]

尽管法律符号在所有的文字符号系统中，最讲究意义的大体确定，但当静止的、概括的法律符号运用于多变的、流动的法律事实和法律主体中时，法律的意义必然发生一定的迁移和转换。正如唐时许敬宗所描述的春雨和秋月在不同人之心理世界所产生的不同感受那样：

> "春雨如膏，农夫喜其润泽，行人恶其泥泞；秋月如镜，

---

[17] 盛晓明著：《话语规则与知识基础——语用学维度》，学林出版社 2000 年版，第 32 页。

佳人喜其玩赏，盗贼恨其光辉……"[18]

　　法律对社会关系的调整，正是如此。一方面，当其作用于在细节上明显有别的同类事实时，便会产生并不相同的法律意义。因此，在同样的规则（以制定法为例）调节下所产出的针对同类事实的判决，绝不可能是完全一样、照抄照搬的。在制定法体制下，我们可以复印出针对某类事实的同一条法律，但绝不可能复印出针对某类事实的同一个判决。这已经在表明，任何一次司法活动或者法律运用行为，都是人们对法律的解释行为。另一方面，同样的法律规定在不同主体的心理感受上也会明显有别。完善的法律体制，对于一个渴求法治的人而言，如遇喜筵；但对一个希望一言堂的专制者而言，则如临大敌。这样，法律符号就在语用学意义上酝酿和创生着另种与其调整的事实间的逻辑关联，一言以蔽之，这种逻辑关联可以表述为：**法律符号是稳定的，但和人们交往行为关联的"法律"却是日新月异的。**洛克曾在谈到语言时所说的一段话，对理解这里的问题，或许有些过，但也不乏启发意义：

　　　　"语言之所以有指称作用乃是人们随意赋予它们一种意义，乃是由于人们随便把一个字当作一个观念的标记。因此语词的功用就在于它们是观念的明显标记，而它们所固有的直接

---

[18] 该段话究竟出自何处？笔者遍查《旧唐书》、《新唐书》、《贞观政要》以及《资治通鉴》均未得。最近通过网上查询得知，一位关注《寓林折枝》的网友在谈到这段话时，也有如此困惑，引述如下："……该篇非《寓林折枝》所收，是一位网友垂询其出处，本人惭愧从未拜读过。在网上搜索，多指为《贞观政要》中唐太宗与许敬宗的对话。但《贞观政要》中似乎没有。搜索到骁骑交友网站的'凡人凡事'则是如此，但许敬宗为何许人，本人还是云里雾里的。欢迎见多识广者指教。之所以收录，是觉得这段话很有哲理。"因此，对其出处，只能后补。也请读者见谅！

的意义就是它们所代表的那些观念。"[19]

正因为如此，法律符号的逻辑性也就需要通过解释来进一步完善。

第三，法律符号的沟通性。同一切符号归根结底是提供给人们一种相互间理解和沟通的方式一样，法律符号的基本功能也是如此。富勒在谈到法治时指出：

> "法是使人类的行为服从规则治理的事业。"[20]

那么，进一步的问题是：人们为什么要服从这种"规则的治理"？我们通常是在意识形态视角回答这一问题的，诸如法律是否反映了人民的要求和意志等等。这固然很重要，但如果说得更明了一些的话，可以认为，人们之所以接受之，在于法律给人们的交往行为——人们的日常生活提供了理解和沟通的方便。古代思想家所设计的法律在功能上是这样的：

> "法者，所以兴功惧暴也；律者，所以定分止争也；令者，所以令人知事也。法律政令者，吏民规矩绳墨也。"[21]
>
> "夫民躁而行僻，则赏不可以不厚，禁不可以不重。故圣人设厚赏非侈也，立重禁非戾也；赏薄则民不利，禁轻则邪人不畏。"[22]

---

[19] ［英］洛克著：《人类理解论》（下册），关文运译，商务印书馆1981年版，第386页。

[20] 转引自张文显著：《二十世纪西方法哲学思潮研究》，法律出版社1996年版，第63页。

[21] 《管子·七臣七主》。

[22] 《管子·正世》。

上述两种关于法律功能的说法，前者立足于目的视角；后者则立足于技术视角。不论哪种视角，法律功能的如上设定都可以使人们感受到交往行为的便利和便捷，而不是相反。人作为"好利恶害"的动物，所好之"利"、所恶之"害"，不能仅仅从经济利益视角衡量，除此之外，行为便利与否（自由与否）是其好恶更重要的内容。法律既然能提供给人们一种交往行为的便利和相互理解的便捷，则接受法律的"规则治理"就是人们交往中的预料中事。

法律作为人们沟通的符号，只是提供给人们一种交往沟通的前提或平台。即人们的交往行为，在法律的规制范围内，可以实现更好的理解。作为法律实施标志的红、绿灯大概能够很好地说明法律对主体交往的沟通功能。当行人、行车看到红灯而止步、停车时，或者当其看到绿灯而起步、行车时，它对南来北往的人们之沟通功能便昭然若揭。人们在一个复杂社会中的交往行为，正是通过对法律的尊重、遵守，才因"规矩"而致"方圆"的。这里的"方圆"，既是人与人交往中的相互理解及因之所致的和谐，也是因此种和谐而获得的实际利益。

和普通语言和文字符号的沟通性相比较，法律符号的沟通性显然有所不同。**其一，它是一种只有通过行为才能得以体味和实现的沟通**。因为即使在古典社会的法律中，法律调整的仍然是、或者主要是人们的交往行为。尽管在中外古代法制史上不断有如下类似的记载和事实：

> "而大农颜异诛。初，异为济南亭长，以廉直稍迁至九卿。上与张汤既造白鹿皮币，问异。异曰：'今王侯朝贺以苍璧，直数千，而其皮荐反四十万，本末不相称。'天子不说。张汤又与异有郄，及有人告异以它议，事下张汤治异。异与客语，客语初令下有不便者，异不应，微反唇。汤奏当异九卿见

令不便，不入言而腹非，论死。自是之后，有腹诽之法
（比），而公卿大夫多诌谀取容矣。"[23]

这是中国历史上一例著名的"思想治罪"的记载。事实上，
这种情形至少自秦朝以来，就已存在，但我在这里想说明的是：这
种思想治罪的事实并不能说明古典法律所直接调整的就是思想。即
使这些对"思想治罪"的规定，仍然是通过人们的"行为"（如
"微反唇"的表情及此前颜异的主张令武帝之不悦）来认定的。可
见，如果不通过人们的行为沟通来衡量思想，法律就无法发挥其沟
通人们交往行为的作用。与此有别的是，语言和文字符号不需要通
过人们之间的行为交往，只要人们掌握了它，就可以发挥或者起到
理解沟通的作用。在此意义上讲，语言和文字符号的沟通首先是内
在的、心灵的沟通；而法律符号的沟通首先是外在的、行为的
沟通。

其二，它也是一种需要借助强制力量以保障的沟通。用口语表
达的语言具有明显的自然属性，可以说，它内生于人们的日常生
活。因此，尽管人们所表达出来的语言或许具有强制性、请求性、
指导性等等不同的指向和属性，但可以肯定，语言自身并不具有强
制性。当然，作为书写的文字和口语化的语言相比较，已经具有相
当的强制性，我们可以把它称之为"半强制性"。这是因为一方
面，文字作为一种书写方式，自从其产生以来主要是精英们的交往
工具，因此，当精英们以文字符号号令他人时，本身就具有强制
性。但另一方面，文字具有被大众化和普及化的可能，一旦文字和
口语化的语言一样成为人们交往行为的工具时，文字本身的强制性
就大为逊色，它是否有强制性就只能被置于某种语境中才能判

---

[23] 司马迁著：《史记·平准书》。这种情形不仅存在于古代中国，而且也存在于其他
国家。对此，我们只要回忆一下有关"宗教裁判所"的事实和历程就不难得悉。

断了。

在一定意义上讲，文明时代以来法律的强制性很类似于文字的强制性。因为自此以后，法律基本上就是文字用武的所在。在古代社会，当人们的识字和文字运用能力普遍低下的时代，法律大体上借助文字的强制性以及法律符号自身的强制性得以贯彻落实。古典成文法律之所以每每以刑法为主，与彼时法律以及法律适用的时代背景息息相关。这种时代背景，广义言之，或可称为法律适用的"语境"吧。

近代以来，特别是 20 世纪中叶以来，随着法律成为人们交往行为中的"日用品"而越来越普及，它作为沟通人们交往的符号，其强制性运用的事实在明显弱化，甚至在西方法治发达国家的学理中，人们不再将强制力作为法律的本质特征。对此，有人总结道：

> "……自 1950 年代末开始，西方法理学各种理论在推进各自观点的同时，却不约而同地对'强制力'观念予以弱化，有时甚至是消解。其主要表现形式是：承认在某种境遇中法律的实施有赖于'强制力'作为后盾，然而，取消'强制力'在法律概念理论中的基本特征的地位。换言之，他们主张，'强制力'的运用不是法律存在和法律实施的本质特征。这种弱化，明示着西方法律概念乃至法律制度的概念的变化更新的机制，标志着西方法理学诸多观念的本体论层面的变革。"[24]

尽管如此，法律的运用仍然存在着明显的"强制后盾"。即使借用现代民主而完全通过人们的自主交涉所制定的法律，总难免一些人对它的违反和不尊重。这时，公共强制力的出现就对保障法律

---

[24] 刘星：《法律"强制力"观念的弱化——当代西方法理学的本体论变革》，载《外国法译评》1995 年第 3 期。

这种交涉理性的实现具有莫大的助益。还有，即使像现在这样一个法律已日益渗透于人们日常交往行为的时代，诸多法律规定仍然没有成为人们像语言和文字那样必须掌握的常识和工具，相反，法律中的诸多专门词汇，对常人而言仍然是难以理解的符号。因此，法律的实施还往往靠律师、法官等法律职业人士。这就免不了使得法律职业者在执业活动中作为法律专业的"强势者"对其他"弱势者"所必然带来的"强制"。

可见，不论在古今，法律符号的沟通性都带有一定的强制性，这明显地不同于语言和文字符号，因为后者的作用主要地体现为以资实现人们交往的"自觉"沟通。

法律符号的沟通性，同其逻辑性和概括性一样，都要通过解释来实现。沟通性绝不是指法律仅仅是人们交往行为的桥梁，人们只要通过这一桥梁就可以实现沟通。相反，正如前述，它更多地只是提供一种人们在交往行为中交涉、沟通和理解的平台。因此，借助法律对人们交往行为的沟通，事实上就是以法律为平台或前提对人们交往行为的理解和解释。

如果说现代法律是如此的话，那么，具有更多强制性因素的中国古典法律在沟通人们交往行为活动时就更是如此。因为即使在强制性法律下，立法者并不是期望通过某种高压来实现主体交往的秩序，因为这样做的结果只能是成本高昂，而收效甚微。相反，如何通过既节约成本，又能明显产生实效的方式使具有强制性的法律贯彻为社会的井然有序，就是立法者必须予以特别关注的问题。这大概正是连众所周知的"以法为教，以吏为师"的"暴秦"之法，也强调为吏要做到"五善"的原因：

> "吏有五善：一曰中（忠）信敬上，二曰精（清）廉毋谤，三曰举事审当，四曰喜为善行，五曰龚（恭）敬多让。

五者毕至，必有大赏。"[25]

这恐怕也是孔丘一再强调下述主张的原因：

"道之以政，齐之以刑，民免而无耻；道之以德，齐之以礼，有耻且格。"[26]
"其身正，不令而行；其身不正，虽令不从。"[27]

《为吏之道》的精神和孔丘的主张难道不是强调当政者用和缓的方式来实现更好的秩序吗？然而，要做到这一点，就必须使具有的强制性的法律被置诸某种解释框架中。由此，我们可进一步理解其"宽以济猛，猛以济宽……"、[28] "不教而杀谓之虐……"[29]的原因了。

二、解释学之与法律符号解释

解释学在20世纪业已发展成为一种以主体间如何理解以及理解和解释构成人存在的本质性规定这样的对本体性问题加以探求和追问的学术思潮。洪汉鼎根据 R. E. 帕尔默等的研究以及自己的理解，把解释学（他用"诠释学"这个词表述之）分为六类（六种性质），即"作为圣经注释理论的诠释学"、"作为语文学方法论的诠释学"、"作为理解和解释科学或艺术的诠释学"、"作为人文科学普遍方法论的诠释学"、"作为此在和存在理解现象学的诠释

---

〔25〕 睡虎地秦墓竹简整理小组：《睡虎地秦墓竹简·为吏之道》，文物出版社1978年版，第283页。

〔26〕 《论语·为政》。

〔27〕 《论语·子路》。

〔28〕 《左传·昭公二十年》。

〔29〕 《论语·尧曰》。

学"、"作为实践哲学的诠释学"。〔30〕其中解释学在 20 世纪的发展，主要是后两种。

在我看来，尽管这种立足于本体性之追问的解释学对法律解释而言具有弥足珍贵的参考价值，特别是在立法及其相关的"关于法律的解释"（解释法律）〔31〕活动中，其作用更甚，但之与法律解释，〔32〕这种解释学的许多主张，如"解释的循环"说、"视域交融"说、"理解即解释"说、"解释就是创造"说等等，其作用则有诸多局限。为什么呢？

法律解释在很大程度上类似于"圣经解释"，其目的是为了传达立法者立法的原意，或者至少也是寻求法律文本自身的"本意"。尽管学者们在谈论法律解释的目的时，每每把传达立法者原意说、寻求法律文本本意说以及表明解释者自己立场说这三个方面均作为法律解释的目的来论说。〔33〕并且笔者也大体同意这三者都是法律解释的目的向度之说法。但是，对于法律的贯彻落实和法律秩序的缔造而言，恐怕最常见的、或主要的法律解释目的是寻求法律文本的本意。否则，法律秩序只能因信马由缰的解释而被破坏，从而法律及其解释不是法律秩序的缔造者，反倒可能是社会失序的洪水猛兽。显然，这不是法律及其解释的目的。即使法官在判断案

---

〔30〕 参见洪汉鼎著：《诠释学——它的历史和当代发展》，人民出版社 2001 年版，第 21—27 页。

〔31〕 参见谢晖著：《法律的意义追问——诠释学视野中的法哲学》，商务印书馆 2003 年版，第 1 页。

〔32〕 笔者认为，"解释法律"和"法律解释"是两个完全有别的概念（参见谢晖：《解释法律与法律解释》，载《法学研究》2000 年第 5 期）。本文所探讨的，尽管是中国古典法律解释中的哲学问题，但所关注的问题，是中国古典的法律解释。因此，中国古典的法律解释是本文论述的基本材料。

〔33〕 例如张志铭，参见氏著：《法律解释操作分析》，中国政法大学出版社 1999 年版，第 37 页；范进学，参见氏著：《宪法解释的理论建构》，山东人民出版社 2004 年版，第 114 页。

件中享有极大的自由裁量权、甚至法官立法的那些判例法国家里，法官在判断案件中仍然要遵循先例，而不是毫无规则根据地任意挥洒自己对某个案件的看法或判断。

既然法律解释的目的不是为了寻根究底地追问法律的意义，或者通过人们不断的交涉而创制普遍的规则，而只是或主要是寻求对既存的法律文本的字面理解，并以之为基础实际地解决现实生活中存在的法律问题，那么，站在一定技巧的立场上寻求解释学和法律解释之间的关联或许对法律解释而言更有意义。

可见，并不是解释学的所有理论皆可以被我们无所选择地运用到法律解释过程中。正因为如此，在不少现代法治国家，专门制定了规范法律解释的法律，[34] 使法律解释工作在遵循法定的主体、技巧和原则的前提下展开。法律解释学的任务，就是要把法律解释的具体材料运用之于法律解释的学术梳理、归纳、总结和提升过程中。它与解释学法学————种旨在通过"关于"法律的解释，来阐释法律合法性问题的学问有明显的不同。[35] 简而言之，**可以说解释学法学是用以查明法律和解释法律之义理的学问，其主旨为解决立法以及法律的合法性问题；而法律解释学则更多地倾向于法律实践中法律解释的技巧及其应用问题，其直接目的是促使既有的法律被贯彻和落实，使"纸上的法律"变成主体"行动中的法律"。**

尽管如此，但这并不意味着法律解释学就没有值得在哲学意义上加以反思的问题和必要。事实上，所谓哲学，归根结底来自于我们对自身实践生活的关注、忧虑和把握。作为实践理性的法律，自

---

[34] 例如，在澳大利亚、加拿大等国家和中国香港，就有专门的"法律解释法"存在；而在中国台湾地区，"大法官会议法"其实主要内容涉及法律解释法。

[35] 笔者对该问题的相关论述，参见《解释法律与法律解释》，载《法学研究》2000年第5期；《解释学法学与法律解释学》，载拙著：《法的思辨与实证》，法律出版社2001年版以及《法律的意义追问——诠释学视野中的法哲学》，商务印书馆2003年版等。

始就以人们关注自身交往中生活秩序的建设为宗旨。人类的生活，既有在物质层面上的需要及其满足方式，也有在精神层面上的需要及其满足方式。这两者只有在有序状态中才能更好地实现。但有序状态的实现，有多种方式：一是在利他主义原则下人们自觉地凭借良心而维护秩序；二是在利己主义原则下人们靠自由竞争而创制秩序；三是在互利主义原则下人们尊重规则而维护秩序。前者可谓纯粹的道德秩序；中者可谓纯粹的强者秩序；后者则是我们今天热切期盼的法治秩序。

我们知道，在古代的法律发达史上，虽然有过短暂的法律主治的时代，但并没有像今天这样在制度设计上把法律看作至上的机制，因此，彼时法治也就每每昙花一现。不过，即使古典时代没有今天如此发达的法治，但其对法律的重视在东西方文明史上却是颇为相似的：

> "法令者，民之命也，为治之本也。"[36]
> "法者，所以齐天下之动，至公大定之制也。"[37]

这是古典中国的学者们对法律在构筑公共秩序中作用的看法。但我们知道，在古代世界史上，中华文明在道德和法律间典型地轻视法律，看重道德。所以，在立法上恪守"德主刑辅"，强调"德礼为政教之本，刑罚为政教之用。"即使如此，法律在构筑公共秩序中仍然如此受人重视，这足以说明互利主义原则下的规则统治在人类秩序建设中不可或缺的价值。

然而，问题在于规则的统治绝不仅仅是制订详尽无遗的法律就可以解决的。任何法律都是面向或面对事实而生的，因之，来自事

---

[36] 《商君书·定分》。
[37] 《慎子·佚文》。

实的法律只有返回到事实中去时，才能真正成为秩序构造的规范基石。不过规则一旦返回到实践中时，并不必然形成秩序。规则之于主体实践，事实上起着三方面的作用：其一是肯定所发生的社会事实；其二是否定所发生的社会事实；其三是放任所发生的社会事实。对前者，不论哪种情形，都可能产生规则和人们愿望间的冲突，因为所谓社会事实，总是和人们的愿望关联在一起的。与此相关，在如下三种情形下，法律和社会事实就产生冲突，法律的实践运用就无法更好地产出社会秩序：即法律所要肯定的社会事实恰恰是社会主体所反对的，或者法律所要否定的社会事实恰恰是社会主体所需要的，又或者法律所放任的社会事实恰恰是社会主体期望加以控制的。

显然，法律并不必然包办社会秩序，不但如此，法律有时还是社会秩序的破坏者，对此，我们在"暴秦"之法所引致的秦朝秩序大乱，在隋末立法所引致的天下揭竿而起等等不绝如缕的故事中不难得见。但与此同时，法律总不能立了废、废了再立。相反，即使法律和特定时期的社会事实、社会秩序发生某种冲突，在形式上理智地维护法律的应有尊严，其也是保障法律秩序得以建立的必要的观念基础。否则，如果法律连形式层面的尊严也不得保障，那么，其在实践中只能因为"各说各有理"而架空法律的应有地位，此种对法律在形式层面应有的尊重或可谓之"法律信仰"。[38]

不过，对法律在形式层面的应有尊重，并不是说即使法律明显违背社会基本需要，也必须根据此形式层面的法律强制矫正人们对其交往秩序的需要。正确的做法应当是通过法律解释一类的工作矫正法律对主体社会秩序要求的背反。所以，凡是有法律的地方，就必然存在着法律解释——通过解释使得法律不拘于形式理性，而达到某种"实质理性"。

---

[38] 参见谢晖著：《法律信仰的理念与基础》，山东人民出版社 1997 年版。

在一定意义上讲，侧重于经验主义理念的英美法系国家之判例法所关注的就是这种在尊重法律之形式理性的基础上对法律实质理性的关注。当法官在正当程序原则下，根据每个案子的具体情形，小心翼翼地进行"前例识别"，或者根据现例的特征作出既在一定程度上尊重先例，同时又不乏新解释的判决时，人们都说这是"法官造法"。尽管此种说法并无不可，但我更倾向于说这是法官通过对法律和事实的解释在实质意义上实现着社会的公正。

在古典中国社会，对法律的理解相当狭隘。尽管当下的不少研究者根据近代以来西方国家在法治发展中法律的经验，认为中国古典的法律也有类似西方法律的广泛性，从而将礼这种规范形式也纳入中国古典法律的轨道进行研究。[39] 但笔者认为，**如果从礼等规范所具有的实际功能（实）视角看，其确实在某种意义上发挥着和现代法律、特别是民商法和行政法相若的功能，然而，如果从中国古人关于法律的理念出发，礼则万万不是法，而是和法相对应的一种规则。**荀况说：

> "治之经，礼与刑，君子以修百姓宁。明德慎罚，国家既治四海平。"[40]

我们知道，在中国先秦学术史上，荀况是最典型地主张"礼法结合"的思想家。但他仍然对礼和刑（法）作出了严格的限定。

---

[39] 相关的观点，在民国时期就已产生，如甄太：《由礼仪之法律化至法律之礼仪化》，载《法学新报》第 23 期，1928 年 2 月；胡长清：《礼与法》，载《法律评论》第 6 卷第 27 期，1929 年 4 月；瞿同祖：《俗、礼、法三者的关系》，载《北平晨报》第 16—25 期，1934 年 9 月；朱显祯：《礼与法律》，载《社会科学论从月刊》第 2 卷第 8—9 期等。最近之相关论述，如马小红著：《礼与法》，中国经济出版社 1997 年版；刘大生著：《法律层次论》，天津人民出版社 1993 年版等。

[40] 《荀子·成相》。

所以，古典中国的法律，主要指刑法，故蔡枢衡说：

> "在历史上，中国刑法史是法制史的重心。除了刑法史的法制史，便觉空洞无物。"[41]

即使古代中国刑法每每表达着"儒家化"的精神，[42] 从而导致法律的明显伦理化，但我们仍然要说，在古典中国，一旦某种伦理或礼仪被纳入到刑法所调整的范畴时，则意味着相关规则已经从"德"、"礼"等范畴中溢出，而进入到法律——刑法的范畴。**正是在名实相符的意义上，我们仍然不能说古典中国的礼就是古典的法，而只能说它可以被纳入到今人理念中法律的范畴**。这种甄别，对于我在后面的分析不无意义。

既然中国古典的法律，所指的就是或主要是刑法，那么，对古典中国法律解释在解释学意义上的审视，其实也就是对刑法解释的解释学审视。正因为古典中国的法律主要指刑法，所以，自法典视角看，其往往具有相当严谨的体系。从"汉承秦制"直到"明清律法"，中国古典法律在两千余年的历程中，都具有严格的成文体系。这种情形足以为我们作为中华民族的成员在发思古之幽情地回忆自身的法律发达史时，生发出无限的自豪感。

然而，有一利就必有一弊。体系完整的法律每每在静态意义上关注社会，规范社会秩序。但事实却是：社会总是动态的，社会事实总是变迁的。因此，任何在静态意义上的"万古不变之常经"，在面对不断变迁的社会事实时只能从新修正或者根据事实来解释。即使像宗教法那样的经典法律，也经不住因为时空变迁所带来的压力，从而无可避免地被置于解释的世界。这恐怕正是在基督教世界

---

[41] 蔡枢衡著：《中国刑法史·序》，广西人民出版社1983年版，第4页。

[42] 参见瞿同祖著：《中国法律与中国社会》，中华书局1981年版，第328页以下。

存在基督教、天主教、新教、东正教之分野的原因；也恐怕正是在伊斯兰法律统治的世界，教派和门宦林立的原因……

中国古典严谨的刑法体系也不例外，也需要在不断变迁的社会事实中进行解释，从而使法典的"不变常经"更好地借助变迁的解释适用于变迁的社会。在广义上讲，法典制定后的其他法律形式，如令、格、式等皆可谓对法典的解释。因此，法律的落实以及它对秩序的构造实际上在法律制定后还要经过一个相当漫长的过程。如果把上述解释归类于"立法"，而仅仅自狭义的法律解释——有法律解释权的主体对法律的注释、司法机关通过个案的解释及其判例等等，就可以更进一步发现不经过解释的法律也是难以构造秩序的法律。正因如此，古典中国的法律在理念上尽管是狭隘的，在立法上也尽管是十分严谨的，但其只有在解释中才能实现构造其特定时代之秩序的使命。这种丰富的法律解释资料，足以资解释学——中国解释学的研究。

三、解释学与中国古典法律解释研究

近些年来，受西方解释学理论的影响，在中国也掀起了研究中国古典解释的热潮，学者们将其命名为中国古典解释学研究。事实上，其主要是借助解释学理论研究中国古典的各种解释现象，特别是经典解释现象。在这方面，力倡者如我国大陆的汤一介、洪汉鼎；我国台湾的黄俊杰、张鼎国；美国的成中英等。也因此，有了不少相关学术成果的问世。其中既有专门研究中国古典解释理论的,[43] 也有以当代西方解释学理论为基础研究中国古典解释现象的,[44] 但不论哪种研究取向,所关注的中国古典解释材料主要为经典解释,如四书五经解释、古典诗歌解释、经典思想家的理论注释等等。但遗憾的是,有关中国古典的法律解释还很少被如上两种解释取向所关注。只有极个别的学者在解释学立场上关注中国古典的法律解释问题。[45] 因此,中国古典丰富的法律解释文献并没有很好地被置入解释学框架中研究。

事实上,中国古典的解释材料以经学解释为核心又可以具体地分为如下几种:一是经学解释,二是子学解释,三是文学解释,四是史学解释,五是医学解释,六是农学解释,七是律学解释,八是兵学解释。这八个方面共同构成中国古典解释的全体。所以,要试图对中国古典解释有个全面地了解,并运用解释学方法予以梳理和再解释,就需要认真对待中国古典的法律解释现象。

重要的是,当代西方解释学理论,所强调的恰恰与法律所追求的实践理性息息相关。在伽达默尔看来,解释学的功用就在于理解、解释和应用。他指出:

> "……我们不仅把理解和解释,而且也把应用认为是一个统一的过程的组成要素……因为我们认为,应用,正如理解和

---

[43] 如李清良:《中国诠释学》,湖南师范大学出版社 2001 年版;周裕锴著:《中国古代阐释学研究》,上海人民出版社 2003 年版以及由成中英等主编的《本体诠释学》(已在北京大学出版社、上海社会科学院出版社等出版三辑)、由刘小枫等主编的《经典与解释的张力》,上海三联书店 2003 年版等。

[44] 特别是由山东人民出版社出版的以书代刊的刊物《中国诠释学》(第一卷已于 2003 年出版,第二卷的出版也正在筹备中)在这方面作出了有益的尝试。

[45] 如杨昂:《中国古代法律诠释传统形成的历史语境》,载《中国诠释学》(第一卷),山东人民出版社 2003 年版,第 278—291 页。此外,陈景良、徐忠明等从事法史研究的学者在其学术作品中也逐渐开始关注运用解释学理念和立场来解释中国古代法制史问题,包括古典法律解释问题。

解释一样，同样是诠释学过程的一个不可或缺的组成
部分。"[46]

严格说来，应用的功能在解释学中当更为重要。它是解释学的
最终功能。事实上，理解和解释本身也是一种应用（特别是精神
现象意义上的应用）。这就使作为哲学的解释学从纯粹思辨的精神
领域走出，而投向了主体实践，即以主体的社会实践为哲学的基本
关切。解释学在此意义上就是实践哲学。

也就是在这里，解释学和法律解释之间产生了微妙的契通和逻
辑关联。自从成文法产生以来，法律及其解释的基本使命就是为了
方便人们交往行为的实践。就是通过公式化的法律或借用公式化的
法律所做的解释（可否喻为演算活动？）而使复杂的实践关系更为
简捷、明晰、可操作。因此，法律天生是一种实践理性。即使那些
略显神秘的宗教法律，只要其以成文的方式公布于世，也就无不以
方便人们的实践交往为宗旨。所以，法律及其解释的直接目的和最
高目的都指向人们交往行为的实践。法律不能实用，则无疑是废纸
一堆。

法律及其解释的此种实用品格，当然也适用于中国古典的法律
及其解释。在一定意义上讲，中国古典的法律及其解释大概更加注
重这种实用性，因为中国古代智慧是典型的"实用理性"的智
慧。[47] 这从孔子所谓"天道远、人道迩"、"敬鬼神而远之"等经
典论述中可见一斑。其关注实用的这种品格越是突出，就越需要在
更高层次上接受某种强调实用的理论加以分析、总结和提升，使得

---

〔46〕　［德］伽达默尔著：《真理与方法》（第一卷），洪汉鼎译，上海译文出版社1999
年版，第329页。

〔47〕　相关具体论述，参见李泽厚著：《中国古代思想史论》，人民出版社1986年版，
第303页以下。

古典法律解释不仅仅停留在经验材料的层面，而且发展为可进一步久远地指导人们从事法律解释的理论成果。具体说来，两者关系可概括如下：

首先，中国古典法律解释的丰硕成果足以丰富和支持解释学的研究。中国至少自秦汉以来，就存在发达的法律解释活动和丰富的法律解释成果。可以肯定，尽管我们现在所能看到的中国古典法律解释的材料只是其很有限的部分，但已有的材料足以用汗牛充栋来形容。[48] 这些材料既包括官方的解释，如"睡虎地秦墓竹简"中的"法律答问"，《唐律疏议》等等，也有来自民间的解释。近些年整理出版的"中国律学丛刊"丛书，其中所收录有多部明清之际民间法律解释的材料。[49] 当然，还有站在批判立场上对法律所作的批判反思性解释，即学理解释。在古典中国，这一类的解释，大体上可以归类于"解释法律"的范畴。古代思想家们对法律的见解和阐述就属于此类。如上只是其中的一个视角。

如果从解释的对象看，既有时人对其当下法律的解释成果，也有后人对其前代法律的总结、解释和反思。后者如薛允升之《唐明律合编》、沈家本的《历代刑法考》，陈树德的《九朝律考》等等。[50] 我们所要纳入本书考察的，主要是前者。因为后人的解释，更多地是站在学理的立场上所作的批判反思，从而与学理解释区别不大。进言之，其在功能上讲不是针对正在生效的法律如何更有效地构造当下的社会秩序所做的解释。

从法律解释的方式看，既有类似于立法的解释，即对法律条文

---

〔48〕　其发达程度，可参见何勤华著：《中国法学史》（第一、二卷）的相关论述，法律出版社 2000 年版。

〔49〕　该丛书由怀效锋主编，由法律出版社 2000 年以来陆续出版。

〔50〕　当然，陈树德、乃至沈家本的解释，在时间上讲，严格说来已不是"古典"的法律解释，但从思路和知识谱系上讲，其仍然属于"古典的"范畴，尽管其解释已经明显地嵌入了近代视野和观念。

作出逐条的解释。当然，此类解释，有些直接具有法律效力，这主要指官方出面所做的解释，如《唐律疏议》就是典型；而有些只有经过官方的确认才具有法律效力，这主要针对民间解释而言。也有类似于司法的解释，即"法官"通过对个案的事实认定，运用法律于个案之中。这既是一个借助法律以解释事实的活动，同时也是运用事实来解释法律的过程。是"法官"思维在事实和法律间的目光留盼、往还反复和权衡斟酌，当然，也是以法律为标准和框架把事实纳入法律的秩序之中。尽管囿于我们的法律解释观和当下中国的法律解释体制，我们对这种通过判例的法律解释之重视还远远不够，但从通过法律以构造秩序的意义上讲，这种解释更值得重视，因为只有在这里我们才看到的是所谓"活法"。例如董仲舒的"春秋决狱"及其判例（当然，黄氏在历史上并未做过判官，也未直接审案，但他对一些案件以儒家经义为据所做的论断，对后世的判官们影响甚大）、幔亭曾孙的《名公书判清明集》、徐士林的《徐公谳词》[51] 等行为或书所留下的大量判例，更值得在法律解释的学术研究中加以重视。因为在这里，我们才能进一步明白中国古典的法律是如何实践的。

如此丰富的法律解释材料，对于解释学而言，是一笔莫大的财富。但在古典中国，并未像研究文学解释那样对之作出系统的理论总结；在当代中国，也未对之在学理上作出必要的、系统的总结和处理。因此，运用这些材料进一步深化对解释学研究，或者为解释学提供可资借鉴的中国经验，就颇有意义。

源自西方的解释学，其大都以西方古典解释——圣经解释、语文解释和法律解释为基本经验材料。但自从该学问诞生以来，就很快产生了世界性影响，也很快在中国取得了多学科的认同，以至于它业已成为当代中国学问发展中被运用较多的西方学术理论思潮之

一。须说明的是，如果说存在主义思潮、精神分析学说、解释学范式之外的后现代思潮等在当年、甚至在当下中国的流行，总是和某种政治意识或者社会思潮相关联的话，那么，解释学在中国的受重视，则更多地体现在纯学术层面。尽管解释学与实践关联如此紧密，但它只是对社会理解和解释实践的学术总结，而不是某种政治思潮的附属；又尽管解释学自身也往往秉持着某种政治理念——如对话理念、充分的实践参与理念等等，但它更侧重于在学术文化层面向人们宣示这些理念。解释学在法学上之所以备受关注，正在于此。中国古典法律解释经验，对于解释学研究而言不仅在于证成它的一些基本原理的"普适"价值，而且也在于通过中国古典法律解释来扩展解释学的内容，发现解释学的新问题、新领域。例如，在现代民主体制下的法律解释体系中，我们可以利用法庭上的辩驳、合议庭的"对话"等来达到解释的目的。但在古典专制主义法律解释体系中，法律解释基本上不是对话的产物，而是一种典型的"独断型解释"，在此种情形下，能否实现某种意义上的"视域交融"？如果有，是何种意义上的"视域交融"？再如，中国古典法律解释的诸多方法对于解释学而言意味着什么？是支持，还是解构？凡此种种，通过认真研究法律解释的中国古典经验便会有所发明、有所作为。

当然，中国古典的法律解释不仅仅是一堆经验材料，而且也有相当的学理基础和哲学旨趣。对其所蕴含的哲学旨趣进行研讨，并与解释学的原理加以比较，会是一个更为有趣的问题和课题。因为这种比较可以深入到中西文化、特别是法律文化关于解释的不同文化理念中。

其次，西方解释学理论在学理层面可以更好地梳理、总结和提升这些经验材料，从而使中国古典法律解释能够取得更好的理论说明。 如前所述，尽管作为体系庞大的解释学，并不是它的所有理论都可被运用之于中国古典法律解释的分析，但作为方法的解释学，却是研究中国古典法律所必须关注和借鉴的。这是因为法律解释自身就是关于把法律运用之于实践的方法。"工欲善其事，必先利其器"。作为方法和分析工具的解释学理论对于更好地认知和梳理作为法律运用方法的法律解释而言，则是另一种方法——这可谓"方法的方法"。

前已述及，中国古典之解释现象非常丰富，但其他解释现象都比较好地在自身的研究领域中得到重视，甚至跨越了自身研究领域，对其他人文社会科学研究也在发生着影响，如经学解释学、文学解释学等等。与之相较，为什么如此丰富的法律解释现象却没有在学理上得到应有的重视？显然，这不仅仅是人们对法律解释的忽视，也不仅仅是法律解释每每被官家独断，在此之外，相关理论范式的缺乏不可谓不是重要原因。

在我国，不少人想当然地认为，法律制定了，按照其规定贯彻落实就是，不可能在其中寻求到知识。所以，法律在国人观念中只是一种由官家决定其命运的规定，其自身并不具备什么知识形态。更兼之长期以来的科举考试，在内容上更关注四书五经、文学艺术等，而对作为治国规则的法律及其学术关注不够，这就形成了如苏轼般的文人们对法律学术的轻忽、慢待。[52] 因此，人们就不愿去从理论上寻求和思索法律解释的法理。

或许人们会反问：中国不是在先秦时期就有相当发达的法学理论吗？特别是百家争鸣时期关于"人治"和"法治"问题的辩论，产生了令后人回味无穷的学术胜景，怎么说中国古代没有法律解释的理论？诚然，先秦时期的这段论争令人遐思无限，但众所周知，

---

[52] 苏轼自称"读书不读律"，这与法国文豪巴尔扎克号称其"最喜欢读的书是'拿破仑法典'"形成多么强烈的比照！当然，我们知道，尽管苏轼这么说，但其在为官过程中还是对法律重视有加。特别是那篇名文——《厉法禁》，这令人们很难想像他"不读律"。

各家当时所表达的主要是一种政治理论或者政治哲学。即使对法律（刑法）及其功能特别看重的法家学说，也主要是在宏观层面表达了一种政治学说，而主要不是法律学说，更不是法律解释学说。

此后，中国学术大体延续了这种传统，虽然，在西晋时期曾有过辉煌的法律解释，并因此产生了一些法律解释学的萌芽，从而像张斐、杜预这样的法律解释家也彪炳史册，但他们并没有留下令今人爱不释手的法律解释学著作，他们也没有对法律解释的学理作出仔细入微的梳理和论证。我们只能说，他们在注释法律，而不是在法律解释的材料中寻求相关知识。此种对法律和法律解释之学理的忽视情形，几乎在中国法制史和法学史上是一以贯之的。于是，法律及法律解释不是知识，它们的实践也不可能创生什么知识。于是，直到如今，复转军人进法院也就理所当然，甚至文盲、流氓加法盲的姚晓红们、行为不端的"三陪女"们进法院也"合乎情理"。这又与在西方，法学和医学一样被视为最不易学习的知识，并早在近代第一所大学中所设立的第一个专业为法律专业的情形形成何等鲜明的对照！

既然古典中国有发达的法律解释，但并没有同等发达地形成对法律解释的学理研究，那么，作为古典法律解释传承者的当代中华法律学人，就自然肩负着将其学理化的使命。在这里，我们可能在古典法律解释材料和传统中发现全新的知识和学理，但眼下我们的任务却是：尽快拿来可资我用的西方发达的解释学知识，来阐释我们的法律解释经验。

解释学理论把解释学划分为"独断型解释学"和"探究型解释学"两种：

> "独断型诠释学旨在把卓越文献中早已众所周知的固定了的意义应用于我们所意欲要解决的问题上，即将独断的知识内容应用于具体现实问题上。……神学诠释学和法学诠释学是它

的典型模式。……牧师或法官在阅读圣经和法律条文时，正如我们阅读字典一样，不是为了研究这意义，而是为了证实这意义，也就是把这种意义应用于当前的具体情况，解决现实的问题。……牧师和法官的任务就是在一般与个别发生冲突时调解一般和个别，其方法或者是放宽一般意义以包括个别，或者是通过阐明使个别的意义纳入一般。在独断型诠释学里，任何独断的解释不是真与假的问题，而是好与坏的问题。这种诠释学是实践性的，而不是理论性的。

探究型诠释学是以研究或者探究文本的真正意义为根本任务，其重点在于：我们为了获得真正的意义而必须要有哪些方法论准备。……语文学诠释学是探究型诠释学的主要模式。……探究型诠释学就是重构作品的意义和作者原初所想的意义，这种重构可能正确或不正确，因此，相对于独断型诠释学，任何探究型诠释学有真和假，这种诠释学不是实践性的，而是理论性的。"[53]

这种解释（诠释）学的划分，事实上是在学理上对于解释现象的划分，即人类解释现象可分为独断性和探究型的两种。毫无疑问，法律解释主要属于独断性的，中国古典法律解释更是。但这种划分本身也是相对的。因为在法律解释中，特别是当作为前提的"经典文本"本身的内容模糊不明或者并不确定的情形下，在面对

---

〔53〕 洪汉鼎著：《诠释学——它的历史和当代发展》，人民出版社 2001 年版，第16—17 页。

疑难案件时，法律解释往往是探究型的，[54] 从而法律解释自身就具有立法性质。法律解释的这些情形，都要求我们审慎地、认真地对待解释学的丰硕成果，以推进对中国古典法律解释现象的更深入的认知和理解，并将其纳入到法律知识体系和理论逻辑分析框架中。运用解释学于中国古典法律解释之研究的任务，就是要用解释学深化对中国古典法律解释的认识，要运用中国古典法律解释进一步阐明诠释学，从而达到使两者的相互发明、互为利用。

---

[54] 例如董仲舒推动的"春秋决狱"主张，事实上在根据春秋的微言大义、而不是当时的国家法律审判案件。那么，这种解释究竟是独断型的还是探究型呢？说它是独断型的似乎有道理，因为"春秋"本身在中国文化史上具有至上的特征；但又无道理，因为即使对"春秋"，历史上多有不同的探究型解释，我们熟知的春秋三传（公羊传、左氏传、穀梁传）的相左，不就是明证吗？

第二章 中国古典法律解释的三种样式
——官方的、民间的和司法的

如果说，凡法律皆需要解释的话，那么，法律解释就必然会呈现出多种样式。在古典中国，尽管法律解释每每操在官家之手，甚至像秦始皇那样强调"以法为教"、"以吏为师"，从而为法律的多元解释设置了种种障碍，兼之古典法律主要为刑律，似乎离人们的生活较远。但事实上，毕竟这种法律已经全方位地作用于人们的日常生活。因此，官家垄断法律解释也就往往力不从心。我们知道，即使在先秦，便有邓析私解法律之事实：

> "不法先王，不是礼仪，而好治怪说，玩琦辞，甚察而不惠，辩而无用，多事而寡功，不可以为治纲纪；然而其持之有故，其言之成理，足以欺惑愚众。"[55]
>
> "邓析……与民之有狱者约：大狱一衣，小狱襦袴。民之献衣襦袴而学讼者，不可胜数。以非为是，以是为非，是非无度，而可与不可日变。所欲胜因胜，所欲罪因罪。"[56]

可见，在专制一统的古典中国，官家解释只是法律解释的一种。对中国古典法律解释之研究，仅仅囿于官方解释，可能会大大遮蔽古典法律生活之全豹（当然，即使后人考虑搜罗再周全，也

---

〔55〕《荀子·非十二子》。
〔56〕《吕氏春秋·离谓》。

难以呈现古典法律生活之全豹）。笔者以为，自官方的、民间的和司法的三个视角出发，或许对中国古典法律解释有一个较为全面地认识。

一、中国古典之官方法律解释及其特征

众所周知，古典中国是一个取向于专制一统的国家，这不仅自秦始皇建立大一统的封建帝国以来开始，即使在先秦文献中也不时可见。大一统理念体现在所谓大同理想的追求中：

> "大道之行也，天下为公，选贤与能、讲信修睦。故人不独亲其亲，不独子其子。使老有所终、壮有所用、幼有所长、矜寡孤独废疾者皆有所养。男有分、女有归，货恶其弃于地也，不必藏于己；力恶其不出于身也，不必为己。是故谋闭而不兴，盗窃乱贼而不作。故外户而不闭，是谓大同。"[57]

而专制理念则体现在"天无二日"的言说中：

> "天无二日，土无二王，国无二君，家无二尊，以一治之也。"[58]

当然，这种情形，随着秦王朝的统一，从而在政治上之大一统国家的实现，更加得以强化。其后中国历史虽是"天下大势，合

---

[57]　《礼记·礼运》。尽管在《礼运篇》中，这只是对一个传说的、想像的时代之描述或"记载"，然而，这一记载的"写实"意义却被后人日渐忘记；但其文化象征意义——作为一种政治理想之追求却日渐被世人看重，从而其成为中国政治文化和政治理念的基本陈述和基本符号。当然，大同理想和大一统观念之间，尚有本质区别。不过秦汉以降，比种区别则意义不大了。

[58]　《礼记·丧服四制》。

久必分，分久必合"，但大大小小的分分合合，每每围绕着如何建立强大、统一的帝国而展开。虽然道家学派主张"小国寡民"，强调：

> "小国寡民，使有什伯之器而不用，使民重死而不远徙。虽有舟舆，无所乘之。虽有甲兵，无所陈之。使人复结绳而用之。甘其食，美其服，安其居，乐其俗。邻国相望，鸡犬之声相闻，民至老死不相往来。"[59]

但该主张的实践形态往往是那些失意文人们的"世外桃源"。在政治实践中，即使推行了"黄老之术"，强调"清净无为、与民休息"的早期汉王朝，也只是为了暂时的韬光养晦。我们知道，待至汉武帝，则北征匈奴，寻求更加强大、统一的帝国了。所以，至少自秦以来，在我国只要能维护大一统局面，则人民拥之戴之，文人歌之赞之；反之，则人民离之叛之，文人责之骂之。

问题还在于，此种大一统理念并未必然和人民的选择相勾连，人民对国家分裂的怨言和责难，常常在于每到此时，则天下大乱，民不聊生，流离失所；"白骨露于野，千里无鸡鸣"！[60] 在大一统理念背后，则是强制高压的专制国家和皇权体制。这种情形，就是《礼记》所谓的"家天下"：

> "今大道既隐，天下为家。各亲其亲，各子其子，货力为己。大人世及以为礼，城郭沟池以为固，礼仪以为纪。以正君臣，以笃父子，以睦兄弟，以和夫妇，以设制度，以立田里，

---

〔59〕《道德经·第八十章》。

〔60〕［东汉］曹操：《蒿里行》。

以贤勇知，以功为己。故谋用是作，而兵由此起……"[61]

如果说《礼记》是站在事实陈述的立场上来叙述的话，那么，黄宗羲则站在价值批判的立场上检讨这种"家天下"的时代：

> "后之人主，既得天下，唯恐其祚命之不长也，子孙之不能保有也，思患于未然以为之法。然则其所谓法者，一家之法，而非天下之法也。是故秦变封建而为郡县，以郡县得私于我也；汉建庶孽，以其可以藩屏于我也；宋解方镇之兵，以方镇之不利于我也。此其法何曾有一毫为天下哉！而亦可谓之法乎？"[62]

检讨大一统社会的理念和实践，只是为了说明，在这种大一统的帝国里，作为国家最重要的秩序维护机制，法律和法律解释往往尽量地被操持于以皇帝为代表的国家之手。所以，在我们所看到的中国古典法律解释史上，主要也是官方的解释材料。从《睡虎地秦墓竹简》，中经《唐律疏议》一直到有关《大清律》的解释，大体上被操于官方手中。尽管我们也可以在中国历史上发现在魏晋之际和明清以来两个盛行私家注律的时期，但即使他们的解释，如果要真正流传下来，也往往要假借官方之手方有可能。那么，这种官方的解释具有什么特点呢？

第一，在主体上，官方解释属于以皇帝为代表的国家或官方。因此，其是一种典型的独断型解释。洪汉鼎在谈到独断型解释时，更多地强调因为解释对象——文本的权威性，如圣经文本、法律文

---

[61]　《礼记·礼运》。

[62]　（清）黄宗羲著：《明夷待访录·原法》，载《黄宗羲全集》（第一册），浙江古籍出版社1986年版，第6页。

本等而使其效力具有权威性，从而独断型解释就是解释者为了寻求权威文本的原意，对权威文本所作出的通俗性演绎。[63] 我觉得，除此之外，独断型解释的含义恐怕还和解释主体息息相关。亦即在法律解释中，作为独断型解释所涉及的解释主体，往往是由法律所直接确定的。这也就意味着：事实上并不是所有的法律解释都是独断型解释。只有国家垄断的法律解释以及面对法律规定亦步亦趋、只对法律文本进行字面解释的法律解释才可谓之独断型解释。其他对法律的解释，如对某一法律条文是否符合特定时代的主体需要、社会实情作出的解释，就显然属于探究型解释。因为仅从解释主体而言，它对所有的解释者都是开放的。

这种情形，我想在圣经解释中也是一样。其实，圣经解释的意义有二：一是通过圣经解释直接安排教民们的生活。这种解释其实与前述法律解释没有实质性差异。因为圣经自身也是一种法律，是基督教教徒们安排其宗教生活的法律。所以，这种解释应当尽量遵循、传达宗教教法——圣经的原意。在这里，解释主体往往具有明确的规定。只有合乎规定的主体所做的解释才对教民们具有规范性和有效性，否则，则不具有效性。其二是通过圣经解释以探讨宗教自身的合法性问题，例如如何理解人们在宗教教规问题上的分歧？如何理解圣经对人而言是必要或不必要的等等。显然，这种解释已经不再是独断型解释，因为自解释主体而言，它对所有解释者都是开放的。这种解释的有效范围，只及于解释者自身，除非他者予以认可。

中国古典官方所为的法律解释，是一种典型的独断型解释。这不论从其解释对象看，还是从其解释主体看皆为如此。自解释对象看，每个朝代官方的法律解释，大体上是以本朝公开颁布的法律为

---

〔63〕 参见洪汉鼎著：《诠释学——它的历史及当代发展》，人民出版社 2002 年版，第 16 页以下。

根据所做的解释。尽管在清朝初期，因为新王朝刚奠基不久，所以，在针对以明朝法律为蓝本所制定的新法律面前，人们尚没有很多解释经验，因此，前朝人的解释就是清代当政者所倚重的重要解释内容。[64] 但随着新王朝立基已稳，人才的不断涌现，被王朝所认可的官方新型法律解释和具有独创性的民间法律解释不断涌现，从而产生了超越前朝解释体例的法律解释。自解释主体看，自从秦朝以来，就建立了一种"以法为教"、"以吏为师"的重要制度（尽管不少学者对这一制度持批判甚至否定的态度）：[65]

> "皇帝临位，作制明法，臣下修饰。……治道运行，诸产得宜，皆有法式"；
> "若欲有学法令，以吏为师"；
> "大治濯俗，天下承风，蒙被休经。皆尊度轨，和安敦勉，莫不顺令。"[66]
> "县各告都官在其县者，写其官之用律"；[67]
> "岁雠辟律于御史。"[68]

这些都是秦朝有关法律解释规定的历史记录。其中《睡虎地秦墓竹简》中《法律答问》的内容，就是由地方官吏或者子民在遇到具体案件时，对律文条令之意义所不解者，向有关机构提出询

---

〔64〕 参见何敏著：《清代注释律学研究》（中国政法大学博士学位论文·1994 年，该论文收藏于北京图书馆），第 27—34 页。

〔65〕 如徐世虹主编：《中国法制通史》（第二卷），法律出版社 1999 年版，第 59 页以下。栗劲著：《秦律通论》，山东人民出版社 1985 年版，第 47 页以下等。

〔66〕 《史记·秦始皇本纪》。

〔67〕 睡虎地秦墓竹简整理小组：《睡虎地秦墓竹简·内史杂》，文物出版社 1978 年版，第 104 页。

〔68〕 睡虎地秦墓竹简整理小组：《睡虎地秦墓竹简·尉杂》，文物出版社 1978 年版，第 109 页。

问，并由专职官员作出解答的记录。自此以后，尽管中国王朝不断变迁，但官方法律解释则必须由皇帝为代表的国家作出，却是一个基本事实。特别是在宋代以前，虽然业已存在大量的民间释律情形，然而代表国家的官方解释仍然是法律解释的主流。即使在宋代以后，我们所能见到的民间法律解释的情形及相关成果不断，可是能够流传至今的，主要还是得到官方认可的法律解释成果。由此足见中国古典官方法律解释主体之国家属性。

当然，这种情形的形成，除了专制主义政治模式之外，还与其时人们文化素质的普遍低下不无关系。特别是中国古代所实行的"科举"取士制度，使得大量有文化的人们聚集于官方，这就更为法律解释主体重在官方创造了良好条件。

第二，在效力上，官方的法律解释是具有法律效力的解释。加达默尔把理解、解释和应用作为解释学的三个基本要素，并认为理解和解释本身就是应用。在我看来，**倘若理解主要是一种精神活动，应用主要是指一种物质活动的话，那么，解释则是一种把精神活动外化的活动，从而也是一种把理解这种精神活动和应用这种物质活动连接起来的中介和桥梁。**当然，精神活动自身也是应用。但这种应用毕竟和人们经常所指的实践应用尚有距离和差别。

如果说一切理解和解释的生命皆在于实践应用的话，那么，法律解释就更是如此。但是，现实生活中存在的多元法律解释往往会使得统一的法律规定变得含糊其辞、模糊不明。如何克服放任的法律解释可能带来的这种实践缺陷？一个可供选择的方式就是规定和限制有效解释的解释权限。即把有权解释和无权解释加以两分。

在中国古典法律解释体制中，我们尚未看到通过明确的制度授权以限制、甚至否定民间法律解释之法律效力者，但在前文所言及的邓析因擅自"解律"而遭诛杀的故事以及孔丘诛杀少正卯的故事中都不难得见古人对相关问题的态度。这至少说明，在古典中国，并不通过体制明令的方式鼓励民间的法律解释。这其中的原因究竟是什么？我想，维护大一统的国家秩序，使庞大的帝国政治、经济和文化系统能够维持正常运转恐怕是主要原因。

如前所述，中国人不仅在观念上追求一统天下的理想境界，而且把这种观念通过霸政的方式呈现于世。秦始皇之借助武力征服"天下"、统一中国就开其端绪。自此以后，中国历史尽管如罗冠中所讲的那样："合久必分，分久必合"，但人们仍然无所例外地将"合"称之为江山一统的大治标志，而将"分"则称之为国家昏乱的不治标志。因此，治、乱之道，存乎统、分。

同时，我们也知道，古人关于国家统一的理念，既有"王道"的统一论，也有"霸道"的统一论，还有"王、霸兼之"的统一论。孔孟所孜孜以求者，就是通过仁政和王道以统一国家，治理民众。法家一脉则大体上强调"霸道"的价值。而儒家学说的改革者、被郭沫若称之为"集了百家的大成的"[69] 荀况则"王道、霸道"兼而用之。可以理解的是：后世中国的发展，大体上秉承、并实践着荀子的这种更加实用和可操作的治国理念。对此，谭嗣同不无深刻地指出：

> "两千年之学，荀学也，皆乡愿也；两千年之政，秦政也，皆大盗也。唯乡愿工媚大盗，唯大盗利用乡愿。"[70]

这充分说明中国古人对于大一统的钟情：即使不能通过"王道"之理想方式获得国家一统、天下大治，也要想方设法通过其他方式，哪怕是并不理想的霸道方式而实现之。这恐怕正是在法律解释中，反对民间解释，而把解释权统归于国家手中的原因吧。

人类制定法律的重要和直接的目的，就是要把过于多元的、松

---

[69]　参见《郭沫若全集·历史编》（第二卷），人民出版社1982年版，第213页以下。
[70]　（清）谭嗣同著：《仁学》（二十九），中华书局1981年版。

散的行为纳入到大体统一的、最低限度的共识体系——统一的规则体系中，从而防止人们在行为中可能会出现的秩序混乱、生活无着的情形。这种理念，不论对于民治社会还是对于专制社会都是如此。近代以来，民主的意识形态把专制说得一无是处，甚至不惜割舍、剔除这个在人类历史上长期存在的事实。我认为，这恰恰反映了某种"民主的专制"。事实上，任何一位专制统治者，都没有、也不可能会借助法律而破坏秩序，相反，其制定法律的初衷都是为了更好地组织、维系和扩展秩序。

正因如此，所有法律制定者都有一个最基本的追求，那就是使法律发挥出更大的社会秩序构造效果。这正是对官方的法律解释赋予法律效力的因缘所在。此种情形，不惟古代，即使在近、现代的民治国家中，亦照例如此。

这就使得官方法律解释和民间法律解释之间的区别有了另一条界线：在古典中国，和近、现代国家类似，官方法律解释都是具有法律效力的解释，而民间法律解释则不一定。因此，就实际效用而言，在古典中国，官方法律解释具有更大的实用价值。

第三，在目的上，官方法律解释的主要目的是寻求法律的原意。法律作为一种意义文本，人们在阅读和解释时也和阅读其他文本的意义一样，可能存在着三种目的性的意义境界：其一，寻求立法者（法律的作者）原意；其二，寻求法律文本（其文字内容）的本意；其三，表达解释者的理解和解释意图。在这三种解释目的中，中国古典官方法律解释的主要目的在于寻求法律文本的原意。我们不妨随意引述《唐律疏议》中的几条解释以做说明：

"流刑三：二千里。赎铜八十斤。二千五百里，赎铜九十斤。三千里。赎铜一百斤。

[疏] 议曰：书云：'流宥五刑'，谓不忍刑杀，宥之于远也。又曰：'五流有宅，五宅三居。'大罪投之四裔，或流之于

海外，次九州之外，次中国之外。盖始于唐虞。今之三流，即其义也。"

"诸被制书，有所施行而违者，徒二年。失错者，杖一百。失错，谓失其旨。

[疏] 议曰：'被制书'，谓奉制。有所施行而违者，徒二年。若非故违而失错旨意者，杖一百。"……

"诸夜无故入人家者，笞四十。主人登时杀者，勿论；若知非侵犯而杀伤者，减斗杀伤二等。

[疏] 议曰：'夜无故入人家'，依刻漏法：昼漏尽为夜，夜漏尽为昼。谓夜无事故，辄入人家，笞四十。家者，谓当家宅院之内。登于入时，被主人格杀之者，勿论。'若知非侵犯'，谓知其迷误，或因醉乱，及老、小、疾患，并及妇人，不能侵犯，而杀伤者，减斗杀伤二等。若杀他人奴婢，合徒三年，得减二等，徒两年之类。"……[71]

在以上引文中，我们不难发现：代表了中国古典法律解释最高成果的《唐律疏议》，在解释律文时，紧紧围绕着法律文本的文字意义而展开。不论是对律文含义的寻根究底，还是对其条分缕析，都紧紧围绕着律文旨意而展开。因此，在很大程度上，它是唐律文本文字意义的逻辑展开和通俗化过程。它基本上既没有追寻法律文本作者的意图，也没有在法律文本文字意义之外额外追加解释者的意欲，而是明显"客观地"展现了法律文本自身的意义内容。

当然，也许有人会说，即使《唐律疏议》的作者们，也只是在他们的理解视角上解释或说明了"唐律"的意义，因此，它仍然是带着"前见"而进入的意义解释，仍然不可避免地带有作者们的理解和解释意图。自某种根本意义出发理解，我并不反对，因

---

[71]　（唐）长孙无忌等撰：《唐律疏议》，中华书局1983年版，第5、197、346页。

此也就无意完全否定这种说法。但有一样是清楚的，那就是：**当我们将一切理解和解释结果都切入到某种相对主义的意义框架中去的时候，所谓意义，大体上也就不再存在，就是一种虚幻的期待。** 因此，我同意"只要有理解，理解便会有不同"的意义主张，但我并不同意我们不可能达成某种共识的悲观结论。即使在古典中国社会中，针对法律进行解释的此种意义共识照例存在。

或曰：在专制主义政体模式下，立法者（法律的作者）往往只是极个别能够接近最高当权者的人文知识分子，普通民众根本无缘问津法律事务，又焉能有意义共识的法律解释？这似乎有一定道理。殊不知即使在这种情形下，当并没有、或者根本不可能接触立法的民众接受法律、同时也接受（而不是反抗）有文化的人文知识分子们的法律解释时，也就意味着他们和解释者之间达成了对于法律的意义共识。没有这种对于法律的意义共识，那么，法律解释、从而法律便不再是人们交往行为之秩序的组织者，反倒是此种秩序的掘墓者和破坏者。

因此，我们应当承认法律解释中的意义共识，承认即使在一个专制国家和专制时代，人们进行法律解释的目的也是在寻求对于法律的意义共识。甚至可以说，越是在专制社会和专制时代，通过法律解释寻求对法律之意义共识的必要性越强，不管它是何种层次的意义共识——是通过解释/接受型的还是压制/服从型的？抑或是通过对话/理解型的还是教化/感染型的？等等。官方法律解释的基本意图，就是要实现对法律的意义共识。

第四，在方式上，中国古典官方法律解释具有多种解释方

法。[72] 其中最常见的有：其一，问答体。在我们文字可考的历史上，自从秦律之解释有了问答体制之后，该种解释方式就一直是中国法律解释中的一种重要方式。不过有些更像是实问实答，例如秦时的《法律答问》：

> "人臣甲谋遣人妾乙盗主牛，买（卖），把钱偕邦亡，出缴，得，论各可（何）殹也？当城旦黥之，各畀主。"

> "夫盗千钱，妻所匿三百，可（何）以论妻？妻智（知）夫盗而匿之，当以三百论为盗；不智（知），为收。"[73]

而有些则更像是设问设答，《唐律疏议》中的问答体大都如此，例如：

> "问曰：带官应合缘坐，其身先亡，子孙后犯反、逆，亦合除名以否？

> 答曰：缘坐之法，惟据生存。出养入道，尚不缘坐，无宜先死，到遣除名。理务弘通，告身不合追毁。告身虽不得追毁，亦不得以为荫。"（除名条注）

> "问曰：部曲、客女，被人所诱，将为妻妾子孙，而和同遂去。诱者已有罪名，去者合得何罪？

> 答曰：名例律：'共犯罪，以造意为首，随从者减一等。'背主受诱，即当此条，准其罪，坐减诱者罪一等。自余受诱，

---

[72] 对该问题，笔者还将要在后文中专章论述，因此，这里只是简要述及。另外，何勤华曾对《唐律疏议》的解释方法进行了系统总结，已超过我在下文中提及的方法。参见氏著：《中国法学史》（第一卷），法律出版社 2000 年版，第 377 页以下。

[73] 睡虎地秦墓竹简整理小组：《睡虎地秦墓竹简》，文物出版社 1978 年版，第 152、157 页。

律无正文者，并和从坐科罪。若逃亡之罪重者，依例："当条虽有罪名，所为重者，自从重。'"[74]（略人略买人条注）。

其二，文义解释，即严格按照法律文字表面的含义进行解释。可以说，在我们所见到的大部分官方法律解释中，大都秉持文义解释的方式。前引《唐律疏议》中的一些解释条文，就已经比较典型地反映着对法律的文义解释方法。文义解释的主要目的是使复杂的法律条文变得更加通俗易懂，被人们在日常交往行为或者判官在办案中易于运用。

其三，历史解释，在古典官方的法律解释文本中，我们也能经常看到一些对某个条文或者专门法律术语的历史渊源作出寻根究底的说明者。这种说明工作，看上去似乎和现实的法律生活关联不大，但其实质仍在于通过此种解释进一步说明或显示法律规定的合理性。此种规定，古已然之。其目的是借此强化法律在人心中的效力。

其四，扩张解释和限缩解释。这两种解释方式，其实是文义解释方式在两个方向上的伸展。扩张解释并不是要增加律文本意之外的内容，而只是对律文所涉及的外延作出扩大的交代；同样，限缩解释也不是要减少律文本意的内容，而只是对律文所涉及的内涵作出缩小的规定。这两种解释方式，有时同时进行，有时则分开进行。

其五，比较解释。在中国古代官方的法律解释文献中，也可以发现比较解释的内容，即以此事比彼事，以彼事比此事。或者以此法律规定比法律未规定的特定事实。这种情形，也可谓之类推解释。比较解释方式不仅在古典法律解释中存在，而且受其影响，直到上世纪末，还存在于中国的刑法之中。由此足见其影响之巨。

---

[74] （唐）长孙无忌等撰：《唐律疏议》，中华书局1983年版，第48、370—371页。

其六，价值解释。这是指通过法律解释而寻求律文背后的价值蕴含。如《唐律疏议》在"不孝"条下对"若供养有阙"以及"不睦"条下等都以传统儒家之价值理想进行解释：

> "〔疏〕议曰：礼云：'孝子之养亲也，乐其心，不违其志，以其饮食而忠养之。'……"
> "〔疏〕议曰：礼云：'讲信修睦。'孝经云：'民用和睦。'睦者，亲也。……"[75]

以上解释方式，在民间法律解释中照例可以发现，但在官方法律解释中更为常用。

第五，在解释对象上，官方法律解释主要针对生效的当朝官方法律。官方法律解释的基本目的是通过通俗化的作业把现实有效的法律推行为组织秩序的实践，因此，其对象每每是业已或即将正式生效的当朝官方法律。尽管本朝的法律解释也往往会借鉴前朝的经验，甚至树立前朝法律以为本朝立法之镜鉴，但这并不改变其主旨是以说明本朝法律内容之宗旨。

上述特点，集中展现着古典中国官方法律解释的基本"肖像"。

二、中国古典之民间法律解释及其特征

除了官方的法律解释之外，在中国古典社会同样也还存在着民间的法律解释。尽管专制主义体制导致在古典的中国，民间法律解释的空间相当逼窄和有限，但民间法律解释仍然是"野火烧不尽，春风吹又生。"从先秦的邓析"铸私刑"，中经汉代儒生们的"章句注律"、魏晋之际的"张杜律"，直至明清时期民间法律解释的

---

〔75〕（唐）长孙无忌等撰：《唐律疏议》，中华书局1983年版，第13、14页。

兴旺发达，可以说，在一部中国古典法律解释史上，民间法律解释就一直没有停歇过。这种结论的逻辑基础和事实根据是什么呢？

在学理上讲，我们几乎可以说，只要有法律，便有对法律的不同理解和解释。自从有文字记载以来的法律，大率为精英们通过文字所为的杰作，或者说，文字本身就是精英们借以统治世界的方式和工具，反映着某种精英霸权主义的理念。[76] 而当文字再经过精英们的细致加工，变成为法律文本时，法律便是更进一层的精英文本。因此，尽管社会法学家们强调法律来自普通民众日常的生活和日常交往行为中秩序的维护，并且我本人在很大程度上也赞成这种看法。[77] 但在此还是应进一步说明两个相异的问题：**法律的社会来源并不等同于法律的文字文本表达**。我曾将法律文本划分为三个层次的：即以行动为文本的法律、以语言为文本的法律和以文字为文本的法律。[78] 但自从文字问世、并成为主导人类交往行为的主要理解工具以来，至少法律文本的正式形式（所谓"正式法"）就仅仅是文字文本的。这就会难免造成文字法律文本的精英特征和其适用对象的普遍大众特征之间的可能张力。可以说，越是文化普遍落后的时代，这种张力就越大，从而对法律的理解和解释也就越显得重要。

正是在此意义上，我们说理解和解释法律，乃是法律产生之后其调整主体交往关系的必然要求。**没有纳入理解和解释过程中的法律，在最终意义上是无效的**。中国古典的法律在真正置于实践中

---

〔76〕 参见谢晖著：《法律的意义追问——诠释学视野中的法哲学》，商务印书馆 2003 年版，第 355 页以下。

〔77〕 正因如此，所以，近年来，我积极倡导、并竭力推进中国民间法的学术研究，其中以书代刊的《民间法》年刊杂志（由山东人民出版社自 2002 年以来陆续出版），就是笔者在这方面努力的标志。

〔78〕 参见谢晖著：《法律的意义追问——诠释学视野中的法哲学》，商务印书馆 2003 年版，第 134 页以下。

时，自然不能离开这种理解和解释——不仅仅是来自官方的具有强制效力的有权解释，而且也来自法律的接受者——在法律调整下交往行为的所有人的理解和解释。

就事实而言，虽然，对于古典时代普通民众究竟如何理解和解释其时代的法律，我们无法知其所以然，但人们还是通过古人所书写下来的一个个凄婉悲凉的涉法故事寻颐索隐，小心求证古代普通民众对法律的理解和解释，这就是文学与法律的关系研究。[79] 在此，由于论题上的原因，笔者不想把过多的笔墨放在古代中国普通民众如何理解和解释法律的问题上，而仅仅通过仍然是作为精英的民间人士之法律解释资料，以说明在文字性法律文本产生后的古代中国，民间法律解释没有停歇的基本事实，并最终表明民间法律解释是研究古典中国法律解释时无法回避和掠过的内容。[80]

如果把邓析解律而遭诛这件事作为中国有文字记载以来民间法律解释之始的话，那么，在其后汗牛充栋的历史文献中，我们不时可以发现民间法律解释的故事。最为人所津津乐道的秦始皇焚书坑儒的故事，所标明的恰恰是儒生们站在经典儒家立场上和官方法律的对抗。这在李斯对秦始皇的那条著名建议中人们不难得到测度：

> "五帝不相复，三代不相袭，各以治，非其相反也，时变异也。今陛下创大业，建万世之功，故非愚儒所知。且越言乃

---

[79] 在这方面，徐忠明作出了较为出色的探索，参见氏著：《文学与法律》，中国政法大学出版社 2000 年版；《包公故事——一个考察中国法律文化的视角》，中国政法大学出版社 2002 年版等书。

[80] 何敏在其博士论文《清代注释律学研究》中，已经充分地注意到古代中国（特别是清朝）私家注律的繁荣及其价值，但对清代以前的私家注律问题其并未给出一席之地予以考察。更重要的是，她笼统地将两汉诸儒、魏晋诸儒之注律行为称之为皆是行使官方法律解释权，对此，笔者不敢苟同。特别是她以这些解释者大率为代表国家行使某种权力的这一身份为据来说明如上结论（参见该文第 1—19 页），笔者认为更值得商榷。

> 三代之事，何足法也？异时诸侯并争，厚招游学。今天下已
> 定，法令出一，百姓当家则力农工，士则学习法令辟禁。今诸
> 生不师今而学古，以非当世，惑乱黔首。丞相斯昧死言：古者
> 天下散乱，莫之能一，是以诸侯并作，语皆道古以害今，饰虚
> 言以乱实，人善其所私学，以非上之所建立。……如此弗禁，
> 则主势降乎上，党与成乎下。禁之便。臣请史官非秦记皆烧
> 之。非博士官所职，天下敢有藏《诗》、《书》、百家语者，悉
> 诣守、尉杂烧之。有敢偶语《诗》、《书》者弃市。以古非今
> 者族。吏见知不举者同罪。令下三十日不烧，黥为城旦。所不
> 去者，医药卜筮种树之书。若欲有学法令者，以吏为师。"[81]

汉代以后，尽管国家法律"汉承秦制"，但儒生们仍然借助道
家或者儒家理念以解释法律，阐释治道。所谓"黄老之术"及其
贯彻落实，其实就是以陆贾等一些知识分子为代表的汉儒们和政治
家们，根据道家的理念和精神对法律开出的药方。从而，肖何、曹
参们的法律在实践中变更为道家的"清静无为"。此后，在中国法
制史上开出以经决狱之先河的董仲舒们，则在理论上以儒家经典稀
释着国家的正式立法，从而使汉律变成为儒家经典施展效用的道
场。应当说明的是：尽管这些法律解释终然得到了官方某种程度的
认可，但在性质上，其起初却都是作为民间知识分子的私下主张。
至于那位几乎是"自由知识分子"的郑玄，讲学足迹遍布齐鲁，
门下弟子则遍及天下。[82] 而其所讲授的内容中，其中就有法律
解释。

逮至魏晋，律学业已成为显学，张（斐）杜（预）律学几可

---

[81] 《史记·秦始皇本纪》。

[82] 我的"老乡"、汉末及蜀汉大军事家、政治家和经学家姜伟，就远赴齐国，拜在
郑玄门下读书学习（参见［西晋］陈寿著：《三国志·蜀志·姜伟传》）。

以和王（弼）何（晏）经学相提并论，虽然张、杜也是经学中人。倘若从实用视角观察解析，或许张杜律学要远甚于王何经学。尽管其法律解释可以看作是某种意义上的"官方解释"，但其仍然只是张、杜等"法律家"们个人法律阅读经验的学术展示，因此，我们不能不说其也具有一定的私家性质。

唐代一部《唐律疏议》，几乎代表了其时法律解释的全部，同时，因其一开始就是由官方委任所做的解释，故而是公认的官方解释。但也恰恰是在此官方法律解释走向登峰造极之时，有文本流传的真正意义的民间法律解释也就诞生了，如黄克升的《五刑纂要录》、《五刑纂经》等。这直接启发了五代和宋代以后的民间法律解释。虽然两宋是一个众所周知的强调经典义理、鄙薄功利实用的时代，但无论官方如何教化、学者如何倡导，这个朝代实际的实用功利行为在整个古典中国都堪称为登峰造极，与此相应，和强调义理教化分庭抗礼的"实学"也开始史无前例地兴旺发达。[83] 于是，我们有理由发出这样的疑问：以周、张、程、朱为代表的理学是否就是为了阻挡这股来势汹涌的崇功好利浪潮而面世的？

"青山遮不住，毕竟东流去"，两宋理学虽在一定程度上延缓了以实用为目的的民间法律解释，但只要我们换个视角，则发现一方面，不论理学家、心学家还是实学家们，其大部分人在大部分时间里，作为民间思想家，都在其各自立场寻求某种"关于法律的

---

〔83〕　我们知道，两宋时期，不论北宋时繁华无比的汴梁，还是南宋时风流无尽的杭州，都既是政治首都，同时也是商业中心。一幅《清明上河图》就形象而充分传达了其中信息。与此同时，浙东学派的代表人物陈亮、叶适以及金华学派的代表人物吕祖谦等皆以倡导经世致用的实学为所任。使其成为与程朱理学、陆王心学相抗衡的重要学术思潮（参见侯外庐主编：《中国思想通史·第四卷·下册》，人民出版社 1960 年版，第 692 页以下）。可惜两宋发达的商品经济和官僚体制内部对商品经济的蔑视形成强烈的反差，最终导致中国自发的商品经济发展模式没有形成自觉的相关配套制度！

解释"；他们并没有抛弃法律，只是在不同视角表述自身心目中的法律。但这方面的解释由于已经属于"解释法律"的范畴，我们可以存而不论。另一方面，这也并没有消灭民间进行法律解释的事实存在。我们知道，自五代至元，私家法律解释著作仍然不断，对此，有人总结其主要成果有：

> "五代和凝、和䝉父子的《疑狱集》；宋人傅霖的《刑统赋》、孙奭的《律音义》、郗秉原的《刑统赋解》、桂万荣的《棠荫比事》、郑克的《折狱龟鉴》，宋慈的《洗冤录》等；元人王元亮的《唐律释文》、《唐律纂例五刑图》，郑汝翼的《永徽法经》、刘高夫的《刑统赋解》、赵仝的《疑狱集》和元绛的《谳狱集》等。"[84]

到了中国封建王朝的最后两个朝代——明清之际，私家法律解释反倒"变本加厉"地多了起来，对此，何勤华统计了此期间的律学著作："已知明代的律学著作共一百零一部"；"已知清代的律学著作大体上就有一百六十余部了。"同时，他还对此期间的主要律学著作以列举的方式做了简要介绍，可参见。[85]

在以上简短的历史回顾中，我们不难得出古典中国在事实上存在着相当发达的私家法律解释这一结论。那么，私家法律解释都具有哪些特点呢？笔者认为有如下几点：

第一，在解释主体上，私家法律解释主体是多元的。如果说官方法律解释的主体就是以皇帝和皇权为代表的国家的话，那么，民间法律解释的主体则具有明显的多元性。一般说来，**首先，有亦民亦官的官僚学者**，他们要么在职务行为中、要么在业余生活中，把

---

[84] 何敏著：《清代注释律学研究》，中国政法大学博士论文（1994年），第24页。
[85] 何勤华著：《中国法学史》（第二卷），法律出版社2000年版，第198页以下。

法律解释当作自身的一种爱好和追求。而这些行为并不是官方授权的结果。 前述董仲舒、以及仲长统，甚至张斐、杜预等的法律解释活动，都可归于此类。直到清末，刑部大吏，著名律学家薛允升和其弟子、具有近代法律眼光的大法学家沈家本的律学名著：《唐明律合编》和《历代刑法考》，都可以看作是此类作品。甚至像那些身置基层，并兼有司法和行政职能的、特别有事业心的一些中小官吏，也往往把其业余精力投注到著书立说上，其中进行法律解释，也是其著书立说活动的一种重要形式。应当说，亦官亦民的官僚学者，由于其所身处的位置和角色之故，对于当朝法律以及司法实践、特别是司法技巧的理解更为深透，因此，能够更为真实地反映古代中国法律实践和法律解释的现实状况。

其次，具有一定自由理念，不仕不官的纯粹学者。 在中国古代历史上，这样的学者甚多，先秦时期、特别是春秋战国时期在列国之间奔走呼号的学者大率都是如此。他们当中只有个别人有幸参与到最高决策层，如商鞅、李斯等。但相当多的人，尽管进仕之心甚烈，但终究只做了一介并不起眼的小职务，在此任上往往使其雄才大略无由发挥，于是转而追求学术，例如孔子、老子、庄子、荀子等几乎皆是如此。当然，还有一些刻意隐姓埋名，著书立说者，例如今人十分热衷的神秘人物墨子、公孙龙、惠施、田骈、慎倒、鬼谷子……等皆是。秦汉以后，政治一统和文化专制虽然在一定程度上影响了这类人物的存在，但有成就的民间知识分子仍不绝如缕。从汉代皇甫密、王符、王充，一直到明清之际的自由知识分子如王夫之、李贽、李颙、傅山、黄宗羲、顾炎武、唐甄等等，都不是以职位、而是以思想传世的英杰。至于那些遁入空门，一心事佛的高僧们，更可以视为此类同仁了。

言及这类思想家，是要进一步说明，他们的法律解释结论，不仅仅是对法律做亦步亦趋的文字注释，而且更对法律保持着强烈的批判立场。其结果也是形成一种值得我们关注的法律学理。尽管这些解释的现实实用价值要小得多，但只要我们放大历史的视界，则会发现其历史穿透性的作用和功能。这在古典中国法律发展的历史长河中不难印证。

其三，曾进入公门，对各级官吏起一定参谋作用的刑名师爷（刑名幕友，特别是明清一代更甚）。他们作为法律解释的主体，具有独特的地位：一方面，他们是典型的民间人士，因此，他们具有贴近民间疾苦、关注社会现实、了解底层民众生活的体验；另一方面，他们又深入公门，对官方如何理解、操作和适用法律有切身体会，因此，他们的相关法律解释，可以说是能够通达官方和民间的解释；再一方面，他们一般都通过自我努力或其他方式对"古今"法律规定、办案技巧多有了解。故其解释对我们了解古人对法律的理解和解释具有独特的参考价值。在方式上，他们的解释既不同于亦官亦民的官僚们的解释——把道统和法统结合起来；也不同于纯粹思想家的解释——一味追求法律的承道宗旨，强调道统的终极价值。他们的解释自有其独特品格，那就是他们总是把追求法律的实用和解决日常生活中两造的纠纷作为法律解释的首要追求。在一定意义上讲，刑名幕友们的工作就是以释法为其"职业"的。

在这方面，刑名幕友们也给我们留下了值得关注的解释文献。尤其是明清两朝，由于去今相对不远，因此，相关文献就更多。特别在清代更可称是蔚为大观！例如：沈之奇的《大清律辑注》、汪辉祖的《佐治药言》、王又槐的《办案要略》、王维翰的《大清律例集注》等等。[86]

第二，在解释效力上，民间法律解释原则上不发生法律效力，

---

[86] 对刑名幕友之法律解释作品的较为详细的罗列，参见何敏著：《清代注释律学研究》，中国政法大学博士论文（1994 年），在该文中，其共罗列了 25 种清人私家所著的律学著作。另外，还可参见李乔：《中国的师爷》，商务印书馆国际有限公司 1995 年版，第 1 页以下；高浣月著：《清代刑名幕友研究》，中国政法大学出版社 2000 年版，第 172 页以下。

但这并不意味着事实上没有法律效力。我们知道，法律效力这个概念是和国家正式授权紧密相关的。只有国家通过法律正式授权的行为，才有法律效力，即对他人产生法律拘束力。民间法律解释一般情况下没有接受此种国家法律的授权，因此，也就一般地不对他人产生法律拘束力。但这并不意味着在事实上民间法律解释也不发生法律效力。这是因为：民间法律解释往往可以转化为官方的认可，例如在西汉，先是运用作为民间议论的学者们的建议，把"清静无为、与民休息"作为正式生效之国策；接着又采纳作为民间思想的儒生的建议，把"罢黜百家、独尊儒术"作为正式生效的治国之策。再如在东汉，因叔孙通、马融、郭令卿、郑玄等各用章句之学而注律，导致"言数益繁，览者益难"，为此，官方颁布了如下正式命令：

　　　　"但用郑氏章句，不得杂用余家。"[87]

　　另外，更可注意处在于，除了那些纯粹的思想家、学问家之解释法律外，举凡要员大吏、底层判官、刑名幕友等对法律所做的解释，往往是其办案实践的总结，因此，即使这些解释不具备普遍的法律效力，也在其所解决的个案中具有法律效力。至于那些本身具有方法指针性的法律解释文献，更在较为广泛的法律实践中被运用，从而发生法律效力。但即使如此，和官方相较，民间法律解释所直接发挥的法律效力相当有限。

　　第三，在解释目的上，民间法律解释的目的具有明显多元性。民间法律解释，既有以批判法律现实为目的的，也有以说明、注释现实法律为目的的；还有为现实法律的阅读、理解、适用提供具体方法的；当然，还有就具体案件如何适用法律作出论证和说明的等

---

〔87〕　（唐）房玄龄等撰：《晋书·刑法》。

等。显然，法律解释的目的在这里是多元的。解释者的社会角色不同、解释理念不同、言说场合不同、解释对象不同、解释环境不同、甚至个性性格不同、志趣追求不同等等都会实际地影响其解释目的。透过此，更可以体会"只要有解释，解释便会有不同"这样的至理名言。

第四，在解释方法上，民间法律解释也不拘一格、丰富多彩。在前文谈到官方法律解释的方法时，笔者已经言明那些方法在民间法律解释中也往往应用。但和官方法律解释之方法相比较，民间法律解释之方法更为丰富多彩。何敏仅以清代法律注释为例，说明了当时法律注释有如下几大流派，即辑注派、考证派、司法实用派、案例汇编派、图表派、便览派、歌诀派、比较研究派、宣教"圣谕"派等。[88] 这些流派的划分，既表明法律解释目的之多样，更表明法律解释方法之多元。与此同时，何敏还以清代法律解释为例，对其法律解释的方法作出了系统总结。[89] 这其中既为官方法律解释所用，更为民间法律解释乐采。解释方法的多元和开放性，恰好进一步证成了民间法律解释效力的有限。

第五，在解释对象上，民间法律解释的对象也具有多元性。这也明显不同于官方法律解释。一方面，民间法律解释既有可能是当朝的法律文献，也有可能是前朝的法律文献。例如，明朝雷梦麟的《读律琐言》、王肯堂的《律例笺释》、张楷的《律条疏议》、彭应弼的《刑书据会》、唐枢的《法缀》；清朝沈之奇的《大清律辑注》、王明德的《读律佩觿》、万维翰的《大清律例集注》、程梦天的《大清律例歌诀》等都是对当朝法律的解释。而宋人孙奭的

---

[88] 参见何敏著：《清代注释律学研究》，中国政法大学博士学位论文（1994 年），第 68 页以下。

[89] 参见何敏著：《清代注释律学研究》，中国政法大学博士学位论文（1994 年），第 98 页以下。

《律音义》、元人王元亮的《唐律释文》、清人薛允升的《唐明律合编》、沈家本的《历代刑法考》、《汉律拾遗》等，则主要是以前朝或以往历史上的法律为解释对象。另一方面，民间法律解释不仅仅以法律文本为解释对象，同时也往往以司法活动中的重要问题、特别是重要案例为解释对象。例如《疑狱集》、《棠阴比事》、《洗冤集录》、《名公书判清明集》、《徐公谳词》等等。这些律学著作，使得律学研究从规范注释的窠臼中溢出，迈向法律制定后更为现实和广阔的法律实践世界，从而律学文献也更加显现了其实用价值。

以上关于古代中国民间法律解释一般特点的总结，只是在和官方法律解释之特点相比较的意义上讲的。至于其解释内部的特点，因论题所限，不再赘言。

三、中国古典之"司法性解释"及其特征

我们知道，古代中国在社会管理模式上实行"行政司法合一、行政兼理司法"的体制，因此，在这里，就体制而言不存在独立的司法问题。但毕竟以解决两造纠纷为目的的司法并不同于一般的日常行政活动，因此，即使有上述体制，司法自身所解决对象的独特性还是令实际的"专门司法"活动在古典中国明显存在。甚至在制度和官制设置上，也存在着对司法问题的明确关注。例如刑部制度、大理寺制度、御史台制度等，都是对在皇权统揽下的中央司法制度的专门规定和专门机构。即使行政司法合一更盛的州、县地方，也在州官、县官下面专门配备有熟悉法律的官员或者聘请幕僚、师爷以在知识上、技巧上为司法活动提供方便，并且规定了可以提起诉讼的"放告"日，以受理诉讼。[90] 显然，在此意义上，说中国古代不存在司法乃是仅仅在与近、现代西方法律制度和法律

---

[90]　参见吕伯涛等著：《中国古代的告状与判案》，商务印书馆国际有限公司 1995 年版。

文化相比较的意义上而言的，而不是说古代中国就没有解决纠纷的国家体制及机构设置。

既然有相对意义上的司法，并且司法活动总是要把纠纷事实和法律规定结合起来解决问题，那么，面对司法活动，人们总要针对和纠纷事实相关的法律作出解释。其实，人们在法庭上的活动，不论原、被告各自据以呈控和辩驳的证据事实、诉讼请求和法律主张，还是判官据以自认、采信的证据事实所适用的法律条款、判决结论，在广义上讲，都是在理解法律，并据以做出法律解释。但这种广义的对法律解释的理解并不适用于我们在这里的分析。这里所要关注的，仅仅是作为判官的司法者或者爱好、关注法律判决这项事业的其他人士针对个案适用于法律中时所做的理解和解释活动。我把这种解释界定为古代中国的"司法性解释"。[91]

武树臣在研讨古典法律文化时认为：中国古代是一个判例法非常发达的国家，甚至在有些时候是判例法明显地居于主导的地位，而在中国历史上的大部分时期，则是成文法和判例法的作用大体相若。即使成文法居于主导地位的时代，判例法仍然有其不可忽视的作用。[92] 那么，这里的判例或者判例法是指什么？至少自秦汉以来，它显然不同于英美法系所讲的判例法。因为后者是以判例而造法，而前者只是或主要是在对成文法的使用过程中因成文法自身的

---

[91] 显然，这里对"司法性解释"的界定既和当代西方关于"司法解释"的界定有重合之处，这主要是指司法官（判官）针对个案如何适用法律的论证和解释活动；但也有明显不同，那就是我将司法官（判官）之外的其他人士对于法律适用于个案的论述、解释也归于"司法性解释"之列。当然，这一界定和当代中国法律解释体制中对"司法解释"的界定明显有别。因为正如我国法学界人士所普遍接受的一种说法那样：后者所谓司法解释其实已经是一种和成文法相若的立法，而不是严格意义上的"司法解释"。反倒是最高人民法院或者上级人民法院针对下级法院就个案所提出的问题所做的解答，更符合严格意义的"司法解释"。

[92] 参见武树臣等著：《中国传统法律文化》，北京大学出版社 1994 年版，第 169、345 页以下。

疏漏而作出的、对成文法具有拾遗补缺作用的判决成例。它往往在如下三种可能情形下产生：**其一是在成文法律有明显疏漏，对相关事宜没有规定的场合；其二是在疑难案件的处理上；其三是在法律规定和日常情理明显睽违时。**前两种情形好理解，后种情形则需要深入到中国传统法律文化之"权变"思维中。以宋代著名的子不供养父母案为例，该案案情为：

　　原告寡妇阿蒋与其子被告锺千乙相依为命，但被告钟千乙无度乱花其母亲的钱，并不赡养其母（"不能营求苟合，以赡其母，……又将其钱妄用，久而不归"），按《宋刑统》之规定，被告构成十恶不赦之"不孝"无疑，然判官胡石壁却仅对其"责戒励，放。"令其"仰革新悔过，以养其母"，并支五斗米，"责付阿蒋且充日下接济之须。"[93] 这是因为在古典中国较为普遍的做法是："官司不能以法废恩"；不能"专决于名而失人情"。

　　判官的判决，显然是违背当时法律的，但他却别出心裁地以当时民情为判决的准据。结果达成了人们能够接受的判决，因为此种判决，既能使被告之母老有所养，又能通过革新悔过而挽救不孝浪子，还能迎合民意、顺应民情。真可谓一举多得！类似案件的判决，在董仲舒从学理上所倡导的"春秋决狱"的举措中即可发现。其后甚至在市井小说中我们也能经常发现此类判决，如著名的《乔太守乱点鸳鸯谱》中的判决，就很典型。为了更好地说明，全文引证如下：

　　　"弟代姊嫁，姑伴嫂眠。爱女爱子，情在理中。一雌一雄，变出意外，移干柴近烈火，无怪其燃；以美玉配明珠，适获其偶。孙氏子因姊而得妇，搂处子不用逾墙；刘氏女因嫂而

---

[93]　参见（宋）幔亭曾孙著：《名公书判清明集》（下），中华书局1987年版，第364页。

得夫，怀吉士初非炫玉。相悦为婚，礼以义起。所厚者薄，事
可权宜。使徐雅别婿裴九之儿，许裴政改娶孙郎之配。夺人妇
人亦夺其妇，两家恩怨，总息风波。独乐乐不若与人乐，三对
夫妻，各谐鱼水。人虽兑换，十六两原只一斤；亲是交门，五
百年绝非错配。以爱及爱，伊父母自作冰人；非亲是亲，我官
府权为月老。已经明断，各赴良期。"[94]

之所以在法律之外还要循天理、尽人情，其原因都在于判官们
秉持的那种"王道（法）本乎人情"的儒家说教，在于"罪不可
恕、情有可原"的"权变"原则。

类似的判决，事实上已经构成了古代中国通行有效的判例法。
对此，悉心研究法律、特别是关注司法实践的判官们、法律爱好者
们、学者们并未轻易放过，事实上，他们早已将其纳入律学整理和
研究的范畴，并作为一种独特的法律解释而珍视。

在这方面，古人给我们留下许多珍贵的文本。至少从董仲舒地
理论上所倡导的"春秋决狱"的判例解释开始，一直到清朝洋洋
大观的《刑案汇览》，在这近两千年的历程中，中国的司法性解释
史册卷帙浩繁，古人对司法判决的关注令人感叹！每份判决，都凝
聚着判官们对法律的理解和智虑，表达着其通过判例而对法律的独
特解释。

上述情形，直接影响到今天。我国民国时期对司法判决的特别
关注、当下最高人民法院早已着手所进行的典型案例汇编……不仅
仅是对西洋法制文明的借鉴，而且也是对古典中华法制文明的承接
和延续。这种独特的司法性解释只会因其更直接地涉及事实和法律

---

[94] （明）冯梦龙著：《三言·醒世恒言》，岳麓书社 1989 年版，第 104 页。类似的
"判决"，在明代《详情公案》、《详刑公案》、《律条公案》等书中多有记载。参
见群众出版社《古代公案小说丛书》（共三册九部小说）1999 年版。

之间的无限纠缠和不断厘清而受人青睐。甚至可以把它看作是古代法律解释更为重要的智慧——贴近古代中国人法律需要、也连接古代司法/法律实际的智慧。这种解释的特点在于：

第一，在解释主体上，一般说来，其解释主体是中国古代的判官。众所周知，行政司法合一的体制，使得古代中国的判官、特别是地方或基层的判官，肩负着政治家、法律家和道德家三位一体的使命。就前者而言，他必须安排好一方的公共管理事务，因此，必须具有干练、全面的协调能力；就中者而言，他需要敏锐、准确地观察事实、判断法律，因此，就必须具备基本的规范知识和判断技巧，所以他既是"侦查员"，又是"检察官"，还是"法官"；就后者而言，他又要模范地体现道义要求，以穷天理而尽人情，因此，他必须具备较高、甚至是最高的道德修养。这种对官吏的近乎完人般的要求，也需要有一套合理的选举制度来达成其宗旨，与此呼应，对人类制度史、特别是公法制度史具有独特贡献的科举考试制度（所谓"文官制度"[95]）应运而生。尽管它曾在某些方面流于形式，但它也确实曾源源不断地将一批批德才兼备的优秀人才输送到各级政坛，从而为上述地方官吏三位一体的要求和使命之大体完成，提供了基本的人才保障。

言及这些，主要是为了说明在古代中国，官吏的政治管理素质、法律判断素质和道德修养素质大体可以完成在古典社会独特情形下的判决和判例，也能够在整体的法律框架下，判官根据自己对

---

[95]　我并不一般地赞同时下学人赶时髦似地用"文官制度"这样的词汇和字眼来研究、概括中国古代的科举取士制度。说白了，这种似是而非的总结，只是我们以西方中心主义的"文官"理念来硬解中国古代的科举制度（参见李铁著：《中国文官制度》，中国政法大学出版社 1989 年版）。我认为，对人类公法制度建设具有如此巨大贡献的科举制度，足以自豪地以自身本来的名称而面对世人。因此，以它本来的名称——科举取士制度——来研究、总结和概括之，绝无损于我们对这种制度在中国制度文化史、乃至世界制度文化史上之巨大价值的体认！

事实、法律以及"天理"和"人情"的独特理解，作出对法律的独特解释。因此，**如果说官方的法律解释必须因循法律，不得越雷池一步的话，那么，在司法实践过程中的法律解释尽管也必须尊重法律，但更多地是在原则上尊重法律，在事实上，判官们往往所做的是针对个案的创造性解释。总之，"司法性解释"的主体主要是判官。**

但不尽然。这是因为在古代中国，地方当局可以聘请幕僚，这一独特的幕僚制度，使得许多并无官方职位，但又具有法律知识、判断技巧和协调才干的民间人士实际地参与到判例的创制过程中，于是，他们往往也就成为司法性解释的主体。特别是许多类似人士，为了求得官府的赏识，以备官府聘请，他们往往在被聘前就刻苦钻研法律、了解民情、探讨判案技巧。在一定程度上讲，由于其微妙的社会角色，他们刻苦努力的程度绝不亚于那些聘请他们的地方官员，即使在通过个案来解释法律的问题上，他们做得也往往并不逊色于地方官员的解释。

第二，**在解释效力上，一般情形下，其解释效果只对所要处理的个案有效，但当其作为判例法时，则具有了法律的普遍效力。至于那些没有接受国家授权的"司法性解释"则不发生法律效力。**任何司法性解释，都是针对个案而作出的（尽管在当代中国法律解释体制中存在着一种类似成文立法的司法性解释，但我们知道，这是一个不仅和当今世界司法性解释体制不相吻合，甚至也与古代中国的司法性解释事实并不合辙的解释体制）。因此，司法性解释本身就是法官或判官们把普遍性的法律运用到个别性的案例中去的一种解释方式。只要存在普遍性法律和个别性案件的冲突，就必然需要通过解释来弥合这种冲突。即使案件事实明晰、和案件事实相关的法律规定清楚，也不是说把法律规定适用于案件事实中的过程，就是像自动售货机那样输入案件、输出判决的过程。相反，严格和严谨的事实说理、逻辑论证对这一过程来讲是必需的。而说理和论证在这里本身就担当着解释使命。正因如此，"司法性解释"的最常见的效力乃是通过解释，使法律规定具体适用于要解决的案件事实中去。

当然，如前所述，在古典中国，由于司法性解释的主体也可能是那些并不拥有"司法权"的法律爱好者或幕友、讼师等等，因此，并不是任何针对个案的法律解释都具有司法的效力。他们的解释，只有经过有权者的采纳后才能发生法律效力。就此而言，幕友、讼师们针对个案的法律解释，颇类似于当今律师们针对个案的法律解释。

还有，因为古代中国是一个对成文法和判例法并重的国家。一些典型的判决，往往经过"正当法律程序"或后人的一般引用而被认可，成为具有一定效力的判例法，如以下事例：

> "何承天，东海郯人也。五岁丧父，母徐广姊也，聪明博学，故承天幼渐训义。宋武起义初，抚军将军刘毅镇姑孰，板为行参军。毅尝出行，而鄡陵县吏陈满射鸟，箭误中直帅，虽不伤人，处法弃市。承天议曰：'狱贵情断，疑则从轻。昔有惊汉文帝乘舆马者，张释之劾以犯跸，罪止罚金。何者？明其无心于惊马也。故不以乘舆之重，加于异制。今满意在射鸟，非有心于中人。按律过误伤人三岁刑，况不伤乎？微罚可也。'"[96]

显然，在如上情形下，汉代张释之所做的司法判决就变成了后世人们在相类似案件的判决中乐于引用的、具有相当法律效力和说明能力的判例法了。

第三，在解释目的上，司法性解释的直接目的就是为了更好地

---

[96]　《南史·何承天传》。类似的个案在古代中国的司法性法律解释中多有存在。

适用法律，解决两造纠纷。司法性法律解释，既可以在司法活动过程中进行，也可以在司法活动之外进行。前者的目的当然是为了更好地解决两造之间所发生的纠纷。一般说来，它们主要是那些出任现职的官吏在涉及到两造诉讼时，根据案情对法律所进行的解释。例如明代颜俊彦所著的《盟水斋存牍》，[97] 就大体上是作者在任职期间在办案过程中所做的法律解释的记录。再如清代名士徐士林在其《守皖谳词》、《守皖谳词补遗》和《巡漳谳词》[98] 中，共记载了其所办理的 102 起案件，其内容都是根据案情而对当时法律、民情所做的独特的解释。

尤须注意的是：在古代中国，法律体系主要是以刑为统帅的刑法典。尽管以官制为代表的"行政法"和以礼为代表的"民法"也在国家秩序构造中发挥着无可替代的作用，但这些规定，特别是"礼"的规定，却相当不统一且富于弹性，因此，在民事纠纷中，就必须由判官根据不统一的"礼"，来寻求人们情感上的接受和平衡。倘若能做到这点，无疑是位好判官，反之，则是不称职的判官。可见，在这里判官具有极大的自由裁量权，但与此同时，也说明在古典的司法性解释中，特别是在"民事"方面的解释中，判官的判例往往直接发挥了现代意义上"法"的作用。在此视角上，判官们的判决，就不仅是解决当下的纠纷，而且为日后之类似纠纷的解决，提供了一分形同判例法之类的典型例证和法律根据。

当然，还有一些司法性解释，特别是那些为了在官府谋得一份差事，而废寝忘食地从事司法性法律解释的人们，尽管其解释目的

---

〔97〕 该书由中国政法大学古籍整理研究所整理标点后，交由中国政法大学出版社于 2002 年出版发行。另外，由郭成伟等整理点校的《明清公牍秘本五种》（中国政法大学出版社 1999 年版）也为类似之书。

〔98〕 该三书被今人合并编辑为《徐公谳词——清代名士徐士林判案手记》一书，由陈全伦等主编，齐鲁书社 2001 年出版。该书详尽记载了作为判官的徐士林在办案过程中对案情的认定、对法律的适用、对民情的体察以及相关的解释论证活动。

不是为了直接解决当下所面临的纠纷，但只要其成功地进入幕僚阶层，其独特的角色会将先前的解释主张和思路带入案件的解决建议中。当然，如果一位解释者一生就根本无缘进入幕僚阶层，则要另当别论。

　　第四，在解释方法上，司法性法律解释更侧重于运用判例解释和成案解释。 作为一种法律解释，司法性解释的方法也是多元的。即判官在面对一个具体案件时，除了援引法律进行解释和论证外，在解释过程中还可能会涉及到历史方法、比较方法、甚至煽情似的"花判方法"等等。但在更多的情况下，所采用的是判例解释和成案解释。

　　所谓判例解释，是指针对目下的案情，判官或解释者根据法律的一般原则或规定，甚至也根据当时的具体民情和人所公认的"天理"，比较案件事实和法律规定、天理民情间的内在关联，作出系统的说明、解释和论证。事实上，这往往是一个具有创造性的法律解释过程。特别是判官对疑难案件的判例解释，对其后类似案件的处理可以起到很大的参考价值，成为以后办案必须特别关注的所谓"成案"。可以说，董仲舒在理论上引经决狱的判例解释，就典型地成为其后的效仿者们在断案时所效仿的"成案"。当然，以上只是对判官们的司法性解释而言，至于那些尚未成为判官，也没有成为判官师爷的人们所做的类似解释，除非官家特别推崇并荐举，否则，只能是一种民间"学说"，而不能称之为"成案"。

　　所谓成案解释，则是面对某一案件事实，运用以往所发生的最相类似的判例，再加之法律和情理进行解释的情形。其实，这种被后人在判案和法律解释中运用的所谓"成案"，很类似于西人所谓"判例法"。在一定意义上说，成案解释也是一种比较解释：即比较成案与"现案"在事实上的共性与差异；也比较两者在适用法律上可能形成的契合与分歧，从而为新判决的产出——事实认定和法律说理提供更加扎实可靠的论证根据。例如在《睡虎地秦墓竹简·法律答问》中对"廷行事"这种判例法的引用就是：

> "求盗追捕罪人，罪人格杀求盗，问杀人者为贼杀人，且
> 斗杀，斗杀人，廷行事为贼。"
> "廷行事有罪当迁，已断已令，未行而死若亡，其所包当
> 诣迁所。"[99]

第五，在解释对象上，司法性解释的对象是以个案来说明法律。成文法律的使命，不在于给人们设置一套好看耐听的治理符号和文字标签，而在于人们如何切实地将其运用于个案的解决。只有如此，才能更好地"通过法律进行社会控制"，并"使人们的行为服从规则治理……"[100] 尽管就法律统治的辐射面而言，它是一种全方位的统治，不论在国家的立法、行政还是司法活动中，都须贯彻法律统治的精神。这即使在被称为"人治"的古代中国也是如此，否则，有效的统治秩序只能是好看而不管用的海市蜃楼。

然而，相对地说，司法活动和法律的关系更为密切，这是因为一方面，司法所解决的一切问题，不论在实践中人们如何"权变"，最终必须要落实为具有法律效力的、人们能够接受的、法官（判官）能够自圆其说的法律判决上。另一方面，司法所要解决的对象，凸显着社会矛盾、纠纷和冲突，因此，其更能够典型地说明法律的作用。而其他活动，尽管也根据法律而行动，但因为往往不涉及冲突焦点，因此，人们便不会明显感觉到法律在其中的作用。这一点对中国古典的司法而言，就更显得重要。因为长期以来，

---

〔99〕 睡虎地秦墓竹简整理小组：《睡虎地秦墓竹简》，文物出版社 1978 年版，第 179—
180、177 页。
〔100〕 参见〔美〕庞德著：《通过法律的社会控制、法律的任务》，沈宗灵译，商务印书
馆 1984 年版；富勒著：《法律的道德性》，参见张文显著：《二十世纪西方法哲学
思潮研究》，法律出版社 1996 年版，第 63 页。

"无讼"观念并不仅仅是一种思想家的理想境界，也是道德教化和政治治理的现实追求。故而古人一旦求诸诉讼，实在是因两造间的纠纷无法私下解决，或者干系甚大，国家不允许私下解决的情形下才发生。这种情形，进一步加剧了在中国法律文化体系中司法和法律关系更紧密的印象。再一方面，众所周知，不论在古代，还是近、现代，司法都是社会矛盾和冲突的最终解决机制。面对复杂的纠纷，即使在古代中国，在和平时代，社会纠纷最终的解决机制是立法权、司法权和行政权皆揽于一身的皇帝之"御审"活动。因此，司法仍然是社会瞩目的焦点，通过它的判决——解释公正与否，以及与之相关的人们接受与否就直接关系着法律在人心中的形象和位置。

正是司法的这种特征，因此在针对个案的法律解释中，更能够凸显法律解释和法律适用之实践间的关系。中国古典的法律解释者对此有充分的了解，因之也就在针对个案的法律解释中常常能够细致入微地解决所面临的问题。

如上对古代中国三元法律解释样式的论证，还没有深入到中国古典法律解释的哲学向度中，而只是为寻求这一向度提供了一条可以依赖的路径。从下一章起，我们就要依赖这条路经，具体探寻中国古典法律解释的哲学向度问题。

第三章 古典中国法律解释的哲学"立场"

我们知道，在中国古代人的理念中，法律（刑法）总是被列为所谓"道统"之外的存在，是"道统"无法治理国政，从而国家混乱不治时的无奈选择。[101] 所以，古人坦言：

> "刑为盛世所不能废，而亦盛世所不尚。"[102]
> "圣王……立法明刑者，非以为止，救衰乱之起也。"[103]
> "……夏有乱政而作禹刑，商有乱政而作汤刑，周有乱政而作九刑。三辟之兴，皆叔世也。"[104]

尽管如此，中国古人的法律智慧、特别是法律解释智慧中并非不存在某种哲理意义的思考。反之，它恰恰是中国独特的哲学智慧的产物。对此，只要人们认真读一读《汉书·刑法志》，读一读《唐律疏议》、读一读《名公书判清明集》……就不难得出其中结论。下面笔者将从中西哲学比较的视角探讨古代中国法律解释的独特哲学"立场"。

---

〔101〕 参见谢晖：《道统与法制》，载龙大轩著：《道与中国法律传统》，山东人民出版社2004年版。

〔102〕 （清）纪昀著：《四库全书总目提要·按语》。

〔103〕 郑昌语。（汉）班固撰：《汉书·刑法志》。

〔104〕 子产语。《左传·昭公六年》。

一、"仁"与"智"：中西哲学的差异

要对两类流传千古的伟大文明及其哲学智慧用三言两语总结其差异，显然不是本文所能胜任的，也是目前笔者学力所不逮者。但为了本文分析的方便，在这里提出自己对东西方哲学之差异的基本判断和基本认识，就有一定必要。

自从西学东渐以来，可以说中国哲学的发展便自觉地走向了中西哲学对比研究的路数上了。尽管20世纪以降，专门的中国哲学研究非常发达，[105]同时，专门的西方哲学研究也空前地繁荣。[106]但一来这种发达与一定意义上的中西对比不可两分；二来在此之外，专门的东西方对比研究一浪高过一浪，至今依然。在这种对比研究中，人们对中西哲学的差异在不同视角作出了不一而足的总结，如中国哲学重综合，西方哲学重分析；中国哲学重人文，西方哲学重科学；中国哲学重演绎，西方哲学重归纳；中国哲学重结论，西方哲学重过程；中国哲学重说教，西方哲学重论理；中国哲学重内在，西方哲学重外在……在中西哲学如许多的差异总结中，李大钊的总结大概具有一定代表性：

---

[105]　如康有为的《新学伪经考》、胡适的《中国哲学史大纲》、张岱年的《中国哲学大纲》、冯友兰的《中国哲学通史》等等，把中国古典哲学的研究全面引向了"现代"。但仍需说明的是：他们中的绝大多数恰恰都是曾游学西土、并钟情西学的饱学之士。即使那些未曾留学于西方的先生们，也是在西学东渐、欧风美雨洗礼的历史情境下成长起来的学者，因此，其字里行间所传达的往往主要是经过了西学过滤的中国哲学，至少在研究方法上是如此。至于当代新儒家，如熊十力、牟宗三、梁漱溟们的研究，也大抵是如此。

[106]　在这方面，哲学家们的作品几乎可以用汗牛充栋来形容。然而，他们的研究无疑每每站在无可避免的一种"前见"之上——总是要通过中国的语言和文字来表达之。这也就不可避免地使中国人对西方哲学的研究，只能是中国人视野中的西方哲学。马克思主义哲学在中国的遭遇，可谓见证。近些年来，西方一些哲学思潮在中国"每领风骚三两年"的遭遇是否也可做见证？

"东西文明有根本不同之点，即东洋文明主静西洋文明主动是也。……一为自然的，一为人为的；一为安息的，一为战争的；一为消极的，一为积极的；一为依赖的，一为独立的；一为苟安的，一为突进的；一为因袭的，一为创造的；一为保守的，一为进步的；一为直觉的，一为理智的；一为空想的，一为体验的；一为艺术的，一为科学的；一为精神的，一为物质的；一为灵的，一为肉的；一为向天的，一为立地的；一为自然支配人间的，一为人间征服自然的。……"[107]

尽管这是在比较东西文化，但我们知道，文化背后的观念基础则是哲学。因此，也可在一般意义上说这种区别反映了东西方哲学观念的差别。这一总结，虽然受到了梁漱溟的赞誉。[108] 但鄙人以为，如果要归纳为一点，则两者最重要的区别为中国哲学更倾向于追求"仁"，西方哲学则更关注于追求"智"。[109]

当然，这种明显宏大的结论可能很易被人们所证伪，因为我们知道，中国也有非常注重智识的学术传统，例如先秦时期的墨家传

---

[107] 李大钊：《东西文明之根本异点》，载《李大钊文集》（上），人民出版社 1984 年版，第 557—558 页。

[108] 参见梁漱溟著：《东西文化及其哲学》，商务印书馆 2000 年版，第 31 页。

[109] 需说明的是：孙正聿对"爱智"作了一种放大的理解。认为哲学就是"爱智"的学问（参见孙正聿著：《哲学通论》，辽宁人民出版社 1998 年版，第 1 页以下）。他引述张岱年的话以说明，哲学家也是爱智的一族人，为了爱智，哲学家必须反省其知："哲学家因爱智，故绝不以有知自炫，而常以无知自警。哲学家不必是世界上知识最丰富之人，而是深切地追求真知之人。哲学家常自疑其知，虚怀而不自满，总不以所得为必是。凡自命为智者，多为诡辩师。"（张岱年著：《求真集》，湖南人民出版社 1983 年版，第 102 页）。我在此所讲的"智"则不同，其是和"仁"相对意义上的"智"，否则，"仁"、"智"之思就无意义。另外，关于对"爱智慧"的具体研究，可参见田海平著：《哲学的追问——从"爱智慧"到"弃绝智慧"》，江苏人民出版社 2000 年版。

统，即以重智识而名世，以至有学者直言：一个墨子顶一个古希腊。[110] 至于中国古代富含哲学意蕴的医学、农学、兵学等，皆以追求智识为所任。同样，西方哲学绝不仅仅是追求智识一途，其中以柏拉图为代表的学园学派就不首先以智识，而是以德性为其主要追求。至于其后的犹太—基督教哲学传统，更是首先以类似于"仁道"（"神人关系"）的道义精神为主要追求。[111] 但即使如此，作为中西主流哲学的基本区别，就在于前者尚"仁道"，后者尚"智识"。爱"仁"和爱"智"乃是中西哲学的基本分界。

孔子在颜渊问仁时云：

> "克己复礼为仁，一日克己复礼，天下归仁焉。为人由己，而由人乎哉？"[112]

孟子则这样阐述仁：

> "……恻隐之心，人皆有之；羞恶之心，人皆有之；恭敬之心，人皆有之；是非之心，人皆有之。恻隐之心，仁也；羞恶之心，义也；恭敬之心，礼也；是非之心，智也。仁义礼智，非由外铄我也，我固有之也。"[113]

苏格拉底云：

---

[110] 这是历史学家杨向奎的一个结论。

[111] 参见傅有德：《神人关系与天人关系——犹太教与儒学之比较》，载氏主编：《犹太研究》（第1期），第3页以下。在一般意义上，似乎可以这么说：盛行于世界各不同民族的宗教，尽管其义理或许千差万别，但其向善的基本追求大概并无鸿沟。除非某种宗教是所谓"邪教"。

[112] 《论语·颜渊》。

[113] 《孟子·告子上》。

"……认识自己的人，知道什么事对于自己合适，并且能够分辨，自己能做什么，不能做什么，而且由于做自己所懂得的事就得到了自己所需要的东西，从而繁荣昌盛，不做自己所不懂得的事就不至于犯错误，从而避免祸患。"[114]

黑格尔则说：

"真理的王国是哲学最熟习的领域，也是哲学所缔造的，通过哲学的研究，我们是可以分享的。"[115]

如上引文表明，古典中国将最高的问题放在对人自身如何化人成仁的解决上，在董仲舒日后所总结的"三纲五常"之"五常"中，"智"不过被列入到第四位，而"仁"则位列第一。但在西方，哲学的使命就在、或主要在寻求一种人和对象相符合的"真理"，在于寻求人类认识世界、利用世界和改造世界的智慧。

中国古典时代的"仁道"精神，乃是在和"为利"主张相辩驳的过程中产生的。面对春秋战国时期礼崩乐坏的局面，墨家顺应之而主张"兼相爱、交相利"；道家逃避之而主张"小国寡民，民至老死不相往来"；儒家反对之而强调"克己复礼"以达"仁"。虽然，此后中国哲学智慧的发展，在官方层面主要接受了以儒家为主的教化理念和思想，但在民间，上述诸学术主张和思潮依然根深蒂固地延续下来。即使在官方，也不是唯儒家思想和主张是从。所谓阴法阳儒的事实就典型地说明了此。

不过话说回来，自从汉武帝"罢黜百家、独尊儒术"的主张

---

[114] ［古希腊］色诺芬著：《回忆苏格拉底》，吴永泉译，商务印书馆 1984 年版，第 149—150 页。

[115] ［德］黑格尔著：《小逻辑》，贺麟译，商务印书馆 1980 年版，第 35 页。

被确立为官方意识形态以来，古典中国的官方行为，基本上所遵循的是儒家的统治路线。作为"治之经"的"礼与刑"，[116] 更责无旁贷地贯彻和落实着这种官方意识形态。这样，以"仁道"为追求的学术文化主张就攀升为中国学术文化、意识形态和官方统治的"大传统"，其他学术思想尽管在这一"大传统"中也有所反映，但只是枝节上的，而以"仁道"为追求的儒家文化则是其主干。从此之后，中国社会、中国法律基本上就被"儒家化"了。[117]

虽然，一个国家的哲学文化绝对不是"大传统"所能涵盖了的，但可以肯定的是："大传统"和"小传统"相比较，前者对后者具有更大的风化功能。孟子就曾云：

> "吾闻用夏变夷者，未闻变于夷者也。"[118]

这不但承认了早在那个时代，"大传统"与"小传统"之两分，而且也表明了作为"大传统"的"夏"对于作为"小传统"的"夷"之必然风化功能。虽然，孔子强调"失礼，求诸野"，这也说明了"小传统"必然对"大传统"所具有的影响，说明了大、小传统间的双向交流和互动过程。但就其价值而言，"大传统"对"小传统"的汲取，仅仅是礼崩乐坏的一种无可奈何之举，而非"大传统"所乐意做的选择。一般说来，"大传统"总是主导地风化着"小传统"。

强调"大传统"之于"小传统"的主导的风化功能，仍然旨在说明当以"仁道"为核心的儒家文化占据了中国"大传统"之

---

〔116〕 参见《荀子·成相》。

〔117〕 参见瞿同祖著：《中国法律的儒家化》，载氏著《中国法律与中国社会》，中华书局1981年版，第382页以下。

〔118〕 《孟子·藤文公上》。

要津的时候，虽然在"小传统"中、甚至同时也在"大传统"中绝对不乏其他学术文化的深刻影响，但儒家的"仁道"文化却在全方位地影响着中国学术文化的格局和哲学的致思趋向，以及由此而立的作为"大传统"的政治制度和作为"小传统"的社会生活。直到如今，虽然源自西土的尚智风潮业已对中国的学术思维和哲学文化产生了全面的影响，但这依然仅仅是一种现象。在这现象的背后，我们不难发现"德育第一、智育第二"的教导，发现"有德有才是精品，有德无才是次品，有才无德是毒品，无德无才是废品"的格言；发现"德、智、体全面发展"的人才培养要求……可见，"仁道"之精神要旨在今日欧风美雨中绝对不是昨日黄华、云烟散尽。相反，其仍然顽强地在当代中国文化的发展中起着举足轻重的作用。

这种统治理路的经学取向，不仅仅影响着民众的日常生活，而且是哲学思维在"仁道"取向上取之不尽、用之不竭的源泉。正是在这里，中国哲学转向了反躬自问的学术思路，转向了对人以及和人相关的政治统治的关注。从而其主要是以"仁"为核心的人生哲学和政治哲学。其他一切哲学思考，则皆居于其后，只不过是"仁"的附随。怪不得谭嗣同用一部《仁学》来陈述、总结中国两千年来之政、之学，并以之来开发未来中国学问发展之路。

而西方哲学，自从古希腊发韧以来，即强调开发人们认识对象、认识世界的智慧。且不说以强调知识论见长的"智者学派"，即使以强调道德论见长的"学园学派"、"逍遥学派"，也特别关注对寻求知识之逻辑和其他方法的探讨。在两千多年前，就由亚里士多德完成了彪炳史册的"工具篇"——以详尽论述人们认识和改造世界的哲学方法。

我们知道，这种对科学、对知识的渴求精神，在中世纪神学一元论的统治下受到了明显的遏制，从而"爱智"的科学取向成为神学的婢女。但即使如此，在神学内部西方人仍然顽强地拓展着古希腊的科学精神，而证明上帝第一推动的使命竟阴差阳错地成为近代科学发展和以"智"为特征的哲学得以复兴的契机。因此，我们不能不说即使在基督教内部，依然存在着为了证明上帝存在而趋向科学、追求真理的"基因"。

至于近代以来，西方哲学和文化就基本上全然走向了一种以追求"智"为特征的道路。因此，导致了工业文明——这种对千古以来依赖于自然对象的农耕文明、游牧文明彻底背叛的知识型文明的出现。事实上，它导致了人在生活方式上由依附于自然到最后征服自然，做自然主人，从而主、客两分的格局。而在今天，在这种哲学文化的引领下，科学发明昌盛发达到了如此地步："可上九天揽月，可下五洋捉鳖"！

在这一切的背后，都有西方人独特的哲学致思方式的影响。那就是追求"智"的哲学路向的影响。梁漱溟在对东西文化及其哲学的总结中，把人类的生活态度总结为三途，即积极进取的、安于现状的和消极遁避的。其中前者以西方文化为代表，中者以中国文化为代表，而后者以印度文化为代表。[119] 于是，他认东方文化是艺术的，而西方文化是科学的。对西方文化的具体总结，他得出了三点意见：

"（一）征服自然之异彩　西方文化之物质生活方面现出征服自然之彩色，不就是对于自然向前奋斗的态度吗？所谓灿烂的物质文明，不是对于环境要求改造的结果吗？

（二）科学方法的异彩　科学方法要变更现状，打碎、分析来观察；不又是向前面下手克服对面的东西的态度吗？科学精神于种种观念、信仰之怀疑而打破扫荡，不是锐利迈往的结果吗？

---

[119] 参见梁漱溟著：《东西文化及其哲学》，商务印书馆2000年版，第59页以下。

（三）德谟克拉西的异彩　德谟克拉西不是对于种种威权势力反抗奋斗争持出来的吗？这不是由于人们对人们持向前要求的态度吗？

这西方化为向前的路向真是明显的很……‘西方化是以意欲向前要求为根本精神的。’”[120]

梁氏的这一结论，几乎得到了学界的普遍尊重。尽管我们再要较真的时候还会发现其中一些问题，但他对西方文化及其哲学更多地趋向于对自然的征服和对科学的求取，与笔者在这里所言西方哲学强调“智”的追求相去不远。

之所以强调东西方哲学文化的上述差异，乃是要进一步说明，在古代中国及其哲学观念下的中国人，在法律生活中的基本态度。换言之，是要说明中国古代法律生活中所反映、表达出来的哲学理念和哲学态度——如果哲学就蕴藏在人们的生活中的话。

如果人们仍然将人类的生活态度和认识取向分为向善的“仁道”追求和向真的“智识”追求这样两途的话，那么，笔者首先要说这两个方面在任何一个民族的生活方式、生活态度中均会有所体现，而不是说有些民族及其文明中只有前者，而另些民族及文明中只有后者，从而将两者做对立化的处理。我想说的只是在不同的民族及其文明中，对两者的位次配置绝然不同。以此为基础，我在下文中所要求取的，是中国古典的法律生活中对这两者配置的态度。

二、“仁道精神”、和谐价值与中国古典的法律生活

如上所述，“仁道精神”构成了古典中国哲学的基础，追其究竟，则在于中国古典时代人们的生活方式和精神需要决定了这一根

---

[120] 梁漱溟著：《东西文化及其哲学》，商务印书馆 2000 年版，第 62 页。

本哲学观念的孕育和成形。我们知道，中华文明成形在一种相对封闭的地理环境中，东有浩瀚大海，西有万仞高山，北有渺渺流沙，南有纵横江河。人民就生活在这种"无法"跨越的中原（中国）地带。所以，在石介看来：

"天处乎上，地处乎下，居天地之中者曰中国，居天地之偏者曰四夷。四夷外也，中国内也。天地为之乎内外，所以限也。"[121]

石介的上述说法，阴差阳错地表明了中国事实上的封闭"地理"特征。尽管在西方式文明观看来，这种地理环境极不利于社会的开放和物质的发展，但是在中国文明看来，它却极适合于人类的生存和居住。因此，逮至清朝时期，当西方文明大举进入中国之际，中国皇帝仍然傲慢地认为他们不过是蛮夷之邦的"子民"。[122]事实上，对于一个重农抑商、务劝农桑，并强调以德化民，以仁亲民、爱民的国家而言，这种封闭的地理环境恰恰是最好的屏障。这大概正是何以在中国古代会最早形成农业文明，会形成"德教文化"和"仁义"哲学、"仁道"精神，并崇尚和谐价值的地理原因吧。

"仁道精神"所指究竟为何？不妨再从"仁道精神"的创造者孔子及其弟子那里去探寻：

"有子曰：'其为人也孝悌，而好犯上者，鲜矣；不好犯上，而好作乱者，未之有也。君子务本，本立而道生。孝悌也

---

[121]　（宋）石介：《中国论》。转引自萧功秦著：《儒家文化的困境》，四川人民出版社1986年版，第3页。

[122]　参见萧功秦著：《儒家文化的困境》，四川人民出版社1986年版，第1页以下。

者，其为仁之本与！'"

"子曰：'人而不仁，如礼何？人而不仁，如乐何？'"

"子曰：'唯仁者能好人，能恶人。'……'富与贵，是人之所欲也；不以其道得之，不处也。贫与贱，是人之所恶也；不以其道得之，不去也。君子去仁，恶乎成名？君子无终食之间违仁，造次必于是，颠沛必于是。'"

"子张问仁于孔子。孔子曰：'能行五者于天下为仁矣。''请问之。'曰：'恭，宽，信，敏，惠。恭则不侮，宽则得众，信则人任焉，敏则有功，惠则足以使人。'"

"子曰：'君子而不仁者有矣夫，未有小人而仁者也。'"

"樊迟问仁。子曰：'爱人。'问知。子曰：'知人。'樊迟未达。子曰：'举直错诸枉，能使枉者直。'樊迟退，见子夏曰：'乡也，吾见于夫子而问知，子曰：'举直错诸枉，能使枉者直'，何谓也？'子夏曰：'富哉言乎！舜有天下，选于众，举皋陶，不仁者远矣。汤有天下，选于众，举伊尹，不仁者远矣。'"[123]

笔者不厌其烦地引述孔子及其弟子关于"仁"的诸多论述，是要深入到孔子及其弟子的原话中说明"仁道精神"的究竟。[124]

---

[123] 《论语·学而》、《论语·八佾》、《论语·里仁》、《论语·阳货》、《论语·宪问》、《论语·颜渊》。

[124] 当然，当代解释学的成就业已表明，读者不可能完全复原文本作者的原意，因为我们在引述前人作品时，已经怀有我们的前见；又因为任何人对文本的理解和解释，总是具有一定创造在其中的（参见［德］加达默尔著：《真理与方法》（上卷），洪汉鼎译，上海译文出版社1999年版，第355页以下）。

作为一种明显富于直觉的文化，[125] 孔子并没有对"仁"作出一个系统的逻辑论证，而是在和其弟子们的交谈中随着不同的情境脱口而出的。当然，作为整个中国古典文化的重要导师，可以肯定他脱口而出地回答学生们的问题时绝非信口雌黄，而是用他的智思、经验以及渊博的知识来回答学生的。但**这种问答体（以《论语》为典型代表）的论述，倘若和西方柏拉图及其弟子们那种对话体的文本相比较，就不难得出中国文化的传人乃是在悟道中传道；而西方文化的先贤们则是通过严谨、缜密的逻辑来传道。**

但即使如此，我们还是不难从孔子的只言片语中得出"仁道精神"之究竟。梁漱溟曰：

> "儒家完全要听凭直觉，所以唯一重要的就在直觉敏锐明利；而唯一怕的就是直觉迟钝麻痹。所有的恶，都是由于直觉麻痹，更无别的缘故。所以孔子教人就是'求仁'。人类所有的一切诸德，本无不出自此直觉，即无不出自孔子所谓'仁'，所以一个'仁'就将种种美德都可代表了。而对'仁'的说法，可以种种不一，此孔子答弟子问'仁'各个不

---

[125] 牟宗三在谈到中国人的直觉意识时说："……我们所有的直觉都只是感性的直觉。我们人除感性直觉以外没有其他的直觉，没有这种智的直觉。"（牟宗三著：《中西哲学之会通十四讲》，上海古籍出版社1997年版，第209—210页）；梁漱溟则在谈到东西方之精神的差异时强调："这种一定要求一个客观共认的确实知识的，便是科学的精神；这种全然蔑视客观准程规矩，而专ктоいえ崇尚天才的，便是艺术的精神。大约在西方便是艺术也是科学化；而在东方便是科学也是艺术化。""科学求公例原则，要大家共认证实的；所以前人所有的今人都有的，其所贵便在新发明，而一步一步脚踏实地，逐步前进，当然今胜于古。艺术在乎天才秘诀，是个人独得的，前人的造诣，后人每觉赶不上，其所贵便在祖传秘诀，而自然要叹今不如古……西方的文明是成就于科学之上；而东方则为艺术式的成就也。"（梁漱溟著：《东西文化及其哲学》，商务印书馆2000年版，第35页）。事实上，所谓艺术成就的文明，在很大程度上讲就是靠直觉来创造和实践的文明。

同之所由来也。……孔家本是赞美生活的，所有饮食男女本能的清浊，都出于自然流行，并不排斥。若能顺理得中，生机活泼，更非常之好的；所怕理智出来分别一个物我，而打量、计较，以致直觉退位，成了不忍。……'仁'就是本能、情感、直觉……"[126]

梁氏所表达的自然只是其一家之言，但其能够在逻辑上有力地说明孔子所谓"仁"之所自，其实，"仁"就是寻求人们自然而然的和谐生活，"仁"的逻辑并没有远离我们的日常生活，反而就在我们的日常生活中。在孔子的同时代，另一位中国文化的伟大导师曾这样讥讽道：

"大道废，有仁义；智慧出，有大伪；六亲不和，有孝慈；国家昏乱，有忠臣。……"[127]

"故失道而后德，失德而后仁，失仁而后义，失义而后礼。"[128]

可见，当我们明察了孔子所谓"仁"之究竟以及老子关于"道"的追求，则不难发现在儒家和道家之间完全可以有契通的地方，那就是两者都深深地对人的自然生存方式予以真切关怀，尽管其关注重点各异、内容个别。

说明"仁道精神"的和谐意蕴，就在进一步说明：中国古典的法律，事实上只是为了迎合一种与"仁道精神"相吻合的生活方式，以及以之为基础的人们交往行为与社会实践的向导和工具。

〔126〕 梁漱溟著：《东西文化及其哲学》，商务印书馆2000年版，第132—133页。
〔127〕 《道德经·第十八章》。
〔128〕 《道德经·第三十八章》

在法学界，关于中国法律与中国社会的研究，自从瞿同祖奠基以来，就一直颇受人们、特别是法学学人们的关注。此后形成了几部专门的相关研究作品，主要有瞿同祖的《中国法律与中国社会》；蔡枢衡的《中国刑法史》；林剑鸣的《法与中国社会》；梁治平的《寻求自然秩序中的和谐》以及日本学者滋贺秀三的《中国家族法原理》等。[129] 要在这里简要地论述中国古典的法律和社会生活的关系，显然只能是挂一漏万的，但倘若我们将着眼点放在前述中国哲学以及中国人生活态度的"仁道精神"之追求上来，也许会事半功倍、言简意赅地得出法律与中国人心灵价值结构间的关系。

如前所述，"仁道精神"的核心宗旨即在于寻求"自然秩序中的和谐"，在这一过程中，人心的自得意满和道德自觉是至关重要的，因此，顺其自然地生活便是至高无上的生活追求，也是现实确切的生活选择。故而，"道法自然"、"绝圣弃智"、"因任自然"的道家精神被我们坚定地传承了；同样，"刚毅木讷"、"杀身成仁"、"厚德载物"的儒家精神也被我们认真地接受了。而遇事好辩的名辩逻辑家们，则除了其个别事迹可在卷帙浩繁的史册中寻得蛛丝马迹外，其思想主旨、其具体作品，则早已湮没不闻。至于既怀有道义使命，又具有尚真意识的墨家，如果不是人们怀念其道义追求，他们的思想、作品是否也会像名辩逻辑家们的遭遇一样呢？当然，这里还需提及法家，尽管自从秦始皇以后，法家在名声上便

---

〔129〕 以上著作最近的版本分别是中华书局 1981 年版、广西人民出版社 1983 年版、吉林文史出版社 1988 年版、中国政法大学出版社 2001 年版和中国政法大学出版社 2002 年版。其中前著又被整体地收入由中国政法大学 1998 年版的《瞿同祖法学论著集》中。当然，在尚没有被列举的众多作品中，特别是一些英美学者、日本学者和我国台湾学者的论述，以及我国另一些学者独辟蹊径地从古代的市井小说中研析古典的法律生活的相关论述，亦颇能启发人。其也每每涉及到中国法律与中国社会两者之间的关系。这里列举的五书只是其中最有代表性的。

再没有显赫过,[130] 但是法家所主张的法律并没有在人们的生活中消失,反之,法家学说及其相关的法律仍然在人们的政治、经济和社会生活中扮演着不可替代的角色。因此,法家学说及其著作不但没有因为"罢黜百家、独尊儒术"而失色,相反,其创始人们的著作比儒家创始人们的作品毫不逊色地保留下来。甚至连儒家的精神也需要借助法家所论述的法律形式来促其实现,从而法律才被"儒家化"。

不过和"仁道精神"相比较,法律只是社会"失道"难治、不得不然的一种举措。它只是社会生活的配角。所以,即使在刑法的制定以及法律的贯彻落实上,"德主刑辅"、"礼主刑辅"仍然是一个最重要的原则。诚然,如果站在公允的立场上分析,对这一原则的选择是无可厚非的,因为任何一个社会绝对不能、也不可能把刑法作为统治社会、驾驭人民的主要方式。但问题在于中国古人没有在严格的刑法之外,发展出同样严格的民法。[131] 而是把刑法和礼教推向了对立面,从而要么重法(刑)轻礼,如秦始皇;要么隆礼轻法(刑)。这种实践及其导致的观念,必然使中国古代法律生活成为日常生活的一个例外,而不是和今天那样:法律是和人们

---

[130] 我们知道,发生于 1970 年代的"评法批儒"运动似乎是个例外,但遗憾的是:始作俑者们却坚定地推行、迷信人治和"运动治",哪怕是连韩非子们意义上的法治——"壹赏壹刑"的法治也难得关注。于是,"彻底砸烂公、检、法"就理所当然,"阶级斗争,一抓就灵"成为我们的"治国"理念,"反革命强奸罪"之类令人啼笑皆非的"罪名"也"应运"而生……但国家却因之处于"和平时代"的风雨飘摇中……这实在是令人不堪回首的往事!

[131] 我们也注意到,民国时胡长青曾云:**"谓我国自古无形式的民法则可,谓无实质的民法则厚诬矣。"**(参见胡长青著:《中国民法总论》,中国政法大学出版社 1997 年版,第 16 页。)对此,笔者完全表示赞同。但问题在于这种实质意义的民法,在中国古人的、乃至相当可观的今人的观念中,并不是"法",而是和"法"相对的"礼"。至于刑法典中的民法(如《工律》、《户律》、《礼律》等,则明显地被刑法化了)。

的日常生活、公共交往须臾不可分离的内容。

特别是中国古典社会的基本底层结构，是一种和血缘息息相关的家族结构。这种结构的基本特点：一是人们都无可例外地怀有深深的血缘情感，因此，家族既是一个血缘共同体，更是一个情感共同体。在这个共同体中，人们更多地需要的不是对是非的准确判断，从而对"真知"的追求在这里往往反倒是一种忌讳；反之，对真相的遮蔽、隐瞒却是一个家长不得不如之的选择，否则，必然会伤害家族成员间暖融融的情感。此所谓"家丑不可外扬"的真谛也。这样，尽管有家族法，但家族法自身的目的只是一味地追求人们在家族内部的团结和谐，相互礼让，而不是锱铢必较，争权夺利。孔融让梨的故事作为一种文化符号被作为千古美谈，传达的不就是这一隐喻吗？

二是人们都生活在一个"低头不见抬头见"的熟人社会中，这种情形，只要放眼看看当下散布在中国大江南北的村落就不难得见。尽管随着国家大力发展市场经济而使得农村近两亿人流动在外，但这并没有从根本上改变千古以来业已形成的"落叶归根"的熟人社会的情结。人们仍然在外"发达"之后要想方设法接近、甚至回到那个令其魂牵梦绕的熟人群落中，尽管如果真的回去了，也许只是"少小离家老大回，乡音无改鬓毛衰。儿童相见不相识，笑问客从何处来？"[132] 但这种情感和直观的冲动却永难改变。经过了欧风美雨"洗礼"之后的当今中国尚且如此，在昔日曾雄踞世界各文明领头地位的古典中国人的生活更其如此。

可见，家族的生活就是类似于"自然"的生活，所以，当商鞅在改革中破坏这种生活方式，强调要"分家"的改革政策出炉后，即遭到了世人的激烈反对，尽管在其后秦国的改革中仍然坚持，但中国统一后的历代王朝就不再坚持这一政策，反而强化大家

---

[132] 贺知章：《回乡偶书》。

族的统治。家族内的这种统治，在实质上乃是道德温情的统治。它不需要科学的条分缕析，只需要直观的心中有数；不需要理性的以理服人，只需要感性的以情感人；不需要平等的人人参与，只需要权威的为民做主……其结果是家族的生活方式进一步强化了在"自然"中和谐生活的理念。

作为底座基层组织的家族是如此，则以此为基础的国家也大体如此。我们知道，"家国同构"、"家国一体"乃是古典中国国家和家族关系的基本结构。国家的组织及生活原则，基本上是家族组织及生活方式的放大。因此，家庭的生活和组织经验便被放大为国家的统治模式。国家对人民的基本要求，是让其顺其自然、安居乐业、诗情画意地生活，而不是浪迹天涯、张扬个性、独立自主地去创业、干事。是寻求在"仁道精神"基础上的和谐相处，而不是倡导在知识基础上的"权利"求取。因此，国家所倡导者就是对事物、对生活做直观的判断，而不做理性的分析。法律尽管也在一定程度上要求对事实、对律文都要有理性的判断，强调要法不容情，执法如山。但人们在司法实践中所更加津津乐道和容易接受的是"情、理、法"的相互交融与和谐统一。所以，古典中国人的法律生活，也充满了温情的协调色彩。譬如把行刑时间定在万物萧杀时节的秋季、再如利用儒家的经典来做判决，直到最后法律被儒家化……

总之，古典中国法律的使命，主要是为了辅助地求取一种符合"仁道精神"的社会生活，而不是相反，以法律为主构筑一种符合个性自由精神和"科学意识"的社会生活。

三、求真意识、判断是非与中国古典的法律生活

尽管法律在中国古典社会中的角色只是为了配合某种理想的、浪漫蒂克的"仁政"理想之实现，但法律，不论其是古代的，还是近、现代的，只要它是为了预防人们的纠纷、或者为了解决人们

的纠纷而预设的，就必然与"求真意识"、判断是非紧密地结合在一起。

　　所谓"求真意识"，也可以从不同层面理解。[133] 科学所讲的求真意识主要是人们的主观认识和客观对象相符合，这就是"符合论"的真理观。在西方哲学发展史上，这种以求真为主的意识长期以来支配着人们的行动。到了近、现代，它已经从西方意识中溢出，蔓延、发展成为一种全球意识。这就是人们言必称"科学"的原因所在。但解释学所讲的求真意识，则是人们通过充分的对话协商，达成某种"视域交融"，或者可理解的状态，它并不要求人们之间达成一致，只要求人们之间具有最低限度的理解和共识。[134]在这个意义上，解释学的理念似乎更合乎古典中国追求"仁道"、近乎"诗性"的思维方式。

　　在法律生活中所讲的求真意识，尽管可以在解释学意义上理解，但更重要的在于上述前者——科学意义上的求真意识。以法庭活动为例，在庭审过程中，原告、被告、第三人、证人、旁听者以及检察官、法官等都在对案件事实作出各自的判断，对处理结果作出各自的预测和诉求，对适用法律进行各自的理解，在这个意义上讲，它似乎完全是一个对话过程，是一个解释学的真理观可以充分发挥其作用的地方。如果按照古典中国法律生活中追求"仁道精神"与自然和谐的宗旨，法官在这里最后只需要通过协调，达成一个各方都能勉强接受的"最低限度的共识"——判决即完全足矣。但是，如果按照西方法律的传统精神，则必须通过审理活动判

―――――――――――

〔133〕　关于"求真"在哲学上的说明，参见王路著：《"是"与"真"——形而上学的基石》，人民出版社 2003 年版；张志伟著：《是与在》，中国社会科学出版社 2001 年版等。

〔134〕　参见谢晖著：《法律的意义追问——诠释学视野中的法哲学》，商务印书馆 2003 年版；谢晖、陈金钊著：《法律：诠释与应用》，上海译文出版社 2001 年版等书的相关论述。

断是非曲直，并最终发现在案件当中所蕴含的"真理"。按照德沃金的看法，则是要在疑难案件的解决中，形成所谓"整体性的法"和"唯一正确的答案"：

> "我们有两种关于政治整体性的原则：一种是立法原则，它要求立法者设法使整套法律在道德方面取得一致；一种是审判原则，它启示我们尽可能将法律理解为在道德方面是一致的。……"
>
> "作为整体的法律……既是法律实践的产物，又是对法律实践进行全面阐释的激励。它向裁决疑难案件的法官们提出的程序是基本的阐释而非偶然的阐释：作为整体的法律要求法官对它本身已有完美阐释的统一材料继续予以阐释。"
>
> "作为整体的法律要求法官尽可能假设法律是由一整套前后一致的、与正义和公平有关的原则和诉讼的正当程序所构成。它要求法官在面临新的案件事实时实施这些原则，以便根据同样的标准使人人处于公平和正义的地位。"[135]

也就是说，**在法庭活动中，尽管在法庭上的人们各自对事实和法律作着自己的理解和解释，但在最终意义上则要求法官作出一个能在理由上说服人、而不是在情感上打动人的司法判决，从而达到案件事实与法律规定的结合成为法官通过审判探求真理的一部分，而不是简单地把事实代入法律之中，也不是通过伶牙俐齿的诡辩技巧让两造心服口服。所以，在西方世界的理念中，法律的神圣不仅仅是基督教神学作用的结果。因为早在两千多年前，当基督教神学尚未传入欧洲之时，富有世俗精神和反抗意识的亚里士多德在谈及**

---

[135] ［美］德沃金著：《法律帝国》，李常青译，中国大百科全书出版社 1998 年版，第 158、202、217 页。

法治时就特别强调：

> "法治应包含两重意义：已成立的法律得到普遍的服从，而大家所服从的法律又应该本身是制订得良好的法律。"[136]

可见，在西方法律的理念中，法律本来是和善良、公正等良好价值相关联的。而在这其中，毫无疑问，法律也包含着在技术操作层面上的"科学"，从而法律就是至高无上的"真理"，或者至少法律也是人们通达真理的必须门径。

与西方这种借法律以通达"真理"的情形相对，在古代中国，尽管法律也是人们交往行为的规范标准，法律同样在面对两造不同诉求时要挖掘案件真相，乃至于为了真相，法律不惜公开鼓励、或者放任诸如刑讯逼供、装神弄鬼、公然诈取等方式以求取证据，寻找真相。可见，它并不是不关注真相。**事实上，只要有法律，只要有法律发挥作用的地方，就必然需要在审判活动中以法律为标准寻求案件真相以及案件事实和法律适用间的恰当结合。**

但是，在古代中国，法律以及适用法律的活动尽管不可避免地具有如上特点，但它仍然只是、也只能是解决纠纷的一般原则。自皇帝而下，法律并不是至高无上的"真理"，人们更乐于接受的，不是把案件事实简单地代入冷冰冰的法律中，而是给一个能够入情入理、并使人们心服口服的说法。1990 年代在我国法学界引起重大讨论的故事片《秋菊打官司》，主人翁秋菊就是因为寻找"说法"而使严重踢伤其丈夫生殖器的村支部书记被刑事拘留。就在此时，秋菊又陷入极度的苦恼中：因为她的目的只是讨个说法，而不是为了把自己乡里乡亲的村支书关进监狱！可见，官方的举措尽

---

[136] 〔古希腊〕亚里士多德著：《政治学》，吴彭寿译，商务印书馆 1965 年版，第 199 页。

管可能是在理的，但在秋菊看来是不合情的。

对法律的此种因人因情而设，早在汉朝时期，著名酷吏杜周就曾特别强调：

> "三尺安出哉？前主所是著为律，后主所是疏为令。当时为是，何古之法乎？"[137]

而在那些著名的循吏，如张释之、董宣、狄仁杰、包拯、况钟、海瑞等人的令人感动的故事后面，事实上却潜藏着自上而下人们对法律的态度：法律并不是决疑解纷的唯一根据，在法律之外，还有无数可以被人们利用的纠纷解决手段，这样，法律尽管是一种客观实存的行为准则，但在法律执行和运用的实践中他只是判官们不时进行变通的对象。为什么国家有法律在，而统治者们对董仲舒在理论上公开不以法律办案，而采取引经决狱的主张和"举措"不是加以制止，反而默许和支持呢？这不正表明了法律在最高统治者那里完全可以被变通吗？

正是在这种法律的理念下，法律主要执行着前述的实现"仁道精神"的功能，而不是通过法律达到某种"真知"，即法律既不是真理本身，也不是真理的捍卫者和进入门径。正是在此意义上，我们说古典中国法律乃是人们追求"仁道精神"的副产品，并不为过。

这种情形，只要我们认真阅读自从董仲舒倡导以来的古代案例和判词，就可以明了。试举数例说明。清代判官樊增祥曾作《批

---

〔137〕（汉）司马迁著：《史记·酷吏列传》。当然这只是对该"名言"的一种解读方式和结果（参见刘星：《古律寻义·杜周》，中国法制出版社 2000 年版，第 11 页以下），我们知道，在更多的情形下，人们则是站在蔑视那种"翻手为云，覆手为雨"的视角来阅读、理解和批判这段话的。

李田氏呈词》，内容为：

> "据称伸冤愈冤，雪耻愈耻。尔告王定儿奸拐孀媳，反将
> 尔子李恒泰责打，将尔媳断归奸夫。前任善体人情，原非尔等
> 所能窥测。嗣经尔喊控不休，复讯时断给钱五十串，俾尔收
> 受，媳妇奸夫为妻。此案去年未讼之先，谓之奸拐可也。既经
> 断结以后，前任大老爷为媒，尔得钱，奸夫得妻，铁案如山，
> 有何可耻？况尔去腊既已得钱，今又欲得妇，岂有人财两得之
> 理？不准。"[138]

在徐士林所做的系列《谳词》中，我们不时可以看到"本应
（依律或照例）……姑念……"的句式，从而将法定内容通过"仁
道"情怀在判决中加以稀释：

> "范宗高等恃强混争，本应重惩。姑念昔年控县，未经剖
> 断定案，乡愚无知，免其究处。……"（《范宗高争抢茭草
> 案》）；
> "郭文燕借影混争，本应重究，姑从宽责二十板，以
> 儆。……"（《漳平县民陈振告郭文燕等案》）；
> "狡哉孟读，愚哉孟读矣，宫墙败类，褫革亦宜。姑念俯
> 首认罪，从宽发学，戒饬以儆。……"（《冯梦读私找田价
> 案》）；
> "……胡良佐，胡良质占山强葬，复敢抗断架控，枷号一
> 月，重责三十板，以儆习悍。胡广士、胡效圣、胡嗣周等，各
> 葬有棺，均应法处，姑念乡愚，为良佐蛊惑，从宽免究。

---

[138] 《新编樊山批公判牍精华·批牍》卷五。转引自汪世荣著：《中国古代判词研究》，
中国政法大学出版社 1997 年版，第 118 页。

……"（《胡良佐占山强葬案》）；

　　"张三照架词翻控，本应责儆，姑念程女曾受伊母乳养，事属有因，又系被人唆使，应请与初次代控，后经具结之张宜公，从宽均免议。……"（《张三照架词争婚案》）[139]

　　如上引文，只是笔者在《徐公谳词》一书中从后至前随意翻捡出来的。从中可以明显看出，判者所采取的这种句式明显地把"仁道精神"所要求的和谐价值体现在一份份的判词中，因此，严谨的法律在很大程度上就演变成为判官判决案件的一般性参照，而非唯一的裁决准则。判官在法律之外，还必须依照情理进行斟酌选择，作出人们在情感上、而不一定是理智上都可接受的判决。上述樊增祥的"批词"也是一样，批者不是根据法律明文之规定来作出，而是根据一般的道德原则进行训诫，使批词演变成为"道德判决"。

　　当然，法律以及人们的法律生活尽管主要在承当着维护和实现"仁道精神"及其和谐价值的使命，但这也决不是说古代中国的法律就不存在通过判断是非而寻求"真知"的意思。事实上，正像我们在前文中已经论述到的那样，中国古代有着浓重的"实用理性"。"仁道"的和谐生活本身就是人们面对复杂的对象世界和人际关系世界时的一种实用态度。所以，相关的法律及根据之所做的判决也反映着这种实用态度。**或者进一步讲，中国人所说的"真"，和西方人所说的"真"，是两个路向上的真。前者侧重于客观外铄的真，即主观认识对客观对象反映的真。而后者侧重于主观内敛的真，即主观体悟和感受的真。**在此意义上，我们仍然可以说在古代中国的法律生活中，人们仍在寻求一种"真"。因为这种真

────────────

[139] 《徐公谳词——清代名吏徐士林判案手记》，齐鲁书社 2001 年版，第 614、387、313、255、131 页。

事实上也反映着人们的主观需要。

在实际的法律生活中我们经常会发现：不少当事人在诉讼活动中，尽管最后取得了胜诉这一其所追求的后果，但胜诉的结果并不能消弭其心灵上的创痛和担忧，特别是不能消弭对对方当事人的歉疚。在此种情形下，事实上当事人所寻求的是能安慰、疏通其心灵郁结的判决，而不仅仅是冷冰冰的、斩钉截铁的你胜我败。这恐怕也是直到近些年来"判前评断"或"判后评语"[140] 一类的经验尝试之所以还能发挥一定作用的原因吧。

当然，如上的"真"只是我们换个角度之后对中国古人关于法律生活中真知问题的理解。但即使西方意义上的真——寻求证据事实之真和法律作为一种规范事实之真，以及把案件事实准确地、有理有据地、以法律为唯一准绳地运用到法律规范中去之真，在中国古代社会中，人们绝非完全拒绝之，只是和其对"仁道精神"之追求相比较，它更多地关注的是对"仁道精神"及其追求的满足，是对法律作为道德实现之辅佐的关注。第二种意义上的"真"只是法律为了实现其"仁道"使命所采取的必要的、不可或缺的方式和手段而已。

正因为如此，在中国古代也发展出来了一些在法律生活中用以求"真"的技术、知识、理论甚至非正式的"职业"。其中在技术层面，既有判案的技术，也有法律运用、理解和解释的技术，还有审判的技术等等；在知识方面，"律学"自身作为一种知识，在古代中国，乃是和经学、子学、史学、文学、医学、农学、兵学等并驾齐驱的几种学问。在理论方面，我们知道，宋代宋慈的《洗冤集录》是公认的世界上最早的法医学著作。其他一些律学作品，也有不仅仅是帮助人们理解当下法律者，而且有对法律作出系统阐

---

[140] 参见牛庆华：《论判前评断》，载谢晖等主编：《民间法》（第二卷），山东人民出版社2003年版。

释者。而在非正式的"职业"方面，在上一章所言及的"刑名幕友"制度中，那些幕僚们、讼师们即使构不成现代社会所讲的法律职业，但至少他们已然是以法律为主业者。并且它们不论在法律策略上，还是文字表达上，皆有上乘表现。且看如下一则所谓"恶禀"：

> "李氏媳妇因与族人争产，求教于杨讼师。杨讼师命媳妇自己打破家中什物器皿，然后伪作一禀控族人。其控词云：
>
> 为欺孤灭寡，毁家逼醮事。
>
> 未亡人夫死骸骨未寒，而恶族群起觊觎。某某等本无赖之尤，野心狼子，糜恶不为。近见民夫下世，垂涎已非一日。霸产逼醮，牵众毁家。无法无天，欺人欺鬼。全由某某为首行谋，纠同族众，势逾虎狼。成群结党，黍夜入氏家中，将亡夫灵位撤去，逼氏别抱琵琶。田产悉被分占，仓庚尽为所夺。家资尽罄，呼吁无门。什物搬移一空，情形有如盗劫。氏立志不渝，生命无殊朝露。呼天不应，叩地无声。唯赖民长官立提族恶，痛加申斥。生者当感救命完节之恩，死者应为结草衔还之报。迫切上告，速解倒悬。"[141]

尽管编辑者是为了说明讼师们不守规矩、造假作案、甚至颠倒黑白的作为，因此，以"恶"来命名之，但我们还是不难在这种具有一定"职业"特征的人们的所作所为中发现，他们是在富有煽情意味的精美的文字背后，构筑一种"真"的事实，以便寻求一种导向其所构筑的"真"的方法。

---

[141] 此乃清朝讼师杨瑟严所做讼词。载虞山襟霞阁主编：《刀笔菁华》，中国工商出版社2001年版。该书所记载者，大量为当时的法律"职业"者的刀笔文字，值得详览。

但即使如此，在古典中国人的法律追求中，"仁道"永远是第一位的追求；"真知"只是第二位的追求。前者永远是目的，后者则只是手段。因此，当两者出现冲突时，法律及其解释就只能按照这种位序来处理问题。这正如在"仁义礼智信""五常"中，智只能排在后面一样。所以，孔子云："君子讷于言而敏于行"；"刚毅木讷近仁"。

四、趋善抑真的法律解释追求

由以上论述可知，在善与真两者可在人们的法律生活中得以两全的情形下，"仁道精神"也罢，"求真意识"也罢，在人们的法律生活中当然可以得兼。但是，人们的法律生活往往不可能是真善两者可以得兼的。事实往往还与此相反，善与真的冲突是法律生活的世界经常所遇到的难题。诸多的疑难案件每每就因此而产生。这不论在古代，还是今天，也不论在海外，还是中国，皆为如此。问题的区别只在于当遇到此类冲突时，我们究竟要选择趋善抑真的策略呢？还是选择抑真向善的策略？这大概也是中西方在法律解释中所采取的不同的策略。我将在下文中针对中国古代的法律解释对此做进一步阐释。

可以说，在中国古代的法律解释中，一旦遇到"真"与"善"的冲突，最常见的解决策略是趋善抑真。这里的善，主要是根据"天理人情"，而真，则主要是指法律规定。所谓趋善抑真就是以趋"天理人情"之善来修正、抑制国家法律之真。这种情形，其实自董仲舒借《春秋》之微言大义而倡导决疑解纷的历史事实中业已开始。至于在理论上，则在此之前早有准备：

> "在先秦时期，儒法两家在政治上争长短，优劣成败尚未判明，儒家高唱礼制，法家高唱法治，针锋相对各不相让，为学理竞争的时期。等到法家得势，法律经他们制订后，儒家便

转而企图将法律儒家化，为实际争取的时期。所谓法律儒家化表面上为明刑弼教，骨子里则为以礼入法，怎样将礼的精神和内容窜入法家所拟定的法律里的问题。换一句话来说，也就是怎样使同一性的法律成为有差别性的法律的问题。《王制》所谓'凡听五刑之讼，必原父子之情，立君臣之义以权之'。即此种精神之说明。"[142]

以上论述深刻地揭示了代表"情理"之善的儒家学说对于代表"法律"之真的法家学说的强力修正，在实践中则是以"礼"对"法"的强力修正。甚至以善代真，以礼去法。且看董仲舒根据《春秋》所设计的两例判决吧：

"时有疑狱曰：'甲无子，拾道旁弃儿养以为子，即乙长，有罪杀人，以状语甲，甲藏匿乙，甲当何论?'仲舒断曰：'甲物资，振活养乙，虽非所生，谁与易之，《诗》云：螟蛉有子，蜾蠃负之'。《春秋》之义，父为子隐。甲宜匿乙，诏不当坐。"

"甲父乙与丙争言相斗，丙以佩刀刺乙，甲即出杖击丙，误伤乙，甲当何论? 或曰，欧父也，当枭首，论曰：'臣愚以父子至亲也，闻其斗莫不有怵怅之心，扶杖而救之，非所以垢父也。《春秋》之义，许止父病，进药于其父而卒，君子原心，赦而不诛。甲非律所谓殴父，不当坐。'"[143]

这是通过判例的方式对法律所作的解释，类似于（因董氏一

---

[142] 瞿同祖：《中国法律之儒家化》，载氏著：《中国法律与中国社会》，中华书局1981年版，第329页。

[143] 参见程树德著：《九朝律考》，商务印书馆1934年版，第164页。

生并未实际办过案）前述"司法性法律解释"的范畴。此后，在中国古代的司法活动中，经常可见判官们运用儒家经义来判断法律是非。乃至有人认为，古代中华法系在立法上是法家主导的，在司法上是儒家主导的……[144] 这种情形，自汉代以来即盛行，诚如沈家本言：

> "汉人多以《春秋》治狱，如胶西王议淮南王安罪、吕步舒治淮南狱、终军诘徐偃矫制颛行，隽不疑缚成方遂、御史中丞众登及廷尉共议薛况罪、龚胜等议傅晏等罪，并引《春秋》之义，乃其时风尚如此，仲舒特其著焉者耳。"[145]

在唐代，则出现过著名的陈子昂和柳宗元之间的一场争论，即《复仇议》和《驳复仇议》的争论。[146] 在本质上，这是一场究竟按照"仁道"的善来解决法律争议呢？还是按照法律的真来解决法律争议的学术争论。其实也就是以善抑真还是以真抑善的争论。

梁治平在评论上述《春秋》决狱的事实时曾指出：

> "……董仲舒的引经断狱往往不是因为当时缺少可资援用的法律规范，而是另有缘故。这缘故或者是法律执行道德的不利，或者是人们在适用法律过程中未能把握住儒家的纯正精神，却很难归结为当时的法律是非儒学的乃是反儒学的。"[147]

---

[144] 参见郝铁川著：《中华法系研究》，复旦大学出版社 1997 年版，第 25 页以下。

[145] 沈家本著：《历代刑法考》（二），中华书局 1985 年版，第 881 页。

[146] 参见（唐）柳宗元：《驳"复仇议"》，载高潮等主编：《中国历代法学文选》，法律出版社 1983 年版。

[147] 梁治平著：《寻求自然秩序中的和谐》，中国政法大学出版社 2002 年版，第 269 页。

可见，在古代的中国即使法律再追求真、追求法律自身作为真的标准，但当把善的理念代入到真的过程中时，法律的真自身往往被阉割了。此种情形，流传至今，仍然是我们当今司法中实际存在的事实。曾引起法学界哗然的四川"夹江打假案"、河南"张金柱案"以及"第三者遗产继承案"的判决，都表明了这一传统在当代的存留。至于人们在判决书中不时可以看到的因"民愤极大"而从重处罚——诸如"不杀不足以平民愤"，或者因"为民除害"而减轻处罚，而将法律规定轻易变通的情形，更属常见。

再来看官方的法律解释是如何贯彻以善抑真的宗旨的。《唐律疏议》在一开头就这样指出：

> "议曰：夫三才肇位，万象斯分。禀气含灵，人为称首。莫不凭黎元而树司宰，因政教而施刑法。其有情恣庸愚，识沈愆戾，大则乱其区宇，小则睽其品式，不立制度，则未之前闻……易曰：'天垂象，圣人则之。'观雷电而制威刑，睹秋霜而有肃杀，惩其未犯而防其未然，平其徽墨而存乎博爱，盖圣王不获已而用之。……德礼为政教之本，刑罚为政教之用，犹昏晓阳秋相须而成者也。"[148]

在此种思想指导下，《唐律疏议》对法律的解释，每每按照儒家伦理的要求而展开。对此，我将不再展开。唯一需进一步说明的是：此种对道德问题的深切关注，即使在秦代的立法中，也决不罕见。而并不像后之浅薄者所想像的那样，秦朝的法律只是专任刑杀，毫不可取。不然，怎么可能会出现"汉承秦制"的事实？还是以如下文献证明吧：

---

〔148〕 （唐）长孙无忌等撰：《唐律疏议》，中华书局 1983 年版，第 1—3 页。

"治狱，能以书从迹其言，毋治（笞）谅（掠）而得人请（情）为上，治（笞）谅（掠）为下；有恐为败"；

"凡为吏之道，必精洁正直，谨慎坚固，审析毋（无）私，微密纤察，安静毋苛，审当赏罚。……"；

"吏有五善：一曰中（忠）信敬上，二曰精（清）廉毋谤，三曰举事审当，四曰喜为善行，五曰龚（恭）敬多让。……"[149]

类似的在法律、法律解释或者关于法律问题的论述中对于道德的追求，在《睡虎地秦墓竹简》中可以说俯拾皆是。自秦代之后中国法律的发展，尽管有多次体例、风格、乃至内容上的变化，但法律对道德价值——德礼之本的追求却在秦律基础之上未曾有一刻逊色，反而是节节推进，终至于法律儒家化的实现！

陈述立法（法律）中的道德追求，可以进一步说明何以在中国古代法律解释中如此关注道德问题。关注把法律规定通过解释机制带入到道德之善的追求中。因为任何法律解释，总要从法律文本出发而展开。脱开法律文本而对法律的评论、解释在本质上是解释法律，而非法律解释。离开法律文本就不存在法律解释，甚至也无法存在法律解释。

既然法律解释总是围绕着法律文本而展开的，那么，法律中体现出何种精神，则在法律解释中也相应会体现出此种精神。所以，以实现道德使命为追求的中国古代法律及其解释，自然也就含有对道德善的追求。但这只是从一般意义上讲的。如前所述，重要的是即使那种规定以道德追求为宗旨的法律，只要它以明文的方式规定下来，就是一种既成的"制度事实"，就具有尽管出自主观需要但

---

[149]　睡虎地秦墓竹简整理小组：《睡虎地秦墓竹简》，文物出版社 1978 年版，第 245、281、283 页。

又独立于主观需要的属性，就有其固有的实在的"真"在其中。

既然如此，就有可能因为此种真而伤及善。或以为，既然法律以记载、表达善为其使命，又何来真与善的冲突？其实，法律中所要求和记载的善，只是一种道德追求，或者只是其中的一种善。它没有、也不可能将所有的善纳入其中。我们知道，善同大部分事物一样，其实是可以分为多个层次和多个方面的，法律只能一般性地规定善，而不可能将实践中的任何善的追求都规定其中。但是实践中的善，以司法实践为例，却往往是在一个案子中就有一个相关的善。它有可能与法律规定的原则宗旨或具体规定相吻合，但也往往会出现两者间的相左和冲突。因此，**真与善的冲突又可以被解释为法定的善与事实的善之冲突**。中国古代法律解释中的趋善抑真恰恰就是对实践之善的趋向和对法定之善（真）的抑制。正是这样一种法律解释的价值追求，才使得法律即使自身不能很好地实现德礼教化的功能，也能通过一定的法律解释而通达该种教化的境地。这种情形，可否称之为罗尔斯意义上的"校正正义"？即法律解释在古代中国往往是在校正着法律的规定。

这种对道德之善的特别强调，也同样体现在私家注律活动中。如果说官方注律反映如上精神，强调趋善抑真乃是出自对法律自身所具有的此种追求的自觉因应的话，那么，私家注律也具有如上取向。这就既需要深入到解释者的价值倾向中去，也需要深入到我们整个民族的法律文化及其对法律的心灵结构中去。即在我们这里，凡是注律者，上述趋向是不可避免的。下面试引述雷梦麟关于"亲属相为容忍"条的解释为例说明：

> "同居不限籍之同异，服之有无，以其恩义之笃……盖在家以恩掩义，在官以义断恩，此又律之权也。"[150]

---

〔150〕 （明）雷梦麟撰：《读律琐言》，法律出版社 2000 年版，第 51 页。

在这里，解释者以法律为根据，已经在"以恩掩义"或者"以义断恩"这样两种对立的道德价值追求之间进行了权衡。尽管在解释者的解释文字中，我们似乎感觉到他对法律的尊重，但此种尊重仍然被置于道德之善的旗帜下。义也罢，恩也罢，均为道德的、善的范畴。因此，注者何以未用"以恩掩法"或者"以法断恩"这样的字眼，而是用前述明显具有道德意涵的字样来表述之？这恰恰说明**在我们民族之祖先的心灵结构中以及我们的法律文化传统中，法律只有被带到道德的言谈情境中时才真正具有"效力"。**

再以沈之奇和王明德的有关法律解释为例说明：

> "周官曰：断五刑之讼，必原父子之亲、君臣之义。又曰：凡制五刑，必及天伦。词条所载，皆无君无亲，反伦乱德，天地所不容，神人所共愤者。……"（"十恶"条注）
>
> "犯罪虽在未老疾之前，而受刑已在老疾之日，即以老疾科断，不计其犯事之时也。若犯罪在幼小之时，事发于长大之后，似可受刑，而仍照幼小科断，盖老疾则悯其现在，幼小则矜其以往，仁之至也。"[151]（"犯罪时未老疾"条注）

王明德在其《读律佩觽》之序言中写道：

> "子思子曰：'仲尼祖述尧舜，宪章文武，上律天时，则刑之以律著也'。其殆有取乎法天之意云耶。或曰，于何言之？曰：古昔圣王，垂世立教，托迹简便，寄情锥竹，固不可以亿万计，然详考其以律著，历、乐之外，惟刑而已。历以像天，征乎地；地者，气之钟也。乐以导和，征乎言；言者，心

---

[151]　（清）沈之奇撰：《大清律辑注》，法律出版社2000年版，第8、65页。

之声也。刑以平情，征乎心；心者，人之主，世之极，天之道
也。故正历以目，正乐以耳，而正刑则必以心。"

　　"名例之义何居乎？繇以古之圣帝明王欲以正人心而一天
下，则不得不特著大法以空悬，预示人以莫可犯，故帝舜命皋
陶曰：汝作士明于五刑，以弼五教。……"[152]

以上数例法律解释，都以道德之善为法律解释的最终目标，强
调法律及法律解释的道义使命。尽管在这里，我们发现不了法律之
真与道义之善的冲突问题，但至少在其中可发现法律执行道德要求
的使命。从而也说明了法律对道德的依从和以此为前提的趋善
抑真。

当然，中国古代也有对法律之真特别认真、挑剔和关注的人
们。对此，杨兆龙在谈到中国古人对法律的态度——对法律的信仰
态度时曾以明朝的方孝孺、清朝的吴可让等几位历史名人为例这样
写道：

　　"这种守法的精神，就是在西洋号称法治的先进国家，也
不可多得。而在我国史册数见不鲜。这可以证明我国历代不但
受着现代'法'的意识的强烈支配，并且充满了现代文明国
家所重视而罕见的'法律至上'的法治精神；在现代有些国
家，'法治'往往只是一种口号，而在我国古代却有时为一般
人实际思想行动的一部分。"[153]

---

[152]　（清）王明德撰：《读律佩觿》，法律出版社 2000 年版，第 4—5、19 页。
[153]　杨兆龙著：《杨兆龙法学文选》，中国政法大学出版社 2000 年版，第 49 页。作者
　　　所表明的主张笔者并不能完全接受，但他所举的例证却是值得习法者特别关注
　　　的。

　　尽管这段话中的逻辑矛盾明显可见，但其通过个例也表明了一个基本的事实：在古典的中国，确实存在着执法如山、守法如命的一些志士仁人，在信史的记载中，我们就可以发现诸如张释之、狄仁杰、包拯、海瑞、薛允升以及沈家本等一系列值得后世习法者特别关注的人物。不过，即使他们对法律的所作所为，仍然是为了寻求通过或借助法律而实现对礼教——这种善的维护。

第四章　中国古典法律解释的形上智慧
——说明立法的合法性

法律解释所针对的文本是法律。如前所述，中国古典的法律主要是刑法。或者即使调整类似于如今民事活动、行政活动的法律也往往通过或借助刑法的方式来表达。因此，法律解释的基本任务也就是如何说明以刑法典方式表达的法律的合法性问题。合法性这个词，在法学界往往被做狭义的理解，即以法律规定为至上的准则来衡量人们的行为是否符合法律的要求。因此，合法性在一般法学学人心目中，所讲的就是合乎法律规定性。尽管法哲学——特别是价值法哲学和社会学法哲学并不仅仅在这层意义上言合法性。而哲学、政治学和社会学意义上的合法性，与我们平时所谓合理性大体相若。所谓合法性，在这里所讲的就是法律存在的合理性问题。这些问题在中国古代政治哲学、法哲学和法律解释中，始终是重要的问题。基于此，我觉得，可以从如下四个方面来探析中国古典法律解释中的合法性问题。

一、"究天人之际"——中国古典法律解释的"天人关系"

司马迁在其《报任安书》中以自己撰写《史记》为例，表达了一段令中国知识分子奉为楷模的话，因它典型地表现了一位古典中国知识分子的深刻内心关切和行为追求：

"……欲以究天地之际，通古今之变，成一家之言。"[154]

　　他的此种高远追求，事实上成为日后中国有作为的知识分子共同的使命和追求。即使知识者们在从事以追求实用为使命的法律学术和法律解释中，往往高扬这种学术理想。这在中国古代有关法律的论述中我们似乎经常可见。例如，在前文中提到的《唐律疏议》开篇那段话（"……夫三才肇位……"），就表明了法律解释者们对法律在"天人之际"上的总体的看法。这里再引述《汉书·刑法志》的相关论述，以作为对此问题更深入了解之根据：

　　"夫人宵天地之貌，怀五常之性，聪明精粹，有生之最灵者也。爪牙不足以供嗜欲，趋走不足以避利害，无毛羽以御寒暑，必将役物以为养，任智而不恃力，此其所以为贵也。故不仁爱则不能群，不能群则不胜物，不胜物则养不足。群而不足，争心将作，上圣卓然先行敬让博爱之德者，众心说而从之。从之成群，是为君矣；归而往之，是为王矣。洪范曰：'天子作民父母，为天下王。'圣人取类以正名，而谓君为父母，明仁爱德让，王道之本也。爱待敬而不败，德须威而久立，故制礼以崇敬，作刑以明威也。圣人既躬明哲之性，必通天地之心，制礼作教，立法设刑，动缘民情，而则天象地。故曰先王立礼，'则天之明，因地之性'也。刑罚威狱，以类天之震曜杀戮也；温慈惠和，以效天之生殖长育也。书云：'天秩有礼'，'天讨有罪'。故圣人因天秩而制五礼，因天讨而作五刑……"[155]

---

〔154〕（汉）司马迁：《报任安书》，载《古文观止》（上册），中华书局1959年版，第226页。

〔155〕（汉）班固著：《汉书·刑法志》。

尽管《汉书》是一部史书，其《刑法志》也只是对以往刑法史的记载，但作者又不仅仅局限于对法律规范及相关法律史的记载，而是采取夹叙夹议的方式来表达作者对法律的解释立场。如上所引内容，就是作者站在高度的形上立场上对法律的关切。他博引群籍，更进一步证明早在班固之前，中国人固有的法律解释立场。从中可见：

首先，在中国古人看来，法律不仅仅是统治者任意制定的刑杀工具和统治方式。虽然在中国古代历史上，可不断见到诸如"言出法随"之类的"立法"事实，也可不断见到那些为了迎合这种事实而抛出的所谓"理论"（如"前主所是著为律，后主所是疏为令"之类），但古典社会中负责任的学者也罢、大臣也罢、帝王也罢，对立法以及法律解释都给予了特别的重视。此种重视绝不是借法律以施杀戮，相反，他们对刑罚之运用普遍保持着一种相当谨慎的态度。制定法律时要"通天地之心"，运用、执行法律时也要因天地四时之变化而行事。其中最典型者莫过于人们所熟知的"秋审"、"秋决"制度了。对此，早在《左传》、《礼记》等先秦文献典籍中已表明了其所具体地遵循的逻辑理念与实践形式：

> "古之治民者，劝赏而畏刑，恤民不倦。赏以春夏，刑以秋冬。"[156]
>
> "孟春之月，……命有司省囹圄、去桎梏，无肆掠，止狱讼。……孟秋之月，……命有司，修法制，缮囹圄，具桎梏，禁止奸，慎罪邪，务抟执，命理粘伤、察创、视折，审断决，狱讼必端平，戮有罪，严断刑，天地始肃，不可以赢。……仲秋之月……乃命有司，申言百刑，斩杀必当，毋或枉桡。枉桡

---

[156] 《左传·襄公二十六年》。

> 不当，反受其殃。季秋之月 …… 乃趣狱刑，毋留有罪。
> ……"[157]

　　显然，这种对法律运用之时令的解释，十足证成了古人关于"天人感应"、"天人合一"的究天人之际的抱负和追求。我们知道，早在先秦时期，对天人之际的探寻就是先哲们所热衷的重大问题。阴阳五行家们的作为，大抵集中于对天地人生的探讨上。甚至在古代，作为一种职业的"巫"本身就是智识者的标志，国王就是最大的"巫"。所谓"巫"，就是通天达地的先知者和人们行为的预言者与指导者。[158] 到了董仲舒，则恰到好处地将"天人感应"的神学先验学说和"敬鬼神而远之"、"不语怪力乱神"的世俗经验学说巧妙地结合起来，以前者为标准装饰政治统治的合法性基础；以后者为基础表明政治统治的实用意图：

> "王道之三纲，可求于天。"[159]
> "受命之君，天意之所予也。故号为天子者，宜视天如父，事天以孝道也。号为诸侯者，宜谨视所候，奉之天子也。号为大夫者，宜厚其忠信，敦其礼义，使善大于匹夫之义，足以化也。士者，事也。民者，瞑也。士不及化，可使守事从上

---

[157] 《礼记·月令》。

[158] 这种情形，甚至不仅在古代中国如此，而且是一种世界性的现象，所以，直到今天，我们还不时可以看到在世界性重大赛事中（如日韩世界杯足球赛上），一些部落国家专门派遣懂得巫术的人们手之舞之、足之蹈之，占天卜地、念念有词，为自己的球队预测、打气的种种情形。甚至在那些文明国家，人们出于某种信仰，仍然把在重大政治、经济和文化活动中，是否尊重能"通天达地"的一些宗教首领看成为一种象征。例如俄罗斯独立以来东正教首领在重大政治场合的频频露面便是典型；再如，在一些伊斯兰教国家，宗教领袖和政治领袖之间，往往前者在国民、乃至国家体制中具有更高的实际地位。

[159] （汉）董仲舒著：《春秋繁露·基义》。

而已。五号自赞，各有分。分中委曲，（各）有名。……是故
事各顺于名，名各顺于天。天人之际，合而为一。同而通理，
动而相益，顺而相受，谓之德道。《诗》曰：'维号斯言，有
伦有迹'。此之谓也。……

　　……性有善端，动之爱父母，善于禽兽，则谓之善。此孟
子之山。循三纲五纪，通八端之理，忠信而博爱，敦厚而好
礼，乃可谓善，此圣人之善也。……"[160]

　　自兹而后，中国历史就以超验而尚天的神学、世俗而尚德的儒
学再杂之道家、法家的一些学说统治了数千年。而所谓"王"，也
就是通天、达地又能率民而群的圣人、贤人。由"王"所定的法
律也就当然地在此种学说影响下勾连起"奉天承运"的宗旨和
"天人感应"的使命。

　　**其次，中国古人在解释法律中对天人之际的关注，其宗旨是要
寻求法律之"道"。**但其实际却指向法律之"用"。诚如前述，在
中国古人的观念中，法律只是实现某种"道统"的工具，而不是
"道统"本身。从根本上讲，"道统"只是一种理念，它是人们在
观念层面的追求。不论道家的"道"、墨家的"天"还是儒家的
"仁"，在一定意义上都属于理念上的"道统"范畴。如何使这种
道统理念变成制度实践，使"愿望的道德"变成"义务的道
德"[161]（或者从"观念的、内在的道德"变成"制度的、外在的
道德"）？事实上，荀况对此做了值得令人尊敬的论述：

　　"治之经，礼与刑，君子以修百姓宁。明德慎罚，国家既

---

[160] （汉）董仲舒著：《春秋繁露·深察名号》。

[161] 这是当代价值法学者富勒对道德的划分。参见张文显著：《二十世纪西方法哲学
　　　思潮研究》，法律出版社1996年版，第62页以下。

治四海平。……

君法明，论有常，表仪既设民知方。进退有律，莫得贵贱孰私王？

君法仪，禁不为，莫不说教名不移。修之者荣，离之者辱孰它师？

刑称陈，守其银，下不得用轻私门。罪祸忧虑，莫得轻重威不分。

听之经，名其请，参伍明谨施赏刑。显者必得，隐者复显民反诚。

言有节，稽其实，信诞以分赏罚必，下不欺上，皆以情言明若日。

上通利，隐远至，观法不法见不视。耳目既显，吏敬法令莫敢恣。

君教出，行有律，吏谨将之无铍滑。下不私请，各以（所）宜舍巧拙。

臣谨修，君制变，公察善思论不乱。以治天下，后世法之成律贯。"[162]

　　荀况以近乎韵文体所写成的如上治世格言，明显地将作为理念的儒家"道统"理想逐渐下移，而渐变成为通过规则——"礼"与"法"——治理的明晰的、可操作的制度实践设计，从而使中国文化从一味强调"道统"走向了某种意义上的"法统"。为什么荀况的学生——韩非和李斯们坚决地捍卫"法统"？恐怕和那个社会关系封闭、保守的奴隶制即将解体、而相对开放、创新的封建制即将兴起不无关系。因为在这里，社会关系已经开始由"简单"走向了"复杂"，人们的交往方式已经不足以采取"议事以制"的

---

[162] 《荀子·成相》。

方式来解决，更难以通过"教化"的方式而包医百病。恰恰相反，该种方式在主体智能逐渐提高的情形下，可能一病不治！

但是，社会交往的秩序却是必须的，这就需要寻求把这些复杂多样的关系纳入到大家都能接受的规范中去的方法。这种方法就是通过规范——相对统一的、公开的、具有公共理性的法律所达成的制度。为什么董仲舒建议汉武帝搞了一场"罢黜百家、独尊儒术"的"运动"，但归根结底汉代并没有恢复到大而无当的说教上去，而是"汉承秦制"，制定了更加切实可行的法律制度，哪怕是对儒家"道统"精神的贯彻，也采取了规范化、法律化的原则？唯一能够更好地回答该问题的方式，就是公开透明的法律要胜于"以德化民"的"道统"。原因很简单，法律是为"中民"制定的，而"道统"及其道德知识是为"圣人"所设的。放眼世界，"中民"在在多有，而圣人呢？孟子云："五百年必有王者出"！五百年啊，可"中民"们的日子得一天天地过！可见，言"道统"而求其"用"，实乃民生之必然，交往之必需。

以上笔者通过古代学者们的法律理论来陈述他们是如何寻求在法律规则和法律统治中"天人之际"的，那么，古人的法律解释又如何对待这一问题？试举数例说明：

"刑律之名何昉乎？舜典曰：'同律度量衡'；孟氏曰：'师旷之聪，不以六律，不能正五音。'是律之为具，乃开物成务，法天乘气所必由，万古圣王不易之轨度也。……然深原夫刑之所自，实本道德仁义以基生，初非全乎天地自然之气。虽然谓非自然之数哉，圄乎自然之数，则天地不能违。夫至天地不能违，谓非自然之气耶？否耶？语云：'炮生机，机生弓，弓生蛋，蛋生于孝子。夫孝子之为蛋，抑岂意其流弊？'若彼而极之，乃以厉夫人，必非孝子之心也。惟深思而善用之则几矣。

余于刑律，亦以为然。……"[163]

"议曰：古先哲王，则天垂法，辅政助化，禁暴防奸，本欲生之，义期止杀。绞、斩之坐，刑之极也。死者魂气归于天，形魄归于地，与万化冥然……"

"议曰：按公羊传云：'君亲无将，将而必诛。'谓将有逆心，而害于君父者，则必诛之。左传云：'天反时为灾，人反德为乱。'然王者居宸极之至尊，奉上天之宝命，同二仪之覆载，作兆庶之父母。为子为臣，惟忠惟孝。乃敢包藏凶匿，将起逆心，规反天常，悖逆人理，故曰'谋反'。"

"议曰：有人获罪于天，不知纪极，潜思释憾，将图不逞，遂起恶心，谋毁宗庙、山陵及宫阙。宗者，尊也。庙者，貌也。刻木为主，敬象尊容，置之宫室，以时祭享，故曰'宗庙'。山陵者，古先帝王因山而葬，黄帝葬桥山即其事也。或云：帝王之葬，如山如陵，故曰'山陵'。宫者，天有紫微宫，人君则之，所居之处故曰'宫'。其阙者，尔雅释宫云：'观谓之阙。'郭璞云：'宫门双阙也。'周礼秋官'正月之吉日，悬刑象之法于象魏，使人观之'，故谓之'观'。"[164]

如上引文，作为法律解释或者其宗旨，每每被贯彻在古典法律解释的各种文献中。其原因就在于：法律的统治总是要以某种合法性标准为其装饰。这种情形，即使在现代的法律中依然存在。寻求法律的合法性甚至成为自然——价值法学、社会——实证法学和规范分析法学所共同追求的目标，尽管其视角各不相同。中国古人在法律和法律解释中对法律合法性的阐述，虽然可以分为多个方面，

[163]（清）王明德撰：《读律佩觿·本序》，法律出版社 2001 年版，第 1—2 页。文中标点笔者作了改动。

[164]（唐）长孙无忌等撰：《唐律疏议》，中华书局 1983 年版，第 5、6、7 页。

但最常见的、最高的合法性追求却常常被置于对"天人"（"天地"）之关系的追问中。皇权及其法律统治的重要任务就是要在对"天人之际"的追问中获得正当性。所以，在北京，古代皇帝别出心裁地造出了"天坛"、"地坛"……以祭天、祭地。在京外泰山，因其通天拔地的雄伟气象，而赢得了历代帝王的特别关注。宋真宗以前的历代帝王，其重要任务之一就是到岱庙、到泰山登山祭祀，以求取得其政治统治的合法性……

由此可见，**在法律解释中动辄寻求"天人之际"的关系性状，实在是中国古代统治者包装其统治的需要。不过一旦以此为包装，则其就不仅仅具有包装作用，而且对于获得人们对一个政权的支持，甚至对于权力、特别是皇权以此种合法行为标准进行必要的约束，也会起到一定积极作用——所谓"天理"，不仅仅平民要守之，王侯将相亦复如之。也正是在这里，曾不断产生了古代中国一系列对现实政权进行抨击和反思的伟大思想成果，甚至还以此种理由为基础，不断发生了一系列农民起义——"替天行道"往往是他们造反的理由和招牌。**

二、"通古今之变"——中国古典法律解释中的"群己关系"

如果把"究天人之际"的追求作为中国古人在法律解释中形上追求的第一个方面的话，那么，"通古今之变"则是中国古人从事法律解释的第二个方面的形上因素。两相比较，前者所关注的其实是空间问题，是在空间上事物之间的相互联系。**所谓"天地间"之关联，在法律解释的意义上就是泛指法律与人类所生存于其中的环境、对象之间的关联。而后者所关注的则是时间问题。即在事物发展的过程中时间先后之间的关联。所谓"古今间"的关联，在法律解释的视角上其实就是指人类交往规则在古今发展的历史长河中所存在的内在逻辑关系。在古人的法律解释活动中，每每对法律的"古今之变"予以特别的关注：**

"……古者大刑用甲兵，其次用斧钺；中刑用刀锯，其次用钻笮；薄刑用鞭扑。其所由来，亦已尚矣！昔白龙、白云，则伏羲、轩辕之代；西火、西水，则炎帝、共工之年，鹟鸠笯宾于少暤，金政策名于颛顼。咸有天秩，典司刑宪。大道之化，击坏无违，逮乎唐虞，化行事简，议刑以定其罪，画像以愧其心，所有条贯，良多简略，年代浸远，不可得而祥焉。尧舜时，理官则谓之为'士'，而皋陶为之；其法略存，而往往概见，则风俗通所云：'皋陶谟：虞造律是也。'……尚书大传曰：'夏刑三千条。'周礼'司刑掌五刑'，其属两千五百。穆王度时制法，五刑之属三千。周衰刑重，战国异制，魏文侯师于里悝，集诸国刑典，造法经六篇……商鞅传授，改法为律。汉相萧何，更加悝所造户、兴、厩三篇，谓九章之律。魏因汉律为一十八篇，改汉具律为刑名第一。晋命贾充等，增损汉、魏律为二十篇，于魏刑名律中分为法例律。宋齐梁及后魏，因而不改。爰至北齐，并刑名、法例为名例。后周复为刑名。隋因北齐，更为名例。唐因于隋，相承不改。……"[165]

以上内容见诸古典时代最著名的法律解释著作——《唐律疏议》中。该书在解释部分中，一开篇作者就用较长的篇幅叙述了唐以前中国古代法律的沿革，从而对法律的"古今之变"作一个梗概的交待。如果说这里的引述不足以表明古人对法律之古今之变的追索的话，那么，只要我们打开沈家本那部百余万字的《历代刑法考》，其寻微索隐，对古代中国法律发展上穷"碧落"、下尽"黄泉"的功夫，不能不令人叹为观止。当然还有他的"老师"薛允升，一部《唐明律合编》，将中国古代法典由极盛期转向衰落期

---

〔165〕 （唐）长孙无忌等撰：《唐律疏议》，中华书局1983年版，第1、2页。

的变迁过程，给了一个令人信服的、实证化的、合乎"逻辑"的交代。

令人深思的是：为什么中国古人一定要如此不遗余力地在法律解释中追寻法律的"古今之变"？仅仅是为了一种"发思古之幽情"的情感表达吗？或者仅仅是为了对历史过程的记载，以使人们了解古人的所作所为吗？我想，即使一个非法学出身者，恐怕也不会这么想。

我们知道，唐太宗曾深有感触地谈到："以铜为镜，可以正衣冠；以史为镜，可以知兴替；以人为镜，可以识荣辱"。因之，对法律之"古今之变"的追寻，其实质是一方面法律解释者为了说明当下法律的合法性，另一方面仍然是欲将法律引向某种实践和实用的道路。时人通常倾向于以为，中国古典知识分子往往只尚空谈，不事实际。我则要说在总体上，这种理解是厚诬我中华先人。固然，我们可以从古典知识分子中找到几位只尚空谈的人，但总的来讲，我国古代知识分子的建功立业欲望从来相当强烈。从先秦知识分子们奔走列国、竞相自荐、合纵连横，一直到后来知识分子们通过在古代社会中不失为良好的制度——"科举制度"引导下的发奋有为，"天行健，君子以自强不息"；"地势坤，君子以厚德载物"，[166] 就一直是他们的一种道德自觉；"达则兼济天下，穷则独善其身"也是他们一种最低限度的生活态度和处世方式。因此，知识分子们对任何"古今之变"的寻查考证，决不是所谓繁琐考证，而是为了某种实用的意图。

特别值得提及的是，尽管中国古代总体上是个"德主刑辅"的国家，但是，一个复杂大国的治理，仅仅靠德性教化，往往无济于事，更何况教化与被教化者的角色如何定位？能否定位？秦始皇

---

[166] 《易传·象上》。参见刘大钧、林忠军著：《周易古经白话解·附录一》，山东友谊出版社 1989 年版，第 138 页。

强调以法为教，以吏为师，而后世的帝王们又封"至圣先师"、立当下导师。他们之所以强调德化教育，所根据的基本逻辑理念是"上智下愚"。但其后科举制的实践，事实上否定了这种上智下愚的说教，于是，谁教育谁便终究成为一个重大的问题。这样，法律（刑法）即使在古代社会里，也是一个绝对不可或缺的统治手段，故《唐律疏议》云：

> "刑罚不可驰于国，笞捶不得废于家。"[167]

如果说儒家知识分子本来就有一种强烈的入世精神的话，那么，那些能够参与法律解释（对官方法律解释而言）或者积极从事法律解释（对于民间法律解释而言）的知识分子们，就有更强烈的匡扶天下、济善救贫、革弊锄奸的神圣使命感。因此，其在法律解释中对于法律之"古今之变"的钩沉稽考，完全是为着一种实用的要求。何以如此？**因为法律自从来到世间，就是用以治世——构织人类交往秩序的。因此，习法者每每比任何其他学问中人更热衷于参与现实生活、特别是现实政治。**这在当下世界民主制国家的总统、总理、议员等常常出自法科学生的事实中可以得到佐证。尽管在古代中国的政治、社会生活中法律没有、也不可能占据像今天民主国家中那样崇高的地位，但古今法律用来治国、安天下的基本使命却大体无异。因此，法律解释者们对法律的寻根究底，乃是出自期望佐以治世的法律解释者们的实用追求，尽管在表面上，这种追求往往具有形上属性。

当然，在法律解释中对法律之"古今之变"的追寻，还在于通过其说明法律以及法律解释自身的合法性问题。合法性问题固然

---

〔167〕　（唐）长孙无忌等撰：《唐律疏议》，中华书局1983年版，第1页。

可以在人们"念天地之悠悠"的苦思冥想中得到答案。[168] 不过，人们在现实生活中所关注的却更多地是生活日用。尽管"百姓日用而不知"往往是一种事实，但当有心人在百姓的"日用"中提炼出"知"并传达给百姓时，百姓更喜闻乐见的恐怕还是这种最有实证说服力的东西。因为对"古今之变"的追索，事实上就是对法律发展的历史实证资料的考察；就是对法律合法性之更有力的说明。

值得注意的是，在这一过程中，中国古人还在法律解释中早已运用着我们今天所谓"历史解释"的方法。对此种解释方法，各类法理学中论述甚多，这里可以引述何敏在研究清代律学时的一个说明（因为该说明更加合乎我们站在法制史学角度的论域）：

> "历史解释，即从该法律规范和过去同类法律规范相对比的角度，对该法律规范作出解释，从这种解释中可以看出该法律规范的历史因革，探求立法者当时的主观立法愿望，从而对法律规范的价值进行判断。……"[169]

---

[168] 例如，从屈原之《天问》一直到柳宗元的《天对》，所反映的就是这种通过苦思冥想地对天地关系的诗化描述。但和今天相比，在实验科学极其落后的古代社会中，对这些重大问题的回答只能靠人们直觉的思维，而不是科学理性的分析。只能走一条诠释的进路，而无法作出科学回答。因此，合法性在这里事实上就成了某种意义上的说教。当运用理智的说教无法厘清所要阐述的问题时，人们就不得不捡起神学的旗帜以说明。当然，我们不能绝对地说这种说明就没有价值。比如在古典时代，秩序的形成和人民的安定与此息息相关，而在如今，科学的昌盛也与人们对神学、神灵的追问关联甚紧。

[169] 何敏：《清代注释律学研究》（中国政法大学博士学位论文，1994 年）。应说明的是，该说明对其中目的部分的论述，我并不完全赞同，因为它并不仅仅是探讨"主观立法愿望"，在更多情形下，反倒是为了说明立法的"客观实情"，即通过对法律或法条沿革的论述，以说明立法和法律之"真相"。

　　同时，该作者对清代注律的"历史解释"又一分为三：即"考镜律目源流及因革"、"考释律文条例的制定和修改过程"以及"对法条中某项规定的历史背景进行解释"。在法律解释活动中，能够通过数千年之积累而形成一种被后人所宗法的方法体系，实在是法律解释对人类思维方式的重大贡献。不论在法学界，还是其他人文—社会学科界，对法律和法学都怀有一种深深的方法论的蔑视，认为法学只是在不断地借助其他学科——如哲学、人类学、经济学、社会学……的方法在阐述自己的学问。我想，这至少能说明两方面的问题，**其一，法律作为对社会关系具有全方位调节功能的规范体系，它自身具有天然地对其他学科所总结出的方法的吸纳机能。其二，法学作为一种知识体系，它自身的方法远未引起学者们应有的重视。**我们知道，在中国，先秦时代最辉煌的学术成果之一就是主张法治的法家学说，他们在论述为什么要实行法治的主张时几乎和其它学术主张采取的是同类的论证方式，因为在总体上看，包括法家在内的诸家学说基本上属于政治哲学的范畴。

　　但是，古典的律学（包括法律解释及其学说）却不同，因为它们自身不是建立在一种"关于法律的解释"基础之上的，而是"根据法律的解释"，即前者属解释法律的范畴，而后者属法律解释的范畴。[170] 既然是"根据法律的解释"，那么，难道它只是简单地就法律规范而论法律规范吗？不！事实上，它自身有其方法，那就是规范分析方法。尽管在古典中国之法律解释中，规范分析方法没有得到系统论证，但只要"根据法律"而做法律解释，就必然面临着如何条分缕析地将法律准确、客观又通俗地传达给读者的问题。**"根据法律"本身就注定了这种学问的方法准则——规范分析的准则。**

　　而在西方，自从注释法学派于中世纪末叶在西欧兴起以来，事

---

[170] 参见谢晖：《解释法律与法律解释》，载《法学研究》2000 年第 5 期。

实上规范分析方法本身就得到了一定的关注，但这种方法被作为一种方法体系而得到系统的论述，却是在分析实证主义法学产生之后，亦即人类学问体系从"原典"时代走向学科分工时代以后的事。**所以，规范分析就成了法学固有和特有的方法。**这也正是加达默尔何以将法律解释和语文解释、圣经解释并列在一起，作为其哲学解释学构建之基础的原因所在。因此，在此意义上谈论法学对人文社会学科研究的方法论作出过独特而重大的贡献，毫不为过。对此种方法的忽视，只反映论者们不求甚解而已。特别值得关注的是：经验论哲学的代表人物培根、休谟；唯理论哲学的代表人物莱布尼茨以及边沁、孟德斯鸠、马克思、韦伯等哲学、政治和社会学的大师们，都有过精深的法学训练，或者一生主要学习和研究法律，从他们对人类知识之方法论的贡献中似乎也不难估出法学在方法论上的贡献。

以上对古代法律解释中因探寻"古今之变"所引致的"方法"问题的插叙，似乎违背了这里的论旨——通过"古今之变"的探寻，追问法律之合法性问题的论旨，并且在后文中，古代法律解释中所涉及的方法问题，仍然是我们关注的重要内容。但这里提出之，只是为了说明在古代法律解释中对"古今之变"之关注的深度，说明这种探讨不仅体现出"古今之变"的本体意义，而且也说明在"古今之变"的求索中所传达的方法意蕴。进而也从另一面看出古人对通过法律解释中"古今之变"的求索，以达到使法律合法性之说明更有力量的特别看重：

> "五刑之制始自上古五帝之世，即以因之。观于帝舜命皋陶曰：'汝作士，明于五刑'，则五刑之设其由来尚矣。然古之所谓五刑，乃墨、劓、剕、宫、大辟。初无所谓笞杖，所谓笞杖者，乃后世所谓'鞭作官刑，扑作教刑'，止为训诲之具。自汉高祖惩暴秦之弊，与天下更始，约法三章，不免矫枉

过直，网漏吞舟之鱼，法纪荡失，积久乱生，遂致彭韩菹醢，英布族赤，迥出常刑之外。推其所自，未必非高皇约法之过耳。延至文帝，更除肉刑，易以笞，此笞杖省入五刑所自始。迨及孝景，所复递减而杀之，后世遂奉为法，以笞、杖、徒、流、死具为五刑之正体。"[171]

这是清代法律典籍中对于"五刑"所作的简短的历史考证。在这种解释中，人们不但可以明晰地了解五刑的基本沿革，也能更好地把握其"合法性"——由来有自，而非任意得来。尽管在叙述中作者既有反思，也有一定的批判。这种在对法律"古今之变"的追索中予以反思和批判对待的情形，在古代法律解释中也较普遍地存在。在清末，以薛允升和沈家本为代表的一些律学家们，尤为关注在历史比较中探寻律意、寻求新策。这特别在沈家本那里则更胜一筹：

"五刑之名，始见《虞书》，而苗民五虐之刑实在其先，是其名甚古。三代以肉刑及大辟为五刑。汉文除肉刑而易以笞，而五刑之名遂不著。魏承《汉律》，不言五刑。晋改《魏律》，始言更依古义，制为五刑。然《晋律》有死刑、髡刑、完刑、作刑、赎刑、罚金、杂抵罪，其等凡七，将以何者为五刑？《志》不言也。梁之刑为十五等，陈因之，元魏亦不言五刑也。迨至北齐，始以一死、二流刑、三刑罪，四鞭、五杖为五刑。北周改刑罪为徒刑。隋开皇复驱鞭而加笞，以笞、杖、徒、流、死为五刑。《唐律》仍之，相传至今，遵循勿改。宋承五季，有凌迟之刑，然偶一用之，不为常制。元刑用斩而不用绞，然有凌迟之刑。《明律》承唐，以笞、杖、徒、流、死

---

[171] 《大清律例汇集便览》。

列入五刑之目。而律文中有凌迟若干条，条例中有枭首若干条，又别有充军之法，是皆轶于五刑之外者。夫刑不止五，而仍以五刑列于篇首，已非其实。况笞、杖不过大小之差，其刑并无所分别，强分之以作五刑之数，亦未见其确当也。尝谓国家设刑，所贵差等分明，不必拘拘以五为数，致有强分强合之病。若泥古之儒，以五刑之名为甚古，设今废五刑之目是蔑古也，则非吾之所敢知也。"[172]

在这里，沈氏也尽管在稽考五刑沿革，但由于是对前代（明朝）法律的评析，所以其保持了一种坚定的反思、批判乃至否定的立场。这种评析性解释使得古人在法律解释中对"古今之变"的追索，不是在一般意义上泛泛地说明立法的合理性，而是在反思和批判中辩证地说明了不仅法律的沿革具有合法性，而且法律的"古今之变"本身也应当具有合法性。

三、"致内外之和"——中国古典法律解释中的"身心关系"

"身心关系"所指的事实上是人作为灵肉结合的动物，灵和肉的内在关系问题。进一步讲是内在心性修养和外在行为方式间的关系问题。如果把此种关系还原到我在本文中运用较多的一个范畴，即是道德和法律的关系问题。广义上讲，即内在道德和外在道德之关系问题。笔者以为，**不论是作为心性修养的内在道德，还是作为行为规范的外在道德，在广义上都属于道德之范畴。前者可谓心性道德，后者则可谓制度道德。正是这两者，构成了道德作为人类生活支点和基础的地位。前者大体上就是我们日常所为道德，后者则大体上相当于人们今日所讲法律（不仅是中国古人意义上的"刑法"）。**

---

〔172〕 （清）沈家本撰：《历代刑法考》（四），中华书局 1985 年版，第 1783—1784 页。

事实上，法律的概念在今日之法律实践和法哲学上，已经发展成为"公共规范"的概念，即只要是"公共规范"，都具有法的因素和特征。举凡宗教法律、习俗法律、国际法律、社团组织规则等等，都已经在现代法律概念中被纳入其中，甚至成为法律体系的有机组成。由于人们公共交往生活的越来越广泛，甚至连产品质量一类的公共质量标准，都被纳入到法的范畴和理念中。因此，今日之法律，远非古典概念的刑法所能包含，甚至刑事法律反而成为当今法律体系中越来越萎缩、或者"谦抑"的法律部门。因此，外在道德——制度道德在当代基本上可说就是法律。[173]

当然，在古典中国，这种外在道德或者制度道德是被两分的，即一方面，以礼来"防于未然"；另一方面，以刑来"禁于已然"：

> "凡人之智，能见已然，不能见将然。夫礼者，禁于将然之前，而法者，禁于已然之后，是故法之所用易见，而礼之所为难知也。"[174]

如果置于现代法律理念下，这里的礼也罢、刑（法）也罢，都属于法律的范畴。当然如果从我们要研究的古人之法律解释的视角上考虑，我们只能把古人对法律的解释还原到古代的法律理念中去，而不能用今人的法律理念评判古人的解释。正是在这种立场

---

[173] 当然，这样说也可能会被有人指斥为是所谓法律（学）帝国主义。最近我曾经和一位年轻有为的大学校长谈起召开"全球化与儒家法律文化"学术研讨会的事时，他惊诧地问道"儒家还有法律文化？"当我解释如上对当今法律人而言已经是常识的"观点"时，我尊敬的几位法学外的文科学人，公认为我在对法律进行"过度诠释"。尽管这其中还有对制度哲学和法哲学非常感兴趣的学人。这只能让我感叹：中国法律理念之陈旧兮！中国法治道路之修远兮！而就是在这所学校，校领导总是在强调要依法治校"。

[174] （汉）班固著：《汉书·贾谊传》。

上，我们可以发现，与此相关的争鸣可以说是古代中国学术史上最值得关注的一页。从先秦关于"法治"与"德治"的激烈争鸣，中经隋唐"德礼为政教之本、刑罚为政教之用"的大体确立，直到晚清"法理派"与"礼教派"之间的势不两立，一部中国政治学术史，从先秦的民间论争开始，延续到秦汉以后的官方论争，以及受官方影响甚大的民间论争，都集中在这"礼法"之争上。即使宋明时期的"理学"和"心学"之争，也充满着行为规范和心性修养间、法律和道德间的论争。这种占据主流的学术论争和政治主张，反映到法律解释中则是要"致内外之和。"

> "议曰：礼者，敬之本；敬者，礼之兴。故礼运云：'礼者君之柄，所以别嫌明微，考制度，别仁义。'责其所犯既大，皆无肃静之心，故曰'大不敬'。"（"大不敬"条）。
>
> "议曰：礼云：'孝子之养亲也，乐其心，不违其志，以其饮食而忠养之。其有堪供而阙者，祖父母、父母告乃坐'。"（"不孝"条）。[175]

明朝官僚学者丘濬在解释《舜典》"眚灾肆赦"时指出：

> "朱熹曰：眚灾肆赦，言不幸而触罪者，则肆而赦之，此法外意也。
>
> 臣按：此万世言赦罪之始。夫舜帝之世，所谓赦者，盖因其所犯之罪，或出于过误，或出于不幸，非其本心固欲为是事也；而适有如是之罪焉，非特不可以入常刑，则虽流宥金赎亦不可也。故直赦之，盖就一人一事而言耳。非若后世概为一

---

[175] （唐）长孙无忌等撰：《唐律疏议》，中华书局 1983 年版，第 10、12 页。

札，并凡天下之罪人，不问其过误故犯，一切除之也。"[176]

以上引文，十足证成中国古人对于心性（心理）和行为关系的看重。早在周公所处的时代，人们就已经将"非眚"与"眚"这样两个概念区别开来。这就说明在中国古代，人们特别看重心的作用，看重身心之间的内在逻辑关系，看重通过身心之和谐实现秩序之构造。亦表明中国古典社会中人们关于秩序构造的最高智能。其极端，一如《盐铁论》所云：

> 法者，缘人性而制，非设罪以陷人也。故"《春秋》之治狱，论心定罪。志善而违于法者免，志恶而合于法者诛。"[177]

毫无疑问，社会秩序构造的使命归根结底是要从人出发，并最终回归到对人的深切关注。法律调整当然不能脱离开此使命。天人关系的探寻，群己关系的协调，只有最终落实到身心关系中时，才能真正兑现其效力，或者才真正有实效。即使在现代法律控制中，尽管法律义务不能强制命令人们心悦诚服地接受某种规范及其秩序，但法律只有深入人心才能取得更大、更佳的调整结果，这应当是毫无疑义的。所以，笔者一直关注并强调法律信仰的价值。[178] 探究如何将法律内化入人们交往行为的心灵结构和心理模式中。这就要求法律必须迎合、而不是背反人的要求。这也许是在近、现代立法中人们越来越关注尽量在法律中释放人们的利益欲望之原因所在。同时，也许是在规范结构中突出权利规定的原因所在。

---

〔176〕　（明）丘濬著：《大学衍义补·治国平天下之要·慎刑宪》，法律出版社 1998 年版，第 286 页。

〔177〕　（汉）桓宽著：《盐铁论·刑德》（马非百注释），中华书局 1984 年版，第 393 页。

〔178〕　参见谢晖著：《法律信仰的理念与基础》，山东人民出版社 1997 年版。

行文至此，读者可能会马上产生质疑：在古代中国，法律基本上是以义务为其主要内涵的，在法律内部，权利最多只体现为所谓"特权"，难道这样的法律也是在迎合主体要求吗？在实现身心和谐的秩序吗？如果不是这样，那么，在此种法律之下的法律解释难道也能构造出蔚为大观的良性秩序吗？这些确实是值得注意的问题。

不过，尽管在古代中国（甚至不惟在古代中国、而且在现代中国）的法律规范中，义务具有绝对的"优势"地位，但这决不意味着在义务的背后，还是义务。规范中的义务乃是为了对心理上和行为中的权利提供必要的条件和实现的路径。也就是说，在规范背后蕴藏着权利。这是一方面。另一方面，法律解释的重要使命，恰恰就是要令解释结果更加符合人们的内在要求，因此，古人有时不惜"歪曲"律文原意，甚至放弃法律而径直用一些经典中的微言大义、道德说教、地方习俗来判决案件、解释法律。这在如下判决文字或审判技巧中我们可明显看出：

> "中书舍人王秀泄露机密断绞，秀不伏，款于掌事张会处传得语，秀合是从，会款所传是实，亦非大事不伏科。
>
> 凤池清切，鸡树深严，敷奏帝俞，对扬休命。召为内史，流雅誉于周年，苟作令君，振芳尘于魏阙。张会掌机右掖，务在便蕃，王秀负版中书，情惟密切。理宜克清克慎，慕金人以缄口，一德一心，仰星街而卷舌。温树之号，问且无言，恶木之阴，过而不息。岂得漏秦相之车骑，故犯疏罗，盗魏将之兵符，自轻刑典。张会过言出口，驷马无追，王秀转泄于人，三章莫舍。若潜谋讨袭，理实不容，漏彼诸蕃，情更难恕。非密

既非大事，法许准法勿论，待得指归，方可裁决。"[179]

显然，在如上针对案件的判断文字中，我们很难见到当时法律规定之如何，判断者仅仅根据自己的儒家文化修养作出了类似规训式的"判决"。其文字之优美，行文之洒脱，绝非现代判决可比拟。但其说理之简明，修辞之扩张，则尽显文学之手法。这些，均使得法律规定漏失在优美的判决文字当中。其目的是通过判断的"司法性解释"使人心、身相谐和。如下例证或许更有说服力：

　　"故民陈智有二子，长阿明，次阿定，少同学，壮同耕，两人相友爱也。娶后分产异居。父没，盛有余产七亩，兄弟互争，亲族不能解，至相争讼。阿明曰：'父与我也'，呈阄书阅之，内有老人百年后，此田付与长孙之语。阿定亦曰：'父与我也'，有临终批嘱为凭。余曰：'皆是也，曲在汝父，当取其棺斫之。'阿明阿定皆无言。余曰：'田土，细故也。弟兄争讼，大恶也。我不能断。汝两人各伸一足，合而夹之，能忍耐不言痛者，则田归之矣，但不知汝等左足痛乎？右足痛乎？左右惟汝自择，我不相强，汝两人各伸一不痛足来。'阿明、阿定答曰：'皆痛也。'余曰：'噫！奇哉，汝两足无一不痛乎？汝之身犹汝父也，汝身之视左足犹汝父之视明也；汝身之视右足犹汝父之视定也。汝两足尚不忍舍一，汝父两子肯舍其一乎？此事须他日再审。'命隶役以铁索一条，两挈之，封其钥口，不许私开，使阿明、阿定同席而坐，联袂而食，并头而卧，行则同起，居则同止，便溺粪秽同蹲、同立，顷刻不能相离。更使人侦其举动词色，日来报。初悻悻不相语言，背对

---

〔179〕（唐）张鷟撰：《龙筋凤髓判》（田涛等校注）中国政法大学出版社1996年版，第1页。

侧坐，至一二日，则渐渐相向；又三四日，则相对太息，俄而相与言矣。未几，由相与共饭而食矣。余知其有悔心也。问二人有子否？则阿明、阿定皆有二子，或十四五、或十七八，年龄亦不相上下，命拘其四子偕来，乎阿明、阿定谓之曰：'汝父不合生汝兄弟二人，是以今日至此。向使汝止孑然一身，田宅皆为己有，何等快乐。今汝等又不幸皆有二子，他日相争相夺，欲割欲杀，无有几时，深为汝等忧之。今代汝思患预防，汝两人各留一子足矣。明居长，留长子，去少者可也；定居次，留次子，去长者可也。命差役将阿明少子、阿定长子押交养济院，赏与丐首为亲男，取具收管存案，彼丐家无田可争，他日得免于祸患。'阿明、阿定皆叩头号哭曰：'今不敢矣！'余曰：'不敢何也？'阿明曰：'我知罪矣，愿让田与弟，至死不复争。'阿定曰：'我不受也，愿让田与兄，终身无怨悔。'余曰：'汝二人皆非实心，我不敢信。'二人叩首曰：'实矣，如有悔心，神明殛之。'余曰：'汝二人即有此心，二人之妻亦未必肯，且归于妇计之，三日来定议。'越翼日，阿明妻郭氏，阿定妻林氏，邀其族长陈德俊、陈朝义当堂求息。娣姒相扶携，伏地涕泣请：'自今以后，永相和好，皆不爱田。'阿明、阿定皆泣曰：'我兄弟蠢愚，不知义理，致费仁心。今如梦初醒，惭愧欲绝，悔之晚矣。我兄弟皆不愿得此田，请舍入佛寺斋僧可乎？'余曰：'噫！此不孝之甚者也。言及舍寺斋僧，便当大板扑死矣。汝父汗血辛勤，创兹产业，如兄弟鹬蚌相持，使秃子收渔人之利，汝父九泉之下能瞑目乎？为兄则让弟，为弟则让兄，交让不得则还汝父。今以此田为汝父祭产，汝弟兄轮年收祖备祭，子孙世世永无争端，此一举而数善备者也。'于是族长陈德俊、陈朝义皆叩首称善教；阿明、阿定、郭氏、林氏悉欢欣感激，当堂七八拜致谢而去，兄弟姒娌相亲相爱，百倍曩时。民间遂有言礼让者矣。

　　　此案若寻常断法，弟兄各责三十板，将田均分，便可片言
了事。令君偏委婉化导，使之自动天良，至于涕泣相让，此时
兄弟姒娌友恭亲爱，岂三代以下风俗哉。必如此，吏治乃称
循良。"[180]

　　可以想见，如上判决过程及其结果，要是搁在今天，也许会是
笑谈，会被讥为是对公民权利的严重侵犯，并被斥责为是判官的严
重失职。但是，在古典中国，由于该判决恰当地表达了中国古人在
法律、法律解释问题上的追求，所以作者在论述这一其办案往事
时，把此案作为一件典型的安例和裁判者的人生的重要经历记载下
来。通览全案判决过程，判者始终坚持的一点是要通过其努力实现
两造及其家属、亲族们对判决结果心悦诚服的接受。所以，判决过
程与其说是一种法律活动，莫如说是一种道德宣教活动。其所孜孜
以求的，就是要通过案件的审理和判决实现两造及相关人由里至
外、由心到身的沟通、协调与和谐。
　　值得注意的是，尽管在古代中国的法律解释中，追求通过法律
解释和法律调整中人们的"身心之和"，乃是法律解释的重要的本
体使命。但是，这并不意味着其中没有任何导向性。恰恰相反，**中
国古人在法律解释中，总是期望通过两造的道德内省实现对两造的
道德约束，因此，其价值指向总是义务以及和义务调整结果息息相
关的秩序，而不是我们今天所倡导的权利导向及其自由**。尽管在判
决后也能实现两造的某种权利性的追求，如前述判决的结果既能平
衡两造心理，实现两者之良心安定，也能尽量地实现对其先父的孝
敬之情和缅怀之思，当然还能不破坏兄弟之间的天然情感，维持其
乐融融的家族生活。但其总的倾向是以两者的忍让、退却、放弃为
前提的。因此，即使事实上"权利"的实现也只能被带入到义务

---

〔180〕　（清）蓝鼎元著：《鹿洲公案》，群众出版社1985年版，第123—125页。

的逻辑框架中去才有可能。此种价值倾向，甚至直接影响到今天
——我们在当下的司法活动中对调解的重视、对某种劝诫措施的青
睐等等，不都是此种法律文化遗风之表现吗？

尽管这种追求内外、心身之和的法律解释，在今人看来是判官
的多此一举，但如果考虑到在今天过度形式化的法治时代中人们所
面临的情感失落和道义焦虑，那么，创造性地借鉴古人经验，在形
式法治中更加强化其道义使命，或许是一种不无意义的举措。因为
任何一种统治，只有在既保障民生、又赢得民心中才能赢得神圣。
正如孟轲所言：

> "得天下有道：得其民，斯得天下矣；得其民有道：得其
> 心，斯得民矣；得其心有道：所欲与之聚之，所恶勿施
> 尔也。"[181]

四、"求实质公平"——中国古典法律解释的目的指向

中国传统文化、特别是其政治法律文化的重要追求，就是期望
寻求到关于社会政治问题的一揽子解决方案和整体性完善诉求。在
这方面，宋儒张载的一段豪言壮语可谓典型：

> "为天地立心，为生民立道，为去圣继绝学，为万世开
> 太平！"[182]

---

[181] 《孟子·离娄上》。
[182] （宋）张载著：《进思录拾遗》，载《张载集》，中华书局 1978 年版，第 376 页。
在《张子语录》中，这四句话被表述为："为天地立志，为生民立道，为去圣继
绝学，为万世开太平。"（同上，第 320 页）；在黄宗羲等所撰之《宋元学案·横
渠学案》中，则被表述为习见之："为天地立心、为生民立命、为往圣继绝学、
为万世开太平"。

　　这也是在中国作为一位优秀知识分子的基本追求。尽管在此之外还有诸如"达则兼济天下，穷则独善其身"的"次优"追求，但被人们所津津乐道的还是能够在整体上开出一揽子解决方案、并把立德和事功"完美结合"起来的人。例如在民间被神化了的关羽，就是其典型。所以，人们才要追求宏大的理想：修身、齐家、治国、平天下。不论儒家的入世精神还是道家的遁世理念，所追求者皆为如此。尽管表面上看起来其路向完全相反。

　　法律作为古典社会进行治理的最重要的器具，它所要贯彻的依然是这种一揽子解决方案的理念。同样，相关的法律解释也就自然地被带入到这种模式中了。在上文所引的蓝鼎元的判决文字中，我们明显可见他期望通过对个案的解决而寻求一劳永逸的解决方案的意图："子孙世世永无争端，此一举而数善备者也"；"必如此，吏治乃称循良。"这在一个角度上看，似乎与近、现代之英美国家的判例模式具有很大的相像之处，但在目的追求上，却大异其趣。原因在于中国古典的法律解释和判决一开始就把目的指向实质理性的追求。而在英美法系国家，尽管和大陆法系国家相比较，其司法判决——法律解释活动显然更倾向于追求实质正义，但它总是在借助了形式正义的穿着打扮之后才进入到实质正义之殿堂中去。然而，古典中国的司法判决——法律解释却直接进入到实质理性（正义）的追求中去了。至于和大陆法系国家的司法判决——法律解释相比较，中国古典法律解释的目的就更是实质合理性的。对此，马克斯·韦伯曾经这样分析道（当然，在他的笔下，这种情形被解释为"非理性"的）：

　　　　"在中国……独占鳌头的官僚体制把魔法的和泛灵论的各种义务局限在纯礼仪的范围内，诚然，正如我们已经看到而且还将看到的那样，它们由此出发，也对经济产生了相当深刻的影响。不过在那里，司法的非理性是受世袭制度而不是受神权政治制约的。在中国的历史上，正如根本不存在过先知预言一样，不存在过法的先知预言，也不存在着辩护的法学家阶层，似乎也根本不存在着专门的法律培训，这与政治团体的父权家长制的性质相适应，政治团体力图阻止形式的法的发展。魔法礼仪的顾问是'巫'和'士'（'道教的'巫师）；从他们当中产生的、经过考举的、即受过文学深造的人，是为家庭、宗族和村庄提供礼仪和法律事务咨询的顾问。"

"凡是对某种神圣的法或者不变的传统的适用从根本上要长久严肃地对待的地方，法的内在和外在统一的障碍，是一种处处都出现的现象，中国也好，印度也好，伊斯兰的法律地区也好，无不如此。"[183]

当然，韦伯把古典中国的此种司法判决说成是"非理性"的，对生活在这一文化体系中的国人而言，也许并不大能接受，并且其中的有些分析，未必就和古典中国的法律与司法的实情合辙。但可以肯定的一点是：在其所设定的逻辑分析框架中，它大体上还是反映了和这一框架相吻合的中国经验。但即便如此，对于类似中国这样文化悠久之国度中的任何问题，企图通过一种不变的分析框架和模式来套用之、说明之，总是十分危险的。

在笔者看来，韦伯所分析的上述中国经验，恰恰是一种实质理性的表现：通过个案的解决，达成某种可以相对恒久地解决问题的方案。即把个案带到整体的解决秩序构造和纠纷解决框架中。不仅司法，立法者也每每出于实质合理性思考而定立之。丘濬在解释古典立法时指出：

---

[183] ［德］马克斯·韦伯著：《经济与社会》（下卷），林远荣译，商务印书馆1997年版，第148、152页。

"郑、晋铸刑书，盖以其前世所用以断狱者之法，比而铸于器，以示民于久远也。考《周官·司寇》：'建三典，正月之吉，县于象魏，使万民观之，挟日而敛。'夫国之常刑，而又岁岁布之于邦国都鄙，何哉？刑虽有常，亦当量时而为之轻重；然恐民之不知其所以然也，故既布其制，又悬其象。所以晓天下之人，使其知朝廷原情以定罪，因事以制刑。其故如是也，皆知所畏避而不敢犯焉，非谓刑之轻重不可使人知也。"[184]

在这里，明显可见的是：法典的公布和制定，一方面是为了震慑、预防一类的目的；另一方面，它也意味着法典只是办理案件、处理纠纷的常经和一般规则，因此，"当量时而为之轻重"、"原情以定罪，因事以制刑"这种具有明显"权变"特征和实质合理追求的内容也就成为公开的倡导。事实上，以儒家文化及其法律理念对立法加以解释，从而使具有法家风格的法律转而成为承载儒家思想的工具，甚至法律直接以儒家思想为指导，并且最终被"儒家化"，乃是中国古典法律公认的特征。[185] 这一过程的特点，实质上就是为了实现某种"实质合理"。

我们知道，孔子就坚决反对"不教而诛"，强调"教"的极端重要性。而他所谓的"教"，每每是"因材施教"。尽管他也有一般意义上的教——即道德教化之教的大力倡导，但即使在这里，也依然存在着"因材而施"的意思。"因材施教"——这本身就是一

---

[184]（明）丘濬著：《大学衍义补·治国平天下之要·慎刑宪》，法律出版社1998年版，第86页。

[185] 参见瞿同祖著：《中国法律与中国社会》，中华书局1981年版，第270页以下。
郝铁川著：《中华法系研究》，复旦大学出版社1997年版，第1页以下等。

种对实质合理的追求。在他的许多相关论述中，就强烈地包含着这种追求实质合理的辩证思考，例如他指出：

> "不教而杀谓之虐；不戒视成谓之暴；慢令致期谓之贼；……出纳之吝谓之有司。"[186]
>
> "善哉，政宽则民慢，慢则纠之以猛。猛则民残，残则施之以宽。宽以济猛，猛以济宽，政是以和。"[187]

我们知道，要求社会公正、或者要求案件裁决公平等等诉求，究竟以实质公正为标准来衡量，还是以形式公正为标准来衡量？这长期以来是一个重大的社会和学理权衡问题。在这方面，英美法系事实上设计了一种通过个案审判和判例法增长为特征的追求审判之实质合理的制度框架。[188] 在那里，采取的是将实质合理的诉求带入到形式合理的框架去的做法。大陆法系却坚持了自古罗马以来就形成的形式理性的传统，他们每每在形式合理的前提下和过程中求取实质合理。但在我国，尽管存在着"吾道一以贯之"的形式合理论，但此种所谓形式合理，已经和实质合理相差无几。在这里，往往是形式合理的原则必须屈从于"具体问题具体分析"，屈从于"原情定罪、因事制刑"的实质合理之习惯思维。此种情形，影响至今，则为我们所习见的判决书中"根据本案案情，判决如下"

---

[186] 《论语·尧曰》。

[187] 《左传·昭公二十年》。

[188] 当然，我们也注意到，相当多的论者把英美法系所秉持的这种合理性称之为形式合理性。尽管这种见解有一定的说服力，但和大陆法系那样严格地拘泥于法典相比较，其显然是实质合理的——同类案件同类处理必须以界定和区分不同案件的不同特征为基本事实前提和判断基础。事实上，英美法系国家是将案件事实的实质问题转化为法律规则；而大陆法系国家则是把法律规则的形式问题套用于实质性的事实。

的逻辑套路。从而法律之规定往往被架空。

要落实实质合理的法律解释目的，至少要具备如下两点条件：**第一，某种凭直觉以断是非的直觉思维。**我们知道，古典中国的基本思维方式是直觉思维，不论心学，还是理学，皆强调心灵直觉和感悟在人们认知世界、作出决断时的极端重要性。此种情形，被谓之情理。在其引导下的文化成就，就是高度抽象、并能调动起人们无限遐想的绘画、诗歌、书法、舞蹈等等。法律解释和司法判决就以此种直觉思维以及熟人情感为基本的逻辑路向。

> "大凡乡曲邻里，务要和睦。才自和睦，则有无可以相通，缓急可以相助，疾病可以相扶持，彼此皆受其力。才自不和睦，则有无不复相通，缓急不复相助，疾病不复相扶持，彼此皆受其害。今世之人，识此道理者甚少，只争眼前强弱，不计长远利害。才有些小言语，便要去打官司，不以乡曲为念。……人生在世，如何保得一生无横逆之事，若是平日有人情在乡里，他自众共相与遮盖，大事也成小事，既是与乡邻仇隙，他便来寻针觅线，掀风作浪，小事也成大事矣。如此，则是今日之胜，乃为他日之大不胜也。……"[189]

这是胡石壁在判决"唐六一诉颜细八、颜十一案"中的一段判词。在此，是非的决断在判者看来无关紧要，而维护乡里人情关系，以一方面实现一个人在乡里生活中永远的安定、安全、并享有威望、声誉；另一方面，实现乡曲邻里间的和睦团结。显然，这些都是某种意义上的实质合理问题，或者在以社群为本体的古典中国，这是更重要的实质合理。因此，中国熟人社会中所固有的情感

---

[189] （宋）幔亭曾孙著：《名公书判清明集》（下），中华书局 1987 年版，第 393—394 页。

思维，便成为解决人们之间的纠纷之基础。

在思维方式上，这是一种想当然的直觉思维。它不需要深入细致地对案件细节剖析梳理，而只需要一个一般的情感化的"将心比心"的道德原则就无所不能地解决所有案件。在表面看来，这似乎也在秉持某种形式合理性，但在实质上，它仅仅是直觉思维在个案上的运用。

第二，具有某种"权变"的理念。形式合理性的法律，尽管不坚持"天不变，道亦不变"的宗旨，但它极力维护既有的规则在逻辑上的完美性和在效力上的至上性。于是，法律便每每被设定了一些富有诗性的逻辑大前提：法律是神的启示和命令（宗教法或准宗教法）；法律是理性的命令（国家法）；法律是民族精神（官方的、或民间的法）等等。因此，法律才能是"至上"的统治工具，才能是规范人们交往行为的基本方式，甚至是人心中的信仰。

这样，在法律的规则面前，任何"权变"都在人们反对之列。（相信法律的）人们只能以法律为前提解释事实，而不是相反。**事实自身所蕴含的实质合理问题只有被带入到形式理性的法律中（在大陆法系国家）或者被转化为形式合理的规范（在英美法系国家）时，才算真正取得了实效。这两种方式，其实最后的逻辑指归是大体同一的，它们都在寻求至高无上、不宜变异的法律规则，不过一个是由法律而事实的路向，一个是由事实而法律的路向。两者的共同之点，在于他们对法律至上地位的安排和深信不疑，尽管法律也在变化，但绝非"权变"。**

而在我们的文化传统中，虽然很是强调"天不变、道亦不变"的道统精神，但在其社会实践中，受制于所谓"实用理性"的深刻影响，一种"权变"的思维便应运而生，前述"不变"的至高理想则不断地被融入变化的事实中了。对此种"权变"思想，孟子曾有经典表达：

"淳于髡曰：男女授受不亲，礼与？"孟子曰："礼也。"曰："嫂溺，则援之以手乎？"曰："嫂溺不援，是豺狼也。男女授受不亲，礼也；嫂溺援之以手者，权也。"[190]

这种权变精神，事实上成为中国历史上不断进行变革、甚至反抗暴政的理论基础，也成为人们在法律解释中对法律的意含不断引申，以"实情"而篡改"法条"的口实。只有在这种篡改中，法律才不至于成为实现人们理想中的实质合理的障碍，才不至于束缚判官们以所谓情理道德教化民众的手脚，从而更好地把法律纳入到道德教化体系中，以便成为德教的辅助工具。

"姜子朝为人之婿，肆其搬传，而欲绝妻家之祀。徐严甫为人之子，不能公于财利，而激其母之讼。李氏为人之母，私意横流，知有婿，不知有子，知有女，而不知有夫家。三人者，皆不为无罪。姑照金听所拟行，各责戒励状，如更纷纷不已，径追姜子朝，正其离间人母子之罪，追徐严甫，正其不能承顺其母之罪。如是而又不已，则是李氏有意绝其夫之家，在官府亦不得而恕之。各尽其为子、为母之道，毋贻后悔。"[191]

"审得庐祈延、庐新元兄弟也，以兄弟而田产交易乃有势抄之控，何居？奉宪拘质，各具息词以进。职不敢朦胧许其息也，细询之，则祈延实曾将田地池塘卖新元非一，索其洗业不遂，故有今日之告。然所争洗业亦无几耳，而敢以渎宪，甚矣，此中人之不知法也。新元不能广尺布斗粟之谊，使成雀角，富而好礼，非其人矣。念已补洗业，两造悔息，姑各杖

---

[190] 《孟子·离娄上》。

[191] （宋）幔亭曾孙著：《名公书判清明集》（下），中华书局1987年版，第360页。

之，教之以兄弟之好也。招详。

　　察院批：庐祈延、庐新元以洗业之小故而敢于越讼，法应重究，念系兄弟，既已悔息，故依拟各杖赎。库收缴。"[192]

　　在前例中，判官蔡久轩在这里对三位当事人所采取的完全是一种连懵带吓的方式进行判决，其结果是以所谓案件中的情理来更改法律的不二规定。在后例中，本应按法律"重究"的法律事实在兄弟亲情、悔息举措等"情节"的影响下，亦就只能因情而"轻究"。类似的判决，只要我们翻开古代的相关判例书籍，可谓比比皆是。无论在唐宋的《龙筋凤髓判》、《名公书判清明集》、还是在明清的《盟水斋存牍》、《鹿州公案》、《徐公谳词》……等著述中，都可随处发现。这种对法律解释之实质合理的追求，其目的只是为了一劳永逸地解决统治秩序，实现所谓德化善政：

　　"诗云：'宜民宜人，受禄于天。'书曰：'立功立事，可以永年。'言为政而宜于民者，功成事立，则受天禄而永年命，所谓'一人有庆，万民赖之'者也。"[193]

---

〔192〕（明）颜俊彦著：《盟水斋存牍》，中国政法大学出版社 2002 年版，第 228 页。

〔193〕（汉）班固著：《汉书·刑法志》。

第五章　中国古典法律解释中的目的智慧
——追求法律的实用性

　　季卫东在谈到中国古典法律解释问题时，曾总结出了它在目的方面的"四个相位"，它们分别是"不可言说"、"无穷之辞"、"以法为教"、"并无异说"。对此，他分别解释道：

　　　　"对于不可言说的部分的正义性的判断，很难按照外部的绝对标准来进行。承认有些事情是不可言说的，就等于承认在审判过程中法官不可能掌握案件的全部情节或者信息，也就不得不承认司法判断的局限性、不得不在相当程度上强调身处特殊情境中的当事人独自的感受、理解、承认、以及心理满足。"

　　　　"关于规范本身的说理就像庄子与惠子的对话，很容易流于前提和推论以及贯穿其中的逻辑规则的永无止境的追加过程。"

　　　　"为了终止当事人之间围绕规范正当性而进行的无止境的语言游戏，需要导入并利用第三者的决断力。……即通过官吏的职权来保障法令的统一和实效，对强制与道德以及文化秩序加以有机的整合。"

　　　　"通过相互主观的反复监查达到全体一致的同意，以此保证审判以及其他法律决定的妥当性。……"[194]

尽管对其中的有些论断，要放在法律解释学的立场上进行剖析，还有些勉强，也尽管对其中的一些论述，我并不赞同，但他的分析，给笔者在这里的展开开启了一个基本的思路：中国古典法律解释中的目的向度，乃是在对某种实用路向的追求中完成的。

一、"情理交融"——不可言说的"良心判决"

早在先秦时期，中国文化的导师们就特别关注天理、人情和国法的内在关系问题。其间形成了三位一体规范逻辑结构。此种情形，经常反映在古人的相关司法或其他法律活动中：

> "父之仇，弗与共戴天。……卜筮者，先圣王之所以使民信时日、敬鬼神、畏法令也。"[195]
> "孔子为鲁司寇，有父子讼者，孔子拘之。三月不别，其父请止，孔子舍之。"[196]

这种对天理、人情、国法之三位一体的逻辑注解，形成了一种事实上的制度。或许它与我们今日所见到的国家正式制度一统天下的情形格格不入，但在古典中国数千年的主体交往中，这种实际的制度框架一直支配着人们交往中行为之选择和得失之权衡。至少自孔子的前述"判决"方式起，情理为先、以德化民、息讼戒争、和睦相处一直是人们所追求的主体交往的良好方式。孔子设法使两

---

[194] 季卫东著：《法治秩序的建构》，中国政法大学出版社 1999 年版，第 121、122、123 页。
[195] 《礼记·曲礼上》。
[196] 《荀子·宥坐》。

造自己良心发现、自动息讼的前述"先例"，甚至发挥着比国家法律有过之而无不及的作用。自兹尔后，究竟在中国法律解释和司法史上，有多少讼争被采取类似的通过两造的"良心"发现而"判决"，真是枚举不尽。笔者在前文中所举的"兄弟争田"的例证及蓝鼎元的判决，就是在近两千年后一位判官对孔子之"先例"的模拟。梁治平在论述"无讼"问题时，曾以大量古籍记载为例，说明以情感人、以德化民的事实。其实，翻开古代判官们的判词，其中相关内容，比比皆是。

这种"情理交融"的法律解释，在很大程度上不是将个别性的事实运用于普遍性的规则中，相反，却是在个别性的案件事实及其"情理"中，发现和其相关的必要规则。

> "孔子式的圣人在作出判断时，所注意的是具体情境中的特殊性，而不是超越的普遍原则，不论它们是神定的、自然的、合理的还是伦理的。为努力使各种相互冲突的利益尽可能地达到能反映社会最大限度的和谐与均衡的过程中，圣人设法使法律与特定的社会的价值、惯例、目标和需要相一致。……使法律与我们生活的世界尽可能完美。"[197]

那么，为什么在古典中国的法律解释活动中，会形成此种以情理交融的方式解释法律的情形呢？这还需要从中国古代独特的社会结构——血缘基础和熟人关系中寻求答案。

我们知道，迄至如今，中国社会还是一个深受熟人关系左右的社会。虽然由政府推进的市场化道路已经将大批农民送到了社会—经济流通领域，但现行的一系列政策法律、特别是户籍制度的规

---

[197]　［美］皮文睿：《儒家法学：超越自然法》，李存捧译，载高道蕴等编：《美国学者论中国法律传统》，中国政法大学出版社1994年版，第154页。

定，严重地限制和束缚着农民离乡离土的愿望。因此，这种经济模式到目前为止并没有推动中国社会的主体交往结构向陌生人方向转变，中国社会中主体交往结构依然是熟人式的。在法院处理相关的纠纷时，仍然对这种熟人关系的内在要求极为重视。例如以下报道就是：

> "近日，济南市天桥区人民法院北园法庭法官'多管闲事'，成功调解了一起邻里纠纷。
> 孙某与王某是邻居。一天，因孙某家的污水流经王某家，引起两家争执并发生厮打。在打斗中，已怀孕的孙某被不知情的王某拽倒，导致孙某流产。由此，双方矛盾激化，并最终将官司打到法院。孙某认为自己是高龄孕妇，此次流产可能导致终身不孕，要求较高的赔偿；而王某则强调，争执是孙某家的污水排至其家门口造成的，而且他当时不知道对方怀孕。
> 法院受理此案后，发现此案事实清楚，可以一判了之。但考虑双方是邻居，为了有利于双方当事人今后的相处，法官多次到当事人居住地进行调解，并邀请原被告所属居委会协助。通过沟通，孙某与王某终于握手言和。"[198]

至于在古代中国，像今天这样由政府公开推动的以流动为取向的市场化之路并不存在，反之，"崇本息末、重农抑商"几乎是自商鞅以来中国古代统治者的不二法门。尽管商鞅本身在改革中还倡导分家析产，但也主要是基于提高农业生产效率的目的，而不是在

---

〔198〕 张潇扬：《邻里纠纷闹上法庭，法官协调化解干戈》，载《齐鲁晚报》2004 年 3 月 30 日，第 10 版。笔者注意到，在最近刚刚生效的《中华人民共和国道路交通管理法》的实施过程中，新闻媒体津津乐道的是交通警察如何感化违法行人行车，而不是依法严格制裁之（具体可见中央电视台 2004 年 5 月 1 日的相关"新闻"），从而法律规定在某种动听的"教化"中被稀释！

此基础上营造一个陌生人社会。**在古代中国，即使在商业贸易比较发达的城市地区，也依然奉行着熟人社会的交往规则，人们甚至要想方设法地将陌生人关系转换成熟人关系，并恪守相关交往规则。**对此，只要我们关注一下在古代中国、特别是明清之际分布在全国各地的、以地域为依托的、各种商人间的"会馆"就不难发现。费孝通曾云：

> "我们的格局不是一捆一捆扎清楚的柴，而是好像把一块石头丢在水面上所发生的一圈圈推出去的波纹。每个人都是他社会影响所推出去的圈子的中心。被圈子的波纹所推及的就发生联系。每个人在某一事件某一地点所动用的圈子是不一定相同的。"[199]

这种格局不是按照理性化设计而形成的权利义务分明的法理社会的交往结构，而是按照经验实用和血缘情感所导生的权利义务关系不分的礼俗社会的交往结构。在这里，所谓"熟人"的基本逻辑起点是血缘或者拟制血缘。血缘是决定人们是否交往、交往深浅的基本前提因素。由血缘而必然延伸到的姻亲，形成了另一种亲属关系。血亲和姻亲，共同组成为家：

> "我们的家既是一个延绵性事业社群，他的主轴是在父子之间，在婆媳之间，是纵的，不是横的。夫妇成了配轴。配轴虽则和主轴一样并不是临时性的，但是这两轴却都被事业的需要而排斥了普通的感情。我所谓普通的感情是和纪律相对照的。一切事业都不能脱离效率的考虑。求效率就得讲纪律；纪律排斥私情的宽容。在中国的家庭里有家法，在夫妇间得相

---

[199] 费孝通著：《乡土中国》，三联书店 1985 年版，第 23 页。

敬，女子有着三从四德的标准，亲子间讲究负责和服从。……"[200]

　　从本质上讲，在家庭这种以血缘为主轴的社群里，人们情感的联系主要不是个体之间的，这与现代西方以个体为起点的权利观念截然不同。因此，在这里的所谓情理，就主要不是维护以个人权利义务关系明确化的情理，而是为了维护家族成员、邻里社群之间和睦团结、友好相处的情理。倘若在人们交往中处理不好这种情理关系并诉诸法律，则判官就需要想方设法通过打动两造，使其在良心上发现不和睦也许比一时争得胜负更不合算，因为一时胜负只及利，而亲属相悖负于义（亲、孝），在一个封闭的血缘社会里，义利相较，前者尤为迫切和必要。可见，只要我们的社群——以家庭为核心的社群是血缘的，那么，通过借助良心以裁判纠纷就势所难避，从而情理在裁判中的作用也就理所当然。范西堂在其判词中说：

　　　　"祖宗立法，参之情理，无不曲尽。倘拂乎情，违乎理，不可以为法于后世矣。"
　　　　"法意、人情，实同一体。徇人情而违法意，不可也；守法意而拂人情，亦不可也。权衡于二者之间，使上不违于法意，下不拂于人情，则通行而无弊矣。"[201]

　　真秀德也曾在其奏折中这样写道：

　　　　"夫法令之必本人情，犹政事之必因风俗也。为政而不因

[200]　费孝通著：《乡土中国》，三联书店1985年版，第40页。
[201]　（宋）幔亭曾孙著：《名公书判清明集》（下），中华书局1987年版，第448页。

风俗，不足言善政；为法而不本人情，不可谓良法。"[202]

即使在人们跨越家族、超越血缘的交往中，也总是要用血缘关系内的熟人模式来衡量陌生人间的交往，从而，如何将熟人关系的模式套用到陌生人关系的交往中，就是一个善于交往的人、或者期望在社会交往中立于不败之地的人必须时刻关注的问题。因此，相关纠纷一旦诉诸法律，判官所采取的基本方式依然是通过两造良心的发现来裁决：

> "听讼资淑问之才，虽原备两造；主刑重司命之寄，宜悉折五词。能尽徇与矜恤，亦何惭于明允。今某惟思摘伏，罔念平情。洗垢索瘢，岂有自作之蘖；拔茅连茹，顿加无妄之灾。使犯者果真漏网于刑章，其诉者宁肯隐书于尺纸。尔纵渊鱼之能察，彼诚罗雉之堪怜。仲由之折狱，岂若是斑乎，敢任情而悖法；广汉之钩距，谅非此类也，乃舍本以求末。原其心，未必无私；论其罪，应同故入。"[203]　（依告状鞠狱）

作为判语，判者在这里对判官应具有的"资质"作出了阐述。之所以最后要判决有罪，就在于"被告"人"惟思摘伏，罔念平情"。此种情形，只能导致或纵或冤，既不能致人际和谐，也不足以安定天下。在一起房屋租赁案判决中，判官叶岩峰则显得色厉内荏：

> "陈成之有八、九间祖屋，黄清道已一十年僦居，既托风

---

[202]　《西山先生真文忠公文集》卷三，《直前奏札》。

[203]　（明）佚名著：《新纂四六合律判语》。载郭成伟等整理：《明清公牍秘本五种》，中国政法大学出版社 1999 年版，第 129 页。

雨之拼幞，合分主宾之等级。奈顽夫负义，不偿点印之资，及小仆索逋，竟被殴伤之辱。既弗知投鼠之忌惮，辄敢恃放雕而诈欺。肆逞枝辞，殊无根据。不念身为屋客，有租赁之亲书，及称业属妻家，欲赎回于典物，方且执别产以影射邻界，甚至讼主人而侵占地基，可谓势若倒行。不思业已经久，盖杨氏更立三、四世，难索亡没之契头，如乾道交易八十年，初无受理之条法。显见被论之后，妄为抵拒之辞。君子固难胜小人，客僧反欲为寺主，倘使市井之辈，尽相效陆梁，凡有房廊之家，无不遭攘夺，此何风俗，盍正罪名。既经减降之沾恩，姑与从宽而免断。仰陈成之主持积代祖业，监黄清道填还累月赁钱。如致再词，定逐出屋。"[204]

通读其判语，不难发现，其前面之事实认定及其语言渲染，看去极为严重，但判决结果还是尽量借诸真情，维护主客之间的大体和睦，并进而达致两造可接受的判决。这种判决，尽管有时也"依律"，但对于一位判官而言，他更关注的是如何"入情入理"地"依律"决断。如果不能做到这些，则判官的判断即使与法律相较是中规中矩的，也就无法通过这判决以弥合两造之间因诉讼而导致的嫌隙，即判决不能起到一定的教化功能，从而这判决在情理上也就是失效的。特别在"民事类"的判决中，更是如此。

在清代一起"兄弟争财"的诉讼中，判官陆龙其"不言其产之如何分配，及谁曲谁直，但令兄弟互呼"。其结果是兄弟俩相互呼唤对方名字，"未及五十声，已各泪下沾襟，自愿息讼。"判词则这样写道：

"夫同气同声，莫如兄弟，而乃竟以身外之财产，伤骨肉

---

[204] （宋）幔亭曾孙著：《名公书判清明集》（上），中华书局1987年版，第196页。

之至情，其愚真不可及也。……所有产业，统归兄长管理，弟则助其不及，扶其不足。……"[205]

　　我把这种通过判官的努力，两造在良心上自觉接受的判断过程和法律解释机理，权且称之为通过良心发现、自觉解决问题的"良心裁判"或"良心解释"。前已述及，这种法律解释和裁判方式，在中国有文字记载的历史上，自孔子发其端，中经汉儒们、特别是董仲舒发扬光大，业已成为中国法律解释的一大特色。不论是"春秋决狱"一类的司法性解释，还是《唐律疏议》般的立法解释，在引经据典的解释活动中，甚少见到引用儒家经典之外的其他诸子百家的经典作品来解释法律者。即使对法律和"法治"问题论述最为详尽的商鞅、韩非及其作品，在这些法律解释文献中也鲜见有引证其观点而作为论述和揭示之根据者。其中原因，在于后者强调"循名责实"、"定分止争"，而前者则更加注重"自觉觉人、良心教化"。《唐律疏议》云：

　　　　"……问曰：死罪囚家无期亲，上请，敕许充侍。若逢恩赦，合免死以否？
　　　　答曰：权留养亲，不在赦例，既无‘各’字，止为流人。但死罪上请，敕需留侍，经赦之后，理无杀法，况律无不免之制，即是会赦合原。又，断死之徒，例无输课，虽得留侍，课不合惩，免课沾恩，理用为允。
　　　　又问：死罪是重，流罪是轻。流罪养亲，逢赦不免；死罪留侍，却得会恩。则死刑何得从宽，流坐乃翻为急，轻重不类，义有惑焉。

---

[205]　《陆稼书判牍·兄弟争产之妙判》。参见韩秀桃著：《司法独立与近代中国》，清华大学出版社 2003 年版，第 60 页。

答曰：死罪上请，为听敕裁。流罪侍亲，准律合住。合住者，须依常例；敕裁者，已沐殊恩。岂将恩许之人，比同曹判之色？以此甄异，非为轻重。"[206]

在这里，即使那些在原则上罪大恶极、十恶不赦的人，也能够因为"养亲"之故而得到法律在情理上的恩赦。而在实际的司法判决和司法解释中，更是经常根据具体情形而"平息矛盾"[207]当然，其中原因是明显的，那就是为了维护以血缘家族为基点的社会与政治统治。血缘家族的情感意向不仅是家族内部的，通过以家族为中心的"波纹效应"，事实上一圈一圈地放大到了整个社会，因此，人们业已形成了一种为人处世、决纷解争的模式。这就使得在血缘情感之外，在法律解释中，人们将心比心地关注其他人类交往中基本情感的作用，例如：

"君子明刑折狱，固不废于鞭笞；仁人屈法申恩，则每宽于老稚，盖衰残之可悯，更孱弱以堪怜。惟深禹泣之辜，难入汤罗之密。今某祥非鸾凤，劲比鹰鹯。捶楚肃于秋霜，罔恤二毛之老；锻炼炙于烈火，堪哀五尺之童。宁失杖国杖乡，已余龄之无几；不思舞勺舞象，真乳臭之具存。既违慈敬之盟，徒

---

[206] （唐）长孙无忌等撰：《唐律疏议》，中华书局1983年版，第70—71页。

[207] 笔者认为：案件之判决有两种情形，其一是"平息矛盾"模式，即不论当事人间有何巨大争议，只要设法能使两者放弃争执或者将其争执限缩到最小的范围之内，最终使其矛盾得以平息，并在此基础上解决两者之间"世世修好、永不争讼"的问题。这以中国古典的司法判决、特别是民事判决为典型代表；其二是"判断是非"模式，它不管两造之间因为此案的判决将来会发生什么，只针对当下的案件事实作出是非曲直（谁胜谁负）的决断，从而使模糊的权利义务关系通过判决得以明晰。这就是现代来自西方模式的法律文化给人类的贡献。（参见谢晖：《判断是非与平息矛盾》，载拙著：《象牙塔上放哨》，法律出版社2003年版，第216页以下）。

重旌倪之怨。使会籍之剖符，必不致大钱之送；纵并州之行部，故难骑竹马之迎。坐以常刑，警乎酷吏。"[208]

显然，这是在司法活动和法律解释中对"弱者"的同情和关注。可以想见，怜恤弱者的情感一旦引申为在法律解释和司法活动中的一项原则，则意味着它的普遍性。古人不仅通过法律解释在制裁的层面上体现此种情感原则，而且还在"奖励"的层面上体现此原则。这只要看看《名公书判清明集》中的《孝于亲者当劝不孝于亲者当惩》，《取肝救父》，《割股救母》[209] 等司法判决就不难得见。特别是在唐代陈子昂和柳宗元关于有人为父复仇，官方究竟能否同时既行惩罚、又加奖励的那场争论中，更彰显了这种情理和法律在司法解释活动中的冲突、无奈，以及情理相协调时的蹩脚。柳宗元剖析到：

> "臣伏见天后时，有同州下邽人徐元庆者，父爽为县吏赵师韫所杀，卒能手刃父仇，束身归罪。当时谏臣陈子昂建议，诛之而旌其闾，且请'编之于令，永为国典'。臣窃独过之。
> 臣闻礼之大本，以防乱也。若曰无为贼虐，凡为子者杀无赦。刑之大本，亦以防乱也，若曰无为贼虐，凡为理者杀无赦。其本则合，其用则异，旌与诛莫得而并焉。诛其可旌兹谓滥，渎刑甚矣；旌其可诛兹谓僭，坏礼甚矣。果以是示于天下，传于后代，趋义者不知所向，违害者不知所立，以是为

---

〔208〕（明）佚名著：《新纂四六合律判语》。载郭成伟等整理：《明清公牍秘本五种》，中国政法大学出版社 1999 年版，第 128—129 页。

〔209〕（宋）幔亭曾孙著：《名公书判清明集》（下），中华书局 1987 年版，第 383—385 页。

典，可乎？"[210]

柳氏对陈氏主张的反驳，说明古人早已认识到了这种情理和法理间每每不能兼容的事实。但中国古人却往往要用"不可言说"的情理替代白纸黑字的法律，最终通过人们的良心觉醒，进行既不伤两造和气，又能为其自觉接受的判决和解释。其利其弊，在乎时空，在乎情境，读者可以自决。

二、"实用理性"——法律解释的可接受性

李泽厚在总结中国社会的哲学—文化智慧时，把"实用理性"作为其重要特征，他说：

> "如果说，血缘基础是中国传统思想在根基方面的本原，那么，实用理性便是中国传统思想在自身性格上所具有的特色。……以氏族血缘为社会之纽带，使人际关系（社会伦理和人事实际）异常突出，而长期农业小生产的经验论则是促使这种实用理性能顽强保存的重要原因。……
>
> 就整体说，中国实用理性有其唯物论的某些基本倾向，其中我以为最重要的是他特别执着于历史。历史意识的发达是中国实用理性的重要内容和特征。所以，它重视长远的、系统的角度来客观地考察思索和估量事事物物，而不重眼下的短暂的得失胜负成败利害，这使它区别于各种实用主义。"[211]
>
> "……血缘宗法是中国传统文化心理结构的现实历史基础，而'实用理性'则是这一文化心理结构的主要特征。所

---

[210]（唐）柳宗元：《驳"复仇议"》，载高潮等主编：《中国历代法学文选》，法律出版社1983年版，第423页。

[211] 李泽厚著：《中国古代思想史论》，人民出版社1986年版，第303—304、305页。

谓'实用理性'就是它关注于现实社会生活，不作纯粹抽象的思辨，也不让非理性的情欲横行，事事强调'实用'、'实际'和'实行'，满足于解决问题的经验论的思维水平，主张以理节情的行为模式，对人生世事采取一种既乐观进取又清醒冷静的生活态度。"[212]

李氏的以上论述，为我们关照和理解中国古代法律解释之目的面向的另一面——"实用理性"提供了一种必要的理论前提和学术参照。或者换个角度思考，中国古典的法律解释在实践意义上可以进一步证成李氏的上述结论，尽管更深入的研究对"以理节情"也可能提出疑问、甚至反对。

我们知道，在西方学术史上，法律及其学说，被认为是和"纯粹理性"相对应的"实践理性"。这一区分肇端于康德的《纯粹理性批判》和《实践理性批判》。在法学上，阿列克西运用康德实践理性的一般观点发展出了著名的法律论证理论。阿氏的实践理性被概括为：

"Alexy 对于实践理性的概念则立基于以康德哲学为背景之言说理论。言说理论是一种程序理论，因此言说理论中的理性概念也是程序性之概念。依照言说理论的主张，当一个规范得为某一种特定程序的结果时，此一规范即为正确（richtig）。言说理论的核心概念是理性判断（rationaler urteil），所谓理性判断就是理性之立论（Begründung）或理性之论证（Argumen-tation）。当一个实践言说（praktischer diskurs）能满足实践理性的条件时，我们即可认为此一实践言说是理性的。而这些条件可以组成一个言说规则之体系。在此种观点下，实践理性就

---

[212] 李泽厚著：《中国现代思想史论》，东方出版社 1987 年版，第 320 页。

可以定义为依照这种规则体系而作出的实践判断之能力。"[213]

如此说来，在法律和法学视角下，所谓"实践理性"就是根据法律规则，或以法律规则为前提进行事实判断和逻辑判断的过程、能力等等。就是"根据法律的解释"。尽管在古典的中国，不乏对法律抱以强烈信仰的仁人志士，也不乏以死赴法的循吏良臣，例如彪炳史册的张释之、董宣、包拯、况钟、海瑞等等。但一方面，即使这些守法以信的人，也在法律面前往往抱持着可以"权变"的基本立场；另一方面，对于那些视法律如儿戏一般的官吏们而言，所谓根据法律的解释往往只是一个幌子。《汉书·刑法志》在讨论此问题时说：

> "孔子曰：'古之执法者能省刑，本也；今之执法者不失有罪。末矣。'又曰：'今之听狱者，求所以杀之；古之听狱者，求所以生之。'与其杀不辜，宁失有罪。今之狱吏，上下相驱，以刻为明，深者获功名，平者多后患。……"[214]

也就是这种情形，导致在古代中国，虽然公开颁布的法律在形式上具有某种至高无上的效力，但在实践中，官吏们在公务行为中能够公然背法而行事。甚至得到最高统治者的允诺。在汉代，酷吏杜周和其客人有一段饶有兴味的著名对话：

> "客有让周曰：'君为天子决平，不循三尺法，专以人主意指为狱。狱者固如是乎？'

---

〔213〕 颜厥安著：《法与实践理性》，（台北）允晨文化实业有限公司 1999 年版，第 227—228 页。

〔214〕 （汉）班固著：《汉书·刑法志》。

　　周曰：'三尺安出哉？前主所是著为律，后主所是疏为令。当时为是，何古之法乎！'"[215]

　　这段对话，就典型地表明了官吏们对法律的另种态度。于是乎，法律解释和司法判决也就呈现出别样的特色——在法律之外发现新的"法律"！在这里，有些解释是为了让君主们接受，而有些解释则是为了让卷入纠纷、提起诉讼的两造所接受。在很大程度上，它具有息事宁人的特征。**解释者运用之，不是首先寻求其"真理"，而是追问其是否"实用"，因为在一个熟人社会里，人际交往的基本特点是"抬头不见低头见"。**法律解释就是要使处于熟人关系、或者受熟人关系模式所制导的两造之间的纠纷得以顺利解决，又尽量不伤两造间的和气。其基本的逻辑根据在于：案件之谁胜谁负只是一时之事，而人们的和睦相处则关涉百世之情。

　　"牛大同乃钱居茂之婿，钱孝良乃钱居洪之子，居茂、居洪嘉定六年置立分书，异居析产，已三十年。淳佑二年，大同葬其母于居茂祥禽乡之山，孝良乃称大同伪作居茂遗嘱，强占山地，有词于县。县不直之，再词于府。今官合先论其事理之是非，次考其遗嘱之真伪。照得大同葬所之山，居茂之山也。居茂虽死，其妻汪氏、其子孝忠见存。大同若果是伪作遗嘱，强占山地，汪氏、孝忠诉之可也。今汪氏、孝忠俱无词，而孝良有何干涉，乃指为伪而诉之。此无他，小人无知，因其造坟，疑可为风水，始欲含糊阻挠，继于状词栽埋亲邻取赎之说，惟欲觊觎而攘之。殊不知同分之产，若卖于外人，则亲邻可以吝赎，今大同为居茂之婿，居茂既以遗嘱与之，而汪氏、孝忠俱不以为非，孝良其何词乎？况将遗嘱辨验，委是居茂生

〔215〕　（汉）司马迁著：《史记·酷吏列传》。

前摽拨，与女舍娘充嫁资，其词鄙俚恳切，虽未为当理，却是居茂亲笔书押，与嘉定年间分书比对，出于一手，真正自无可疑。又况居茂、居洪今同分书内该载，极是分晓，居茂得山而不得田，居洪得田而不得山，孝良虽欲觊觎，无一而可。欲连契案贴现，令牛大同凭遗嘱管业，庶几是非别白，予夺分明，乡村小人，各安其分，不致嚣讼，重伤亲谊。"[216]

此案之判决，判官吴恕其将理、情和法巧妙地结合起来，既能充分说理，也能尊重法意，还能照顾人情。当然，其所追求的最终目的还是通过判决实现某种长久的安排："乡村小人，各安其分，不致嚣讼，重伤亲谊。"这种判决结果对两造而言，显然是可接受的，而对乡亲邻里来说，能够通过这种判决维持更为长久且和睦的交往秩序。

当然，通过前述杜周和客人的对话，我们还能体味到另种可能：所谓引情理而入法律，也会导致一些判官翻手为云、覆手为雨的情形出现。特别是通过判例的解释活动，对其后的类似判决如果具有参照作用时，就更容易出现这种情形。对此，史家班固曾深刻地描述道：

"及至孝武即位，外事四夷之功，内盛耳目之好，征发烦数，百姓贫耗，穷民犯法，酷吏击断，奸轨不胜。于是招进张汤、赵禹之属，条定法令，作见知故纵、监临部主之法，缓深故之罪，急纵出之诛。其后奸猾巧法，转相比况，禁罔浸密。律令凡三百五十九章，大辟四百九条，千八百八十二事，死罪决事比万三千四百七十二事。文书盈于几阁，典者不能遍睹。

……或罪同而论异。奸吏因缘为市，所欲活则傅生议，所欲陷则予死比……"〔217〕

唐代名臣魏征曾上书给唐太宗，申明了和上述班固所描述的情形相类似的问题：

"臣闻书曰：'明德慎罚'，'惟刑恤哉！'礼云：'为上易事，为下易知，则刑不烦矣。上人疑则百姓惑，下难知则君长劳矣。'夫上易事，则下易知，君长不劳，百姓不惑。故君有一德，臣无二心，上播忠厚之诚，下竭股肱之力，然后太平之基不坠，'康哉'之脉斯起。当今道被华戎，功高宇宙，无思不服，无远不臻。然言尚于简问，志在与明察，刑赏之用，有所未尽。夫刑赏之本，在乎劝善而惩恶，帝王之所以与天下为画一，不以贵贱亲疏而轻重者也。今之刑赏，未必尽然。或屈伸在乎好恶，或轻重由乎喜怒。遇喜则矜其情于法中，逢怒则求其罪于事外，所好则钻皮出其毛羽，所恶则洗垢求其瘢痕。瘢痕可求，则刑斯滥矣；毛羽可出，则赏因谬矣。刑滥，则小人道长，赏谬，则君子道消。小人之恶不惩，君子之善不劝，而望治安刑措，非所闻也。"〔218〕

这进一步表明了：在古典中国，把情理因素引入法律解释和司法判决中时，并非一蹴而就、顺顺当当，反之，在此情形下，也会经常出现一些问题。对此，即使在古人那里，也已经认识到了这一问题的极其严重性。诚然，把情理因素引入法律解释和司法判决之中时，完全可能收到让身处熟人关系中的两造接受判决的效果，并

---

〔217〕（汉）班固著：《汉书·刑法志》。
〔218〕（唐）吴兢撰：《贞观政要》，上海古籍出版社 1978 年版，第 245 页。

且也可能收到在较长时间内，两造能够因前车之鉴、教化之功而和睦相处的实际效果。但是，其负面作用在于：任何情理，和国家正式法律相比较，只是一种非规范性的存在，因此，它的运用，就很可能给判官们提供一种随意解释、出入人罪的工具或手段。班固以汉代的事实所进行的总结和反思，魏征以隋唐的经历所做的劝戒与警告，已经清楚地表明情理之运用不当、或者恶意地运用情理，可能产生的诸多消极影响。它不仅影响法律秩序，还会在更大规模和更深层次上丧失基本的人间情理。

本来，法律制定的目的，就在于给人们一个确定的交往行为的指南，在中国古代法律中，它不仅倡导、鼓励或禁止人们的日常行为，[219] 而且对于交由国家处理、特别是国民（臣民）请求国家公权机构处理的行为，也是一种必要的规制措施。它一般意味着：公权机构无论如何通过情理变通法律，都应当遵循法律的基本原则和规定，否则，只能收到比没有法律还要糟糕的实际后果。当中国古代的判官们在审理案件中，过度依赖于情理而忘却了法律时，这种"实用理性"，就是过度滥情的实用主义，它只能导致奸吏们因缘为市、上下其手、出入人罪，而普通民众则状告无门、无辜被刑、忍气吞声。所以，不对法律解释中的情理因素加以必须的节制，就不可避免地导致社会秩序的礼崩乐坏、土崩瓦解。当代中国因循古意所导致的因情理而坏法律的种种怪现象，难道不可谓其注脚乎？

但即使如此，这种法律解释仍然可以被归入"实用理性"一途。李泽厚之论"实用理性"，乃是将其放在整个中国文化和精神的宏观层面而立论的。既如之，则中国人生活的利弊得失皆可在此

---

[219] 应说明的是，随着权利规范的日趋重要，在现代法律中，除了如上三种调整方式外，还有"放任"这种法律的调整方式。在一定意义上讲，"放任"是当今法律的主要调整方式（参见谢晖：《论法律调整》，载《山东大学学报》2003 年第 5 期，第 131—139 页）。

种"公共精神"中寻得端倪。故其成也"实用理性"、其败也"实用理性"。

西汉以来，董仲舒等巨儒名宿承继孔子礼教遗训，不但强调"春秋决狱"，而且身体力行之。对此，程树德这样评价道：

> "汉时去古未远，论事者多传以经义。《食货志》公孙弘以春秋之义绳天下，取汉相。……按汉时大臣，最重经术，武帝且诏太子受《公羊春秋》。《盐铁论》为春秋之治狱，论心定罪，志善而违于法者免，志恶而合于法者诛。故其治狱，时有出于律之外者。古意纷纶，迥异俗吏，固不独董仲舒如是也。……"[220]

程氏钩稽古典群籍，对包括董仲舒在内的汉代官吏引经决狱的案例做了整理汇集。[221] 从中可见，如果说孔子开审判活动中讲求"实用理性"之先河的话，那么，汉儒们通过反思秦朝"二世而亡"的教训，总结汉初"清静无为、与民生息"的黄老之术，深感到前者之过分积极，而后者之过分消极，于是，在这两者——其实是在法家思想和道家思想之外，选取了"第三条道路"，即以儒家思想为治世之宗旨的道路。可以说，自此以后，中国法律解释走上前述"实用理性"之路，追求在法律运用中人们的可接受性，就是完全可以理解的——因为儒家理想就是因人情而理天下，或者说其所谓天理、国法，无外乎人情。

至于这种情形所导致的中国古典法律解释的利弊，则完全得另当别论。因为任何一种决策，任何一种治国策略，都需要以某种代价来换取。期望不付出一定代价而得到一劳永逸的治术，那只是空

---

〔220〕　程树德著：《九朝律考》，商务印书馆 1934 年版，第 163 页。

〔221〕　程树德著：《九朝律考》，商务印书馆 1934 年版，第 164—177 页。

想家们的苦思冥想。这种以"实用理性"为特征的法律解释，在事实上维系了一个封闭的农业社会人心的统一和礼教的贯彻，从而也导致了古典法律秩序的产生和存在。不论如何，我们至今依然在承受着这份遗产，在法律活动中规范着我们的行为选择、致思趋向和情感所指。因此，认真回思之，笔者深感百味咸集、酸甜苦辣莫辨……

三、"妥协意向"——法律解释中的实践互动

如果说"情理交融"和"实用理性"分别在具体内容和直接目的两个方面表现着中国古代法律解释的目标取向的话，那么，它的具体实现，必须依赖主体的参与才有可能。任何法律，都不是为孤立的个人而设定的；同样，任何法律活动，都是为着某种公共参与以及和公共参与相关的实践事务而展开的。立法活动是为了设定公共交往的规范逻辑框架；行政活动是为了督导公共交往之规范逻辑框架得以落实；而司法活动则是当这种公共交往的规范逻辑框架遭遇障碍时，法律所规定的一种正式救济措施。在这一过程中，法律解释活动无处不在。因而有所谓立法解释、行政解释和司法解释的划界。

就中国古典法律解释而言，可以认为皇帝在法律之外所做的令、诏、制等等都既是立法活动，也是立法解释。代表皇权对法律专门所做的解释——如《唐律疏议》，也属于立法解释。由行政机构依法发布的有关文告其实皆可归于行政解释范畴。而由"司法机关"或者在司法活动中所作出的典型判例、特别是那些在以后的司法活动中能够作为"比"而存在的判例，就属于司法解释的范畴。因此，即使在古代中国社会，只要有法律，就有对法律的解释。法律在彼时就依赖解释而实现。

自表面看来，如上法律解释活动，皆为国家有权机构所作出的"独断解释"，因此，它不需要任何意义上的妥协。但在我看来，

这种理解是很成问题的。因为**凡是法律秩序，皆为人们妥协的结果。哪里有妥协，哪里就有法律秩序，否则，便没有法律秩序。**

正是在这种意义上，中国古代的立法活动和立法解释，毫无疑问，主要反映着一种妥协理念。通过《贞观政要》中唐代君臣们的以下对话，我们似乎不难发现他们对此种妥协理念的高度重视：

> "贞观初，太宗谓侍臣曰：'为君之道，必须先存百姓，若损百姓以奉其身，犹割股以啖腹，腹饱而身毙。若安天下，必须先正其身，未有身正而影曲，上治而下乱者。朕每思伤其身者不在外物，皆由嗜欲以成其祸。若耽嗜滋味，玩悦声色，所欲既多，所损亦大，既妨政事，又扰生民。且复出一非理之言，万姓为之解体，怨仇既作，离叛亦兴。朕每思此，不敢纵逸。'谏议大夫魏征对曰：'古者圣哲之主，皆亦近取诸身，故能远体诸物。惜楚聘詹何，问其治国之要。詹何对以修身之术。楚王又问治国何如？詹何曰：'未闻身治而国乱者。'陛下所明，实同古义。'"

> "贞观二年，太宗谓侍臣曰：'朕谓乱离之后，风俗难移，比观百姓渐知廉耻，官民奉法，盗贼日稀，故知人无常俗，但政有治乱耳。是以为国之道，必须抚之以仁义，示之以威信，因人之心，去其苛刻，不作异端，自然安静。……'"[222]

这种议论，显然是在残酷的战争离乱之后，期望天下大治的唐朝君臣们与百姓寻求妥协的意思表示。早在先秦时期，《诗经》就强调统治者"宜民宜人，受禄于天"。而荀况则深刻地指出了"民为水、君为舟，水可载舟，亦可覆舟"[223] 的千古至理。这种理念

---

〔222〕（唐）吴兢撰：《贞观政要》，上海古籍出版社1978年版，第1、149页。
〔223〕《荀子·王制》。

在后世的统治者那里，常常被有作为的帝王们所汲取，成为治国理政的基本训条。在汉代，所谓"清静无为、与民休息"的黄老之术，就是取得胜利的统治者与百姓之间的一种妥协措施。董仲舒倡导、汉武帝实施的"罢黜百家、独尊儒术"事实上也是在纷繁多样、各执一端的先秦学术思潮中选取了一家以倡导中庸、强调妥协为主的学术思潮，就董氏自身而言，则是把王道教化、霸道技术以及阴阳五行等杂而论之的一位学者和政治家。唐太宗君臣们的上述严肃对话，也体现了刚刚取得政权的统治者们寻求和百姓间妥协的愿望和要求……此种要求，反映在法律上，就是立法活动尽量能够贴近民众的愿望，既实现统治秩序，也实现安居乐业。

既然法律是一种妥协措施，那么，一般说来，法律解释活动便皆围绕着它所赖以建立的社会事实基础而进行。因此，法律解释中对于妥协意向的贯彻就是一个基本原则。

然而，在中国古典的法律解释活动中，对于妥协原则的贯彻，还有所不同。其表现在于：在这里，法律解释中妥协原则的贯彻和落实，有时候是以法律为基准的，有时候却并非以法律为基准。一般说来，立法解释更多地尊重法律，强调法律之基准作用（但不尽然）；而"司法解释"则往往首先重视的是情理的作用（以情理为基准），而往往不是以法律为基准。先看立法解释：

"大唐皇帝以上圣凝图，英声嗣武，润春云于品物，缓秋官于黎庶。今之典宪，前圣规模，章程靡失，鸿纤备举，而行宪之司执行殊异：大理当其死坐，刑部处以流刑；一州断以徒年，一县将为杖罚。不有解释，触涂睽误。皇帝彝宪在怀，纳隍兴轸。德礼为政教之本，刑罚为政教之用，犹昏晓阳秋相须而成者也。是以降纶言于台铉，挥折简于髦彦，爰造律疏，大明典式，远则皇王妙旨，近则萧、贾遗文，沿波讨源，自枝穷叶，甄表宽大，裁成简久。辟权衡之知轻重，若规矩之得方圆。迈彼三章，同符画一者矣。"[224]

　　这段文字，既表明了法律解释的原因和宗旨，也明示了法律解释中的"怀柔"和妥协意向："润春云于品物，缓秋官于黎庶"；"甄表宽大，裁成简久"等等都是此种意向的明确表达。所以，立法解释以"法律为根据"，直接将妥协意向、"怀柔"之情抛向了社会。再来看"司法解释"：

　　"甲夫乙将船，会海风盛，船没逆流死亡，不得葬。四月，甲某丙即嫁甲，欲皆何论。或曰，甲夫死未葬，法无许嫁，以私为人妻，当弃市。议曰：臣愚以为春秋之意，言夫人归于齐，言夫死无男，有更嫁之道也。妇人无专制擅恣之行，听从为顺，嫁之者归也，甲又尊者所嫁，无淫行之心，非私为人妻也。明于决事，皆无罪名，不当坐。"

　　"时清河赵腾上言灾变，讥刺朝政，章下有司，收腾击考，所引党辈八十余人，皆以诽谤，当伏重法。皓上疏谏曰：臣闻春秋采善书恶，腾等虽干上犯法，所言本欲尽忠正谏，如当诛戮，天下杜口。帝乃悟，减腾死罪一等，余皆司寇。"[225]

　　如上两则故事，皆为"春秋决狱"故事，判者按春秋之义，尽量以"情理"，而非法律引出妥协效果。尽管在其他"引经决狱"的个案中，也有以"春秋之义"而强调入罪者，但引春秋而决狱本身是要将温情脉脉的道德原则引入司法的说理过程中，从而让本身生活在这种血缘道德世界中的人们更能够接受之。因此，**与其说"春秋决狱"是判者们向儒家经典的俯首称臣，不如说是他**

[224]　（唐）长孙无忌著：《唐律疏议》，中华书局 1983 年版，第 3 页。
[225]　程树德著：《九朝律考》，商务印书馆 1934 年版，第 164—165、169 页。

们向民俗的妥协，或者是向民众日常生活方式的妥协。我们继续看下面的处理或判例：

> "鸿胪寺中土蕃使人素知物情，慕此处绫锦及弓箭等物，请市，未知可否。
>
> 一人有庆，四海无虞。万国于是星驰，八方由其雾凑。乌孙合种，咸雁集于鸿胪，犬族振群，并蜂归于蛮邸。眷彼茅宇，开此薰街，即崇三揖之仪，爰设九宾之礼。只如土蕃使者，实曰酋豪，蒙逊沮渠之苗，秃发乌孤之族。占风入谒，越驼岭而输诚，就日来朝，隔驴山而纳款。观鹤绫之绚烂，彩映冰霜，睹凤锦之纷萰，光含日月。弯弧六合，犀角麋筋，劲箭三同，星流电激。听其市取，实可威于远夷，任以私收，不足损于中国，宜其顺性，勿阻蕃情。"[226]
>
> "民有居室，乃世业之相传；国有输征，由版籍之是贡。物各有主，岂应盗卖于官豪；经界既正，焉得移丘而换假。今某不顾王法有惩，肆意欺公而利己；安知天宪无私，更乱禹甸之旧规。版籍徒存于府库，产业已入于豪家。强者兼并，安措宋家之墙。富者多取，有乖孟氏之书。奸既同于曹吕，法宜警于将来。"[227]（盗卖田宅）
>
> "听讼之法，公则平，私则偏。所谓私者，非必惟货惟来也，止缘愆疾多而哀矜少，则此心私矣，所以不能作平等观。韩应之、韩阅，均许氏之子也。韩应之妻子之情深，则子之母爱衰。若韩阅则所谓阿奴常在目前者也。母爱小子，恨不衰长

---

[226] （唐）张鷟著：《龙筋凤髓判》，田涛等校注，中国政法大学出版社1996年版，第60页。

[227] （明）佚名撰：《新纂四六合律判语》，载郭成伟等点校整理：《明清公牍秘本五种》，中国政法大学出版社1999年版，第85页。

益少，韩应之乃不能胜，乃挟阿奴自刭之事以操持之，欲胜弟，是欲胜母也。应之自有罪，然挟母诉兄，谁实先之。为政者但见诬论可恶，锻炼使服，而不知此三人者，母子也，兄弟也，天伦也，奈何而不平心邪？当是之时，兄为官司所囚禁，虽欲哀告其母，拊循其弟，而其辞不得以自致，母与弟又自有哗徒主持，虽欲少贷其子，少全其兄，而其事不得以自由。外证愈急，而狱辞愈刻以深，于是不孝诬告之罪，上闻于省部矣。若使信凭断下，应之死则死矣，许氏杀子，韩闶杀兄，以刃与讼，有以异乎？许氏何以为怀，韩闶又何以自全于天地间。幸而疏驳，当职遂得以选择好同官，俾之引上三人，作一处审问，然后母子得以相告语，兄弟得以相勉谕，而哗徒不得以间隔于期间，融融怡怡，幡然如初，为政者先风化，刑杀云乎哉！财产乃其交争祸根，今已对定。若论韩应之、韩闶之罪，则应之难竟坐以不孝之罪，然亦有不友之罪，若韩闶则亦难免不悌之罪矣，然皆非本心也。最是前申谓应之不合谓其母不是我娘，欲坐以极典，但未审小弁之怨，孟子反以为亲亲，此一段公案又合如阿断。今以应之、闶各能悔过，均可置之不问。但应之以阿奴自刭资给诬告一节，终难全恕。既全其天伦，合去其人伪，申省取自指挥，所有二据先照给。"[228]

以上判词，不论是针对诉讼所引起的还是针对日常行政工作所引起的，皆以寻求通过如何妥善地、长远地处理当下所存在的纠纷问题，以最终达到人们和谐相处为目的，从而要么追求"威于远

---

[228] （宋）幔亭曾孙著：《名公书判清明集》（下），中华书局 1987 年版，第 361—362 页。类似判决，在该书及《徐公谳词》、《盟水斋存牍》、《鹿州公案》等古代判书中俯拾皆是。限于篇幅，这里只能引述如上个别案例。有兴趣的读者不妨直接看看上面提到的作品。

夷"的效果；要么追求"警于将来"的目的；要么强调"全其天伦"、"去其人伪"的功能。总而言之，通过判词的解释，或者使得国家与民众之间、或者使得两造之间，尽量在一定的妥协中实现其关系的和谐，而不是加剧其间关系之紧张。在两造关系中，除了一些其中双方胜负明显可见、即使常人也可判断出孰胜孰负的案件外，稍微复杂或疑难的案件，以及几乎所有涉及人伦风化的案件，其判决结果每每是假道义的修饰，借情理之装潢，求妥协的结果。因此，案件中的眼前是非似乎可以看轻，而判决后的长远效果绝不能不计。于是，判官们想方设法寻求两造间的妥协，就是其在判断案件中肩负的重要使命。为此，甚至不惜采取严词恐吓、装神弄鬼等极端方式。当然也有通过好言相劝、寓教于行的和缓方式来使两造息讼罢争者（如前章所引"兄弟争田"案的判决）。

可见，在中国法律解释传统中，即使针对个案的法律解释目的，并不是寻求个案中的"真理"，不是为了寻求所谓是非分明，而是为了通过引入情理的妥协来平息矛盾。判官既作为"法官"，又作为"行政官"，所要解决的问题不仅是两造之间在当下案件中的是非曲直，同时也要解决在其任上该案解决后的长远效果，如能否通过该案的解决长久地风化民情，起到对辖区内人们行为的示范作用？能否通过对案件的判决取得人们对判官本人在任时政绩的更高评价？能否通过判决久远地安定地方秩序？等等。因此，司法解释的目的不仅仅是为了司法的目的，而且是为了更为长远的、广泛的行政的目的。

论者皆以为，这种通过判决的"司法解释"、甚至整个古典中国的法律解释和其"德主刑辅"、"明德慎罚"的法律文化传统有关，这固然不错。但在此外，还有其他法文化和政治文化之原因在焉，这就是在古代中国的政体结构中，没有明确的权力分工，立法、司法、行政三位一体，不论在中央的皇权，还是在地方的"父母官"，所肩负的任务，主要是行政事务。司法活动只是其行政事务中的一种方式或环节。这就使得对"判官"们而言，任何一次司法活动，都会有行政问题的顾虑；或者在行政活动中，也有"司法"问题之关切。唯其如此，才有在实践层面上立法、司法和行政的不分（特别是后两者）。可以想见，在一个权力不分的政权或衙门体系中，作为"判官"的行政官不可能专注于司法自身的事务，因之，也就不可能把个案的是非曲直当作一个顶顶重要的问题来看待。也不会关注司法中可能存在的和行政问题明显区别的知识形态，除非这一是非曲直能直接关系其行政事务的整体问题。此种情形，诚如汪辉祖所言：

> "司牧之道，教养兼资。夫人而知之，知之而能行者盖鲜，不朘民以生养之源也，不朘民以生养之源也，教则非止条告号令具文而已，有其实焉，其在听讼乎？使两造皆明义理，安得有讼？讼之起，必有一暗于事者持之，不得不受成于官，官为明白剖析，是非判，意气平矣。顾听讼者，往往乐居内衙，而不乐升大堂。盖内衙简略，可以起止自如，大堂则终日危坐，非正衣冠、尊瞻视不可，且不可以中局而止，形劳势苦，诸多未便。不知内衙听讼，止能平两造之争，无以耸旁观之听。大堂则堂以下，伫立而观者，不下数百人，止判一事，而事相类者，为是为非，皆可引申而旁达焉。未讼者可戒，已讼者可息。故挞一人，须反复开导，令晓然于受挞之故，则未受挞者，潜感默化。纵所断之狱，未必事事适惬人隐，亦既共见共闻，可无贝锦蝇玷之虞。且讼之为事大，概不离乎伦常日用，即断讼以申孝友睦姻之义，其为言易入，其为教易周。……"[229]

---

[229] （清）王辉祖著：《学治臆说》，载郭成伟主编：《官箴书点评与官箴文化研究》，中国法制出版社 2000 年版，第 204 页。

总之，中国古代的法律解释，在总体上贯彻了或者尽量在贯彻着儒家"和为贵"的精神。在这其中，尽管不乏因为官员素质良莠不齐，不同时代治道明暗不一所导致的在事实上法律解释的差异，但其总的精神宗旨是要在官民之间、两造之间寻求一种"和为贵"的妥协立场。这一立场，当然是为了实现一种更好的统治目的，但也连带地产生了古典式的"亲民"效果。此可谓"主观为自己、客观为他人"乎？

四、"视域融合"——法律解释下人们的交往秩序

加达默尔在其哲学解释学中曾提出了一个重要概念："视域交融"。这是他为了进一步解释和阐明其"效果历史"一词时得出的一个概念。关于后者，他是这样论述的：

> "一种真正的历史思维必须同时想到它自己的历史性。只有这样，它才不会追求某个历史对象（历史对象乃是我们不断研究的对象）的幽灵，而将学会在对象中认识它自己的他者，并因而认识自己和他者。真正的历史对象根本就不是对象，而是自己和他者的统一体，或一种关系，在这种关系中同时存在着历史的实在以及历史理解的实在。一种名副其实的诠释学必须在理解本身中显示历史的实在性。因此，我就把所需要的这样一种东西称之为'效果历史'。理解按其本性来讲乃是一种效果历史事件。
>
> 理解一种传统无疑需要一种历史视域。但这并不是说，我们是靠把自身置入一种历史处境而获得这种视域的。情况正相反，我们为了能这样把自身置于一种处境里，我们总是必须已经具有一种视域。因为什么叫做自身置入呢？无疑，这不只是丢弃自己。当然，就我们必须真正设想其他处境而言，这种丢

弃是必要的。但是，我们必须也把自身一起带到这个其他的处境中。只有这样，才实现了自我置入的意义。

理解其实总是这样一些被误认为是独自存在的视域的融合过程。"[230]

作为理解和解释投向应用的必要过程，"视域交融"颇能说明古典中国法律解释中的一些问题。尽管按照塞尔尼茨克的标准，古典中国的法律是所谓"压制法"无疑。[231] 同时，在那里，似乎不存在交涉性的法律解释活动。但其实不然。在我看来，正如前文中业已论述的那样，一种能够运行数千年之久，影响了几乎整个东亚大陆的文明，仅仅靠压制，不论是何种意义上的，都不能取得如此大的实际效果。事实上，该文明本身是在不断地与其内的各种思潮和其外的各种文明在妥协过程中才渐渐成长为参天大树的。

就其内在的妥协而言，古典中国源远流长的经典解释史，就是作为古典的流传物（文献）和作为继受者的解释者之间妥协的历史。没有妥协，就没有解释。在法律解释方面，尽管因为政治的因素，历朝历代的法律各有自身文本，并未完全照搬。但进入人们解释视野中的法律并不仅仅是当下的，人们常常以前朝的、甚至更远古的法律规定或者法律传说为根据，进行法律解释。如果没有一种妥协精神，那么，这种"发思古之幽情"的解释传统之形成就难以想象。法律史——法律解释史就是在这种继受和妥协中延续的。

就其外在的妥协而言，我们知道，尽管中国文化是以汉文化为核心而发展壮大的，但汉族以及汉文化自身正如有学者所言，是一

---

[230] ［德］伽达默尔著：《真理与方法》（上卷），洪汉鼎译，上海译文出版社1999年版，第384—385、391、393页。

[231] 诺氏和塞氏将人类法律的发展归纳为三种，即压制性法、自治性法和回应性法其中前者主要存在于前资本主义社会。参见氏著：《转变中的法律与社会》，张志铭译，中国政法大学出版社1994年版。

个滚雪球般的形成过程。[232] 且不说今天的汉族已经融合了历史上众多的民族的血统，只就汉文化自身而言，佛教文化的东传以及其与儒家、道家文化的在一定意义上的结合，就典型地表明了汉文化的这种对外妥协过程。今天中国文化与东渐而来的西洋文化的结合过程，正在现实地见证着这种文化（当然也包括其法律文化，事实上，法律文化在这一过程中恐怕是变异最大、妥协最显的领域之一）之固有的妥协、中庸传统。

那么，妥协是什么？如果用"效果历史"或"视域交融"这样的词汇来表示，**它就是体现在理解和解释中的"视域交融"。因为任何交融，都无所例外地是妥协过程：法律解释者对法律文本的解释，就是法律的作者、法律文本和解释者的"视域交融"——意义妥协过程。没有妥协，就无法真正达到法律解释中的"视域交融"，也就无法真正理解法律。**例如：

> "臣闻虞帝聪明，始恤刑而御物；汉高豁达，先约法以临人。盖此丹书辅于皇极，礼之失则刑之得，作于凉而弊于贪，百王之损益相因，四海之准绳斯在。如御勒之持逸驾，犹郭郭置域群居，有国有家，其来尚矣。伏惟皇帝陛下宝图攸属，骏命是膺，象日之明，流祥光于有截；继天而王，垂洪覆于无疆。乃圣乃神，克明克类。河图、八卦，惟上德以潜符；洛书、九章，谅至仁而默感。哀矜在念，钦恤为怀。网欲自密而疏，文务从微而显。乃诏执事，明启刑书，俾自我朝，弥隆大典。贵体时之宽简，使率土以遵行，国有常科，吏无敢侮。"[233]

---

〔232〕 参见徐杰舜主编：《雪球——汉民族的人类学分析》，上海人民出版社 1999 年版。

〔233〕 （宋）窦仪：《进刑统表》，载窦仪等撰：《宋刑统》，中华书局 1984 年版，第 5 页。

　　尽管文中不乏歌功颂德、溜须拍马之词，但其所表达的基本意向不是以刻为本，而是强调绍天德而恤刑罚；强调帝王率先垂范，"哀矜在念，钦恤为怀"。显然，这是帝王及其法律解释者们将其视域投注于一定历史情境中的必然结果。或者就是帝王及其法律解释者与一定历史情境之间的"视域融合"。这种历史情景，也是其所解释和关注的"文本"。

　　清代刘衡在和客人问答时曾这样讲述道：

　　　　"或问：图治，以何者为先？曰：天下之患在忿，民贫无以为生，则轻犯法。吾儒身列仕籍，有牧民之责。道在恤民贫而已，能恤民贫，使无犯法，则治矣。

　　　　或问：何以恤贫民？但谨握《周礼》'保富'二字而已。盖富民者，地方之元气也。邑有富民，则贫民资以为生。邑富民多，便省却官长恤贫一半心力，故保富所以恤贫也。"[234]

　　如果说之前所引文字是皇帝及其法律解释者对待其时代情境的态度，从而和其时代情境的"视域融合"的话，那么，这里所引文字，则是一个地方官吏对于治理一方百姓的基本理念。它表明：不论古代中国官员们的实际行动如何，但在其治理理念上，充分彰显着一种妥协或者"服务"的精神。这种妥协既在造富于民，也在求"使无犯法"，实现大治。

　　清代名幕，后来又入官籍的汪辉祖则详尽阐述过相关问题，兹引述数则如下：

　　　　"余言佐治，以尽心为本，况身亲为治乎？心之不尽，治

─────────────────

[234]　（清）刘衡著：《读律心得》，载郭成伟主编：《官箴书点评与官箴文化研究》，中国法制出版社 2000 年版，第 263 页。

于何有？第其难，视佐治尤甚。盖佐治者，就事论事，尽心于应办之事，即可无负所司。为治者，名为知县、知州，须周一县、一州而知之。有一未知，虽欲尽心，而不能受其治者。称曰父母官，其于百姓之事，非如父母之计儿女，曲折周到，终为负官，终为负心。"（《尽心》）

"官与民疏，士与民近；民之信官，不若信士。朝廷之法纪不能尽晓于民，而士易解析，谕之于士，使转谕于民，则道易明，而教易行。境有良士，所以辅官宣化也。……吏役之言，不足为据。博采周谘，惟士是赖，故礼士为行政要务。"（《礼士》）

"人情尚俗，各处不同，入国问禁，为吏亦然。初到官时，不可师心判事，盖所判不协舆情，即滋议论，持之于后，用力较难。每听一事，须于堂下稠人广众中，择傅老成数人，体问风俗，然后折衷剖断，自然情法兼到。一日解一事，百日可解百事，不数月诸事了然。不惟理事中肯，亦令下如流水矣。"（《初任须体问风俗》）

"长民者，不患民之不尊，而患民之不亲，尊由畏法，亲则感恩。欲民之服教，非亲不可。亲民之道，全在体恤民隐，惜民之力，节民之财，遇之以诚，示之以信，不觉官之可畏，而觉官之可感，斯有官民一体之象矣。民有求于官，官无不应；官有劳于民，民无不承。不然，事急而使之，必有不应者。往往壤地相连，同一公事，而彼能立济，此卒无成，曰民实无良，岂民之无良哉？亲与不亲之分殊也，官事缓急何常，故治以亲民为要。"（《治以亲民为要》）

"勤于听讼，善已，然有不必过分皂白，可归和睦者，则莫如亲友之调处。盖听断以法，而调处以情；法则泾渭不可不分，情则是非不妨稍借；理直者既通亲友之情，义曲者可免公庭之法，调人之所以设于《周官》也。或自矜明察，不准息

销，似非安人之道。"[235]（《断案不如息案》）

以上所论，清楚地表明在中国古代社会中人们对寻求官与士、官与民之间妥协相处的良好愿望，也表明在法律解释、法律行为和治理技术中一种类似于"视域交融"的观念的存在。诚如所言，一切治理、一切法律解释，只有在实践中获得了民众的支持和接受，才能真正取得统治和治理的实际效果。否则，所谓治理，只能是单向度的号令，而无法令民众接受。

由此种事实，可进一步印证者在于：古典法律解释中的"视域交融"，不仅仅是在解释者和被解释对象——法律文本之间产生的，而且在"司法解释"中，同时也是在、甚至更是在两造以及其他案件参与者之间发生的。进一步剖析，此种情形，不惟在古代法律解释中存在，在近、现代的法律解释、特别是司法解释中照例存在。其原因何在？这需要从法律以及司法活动的过程和性质出发来解读。

事实上，任何法律活动，不论立法、司法还是行政，都无可避免地是"穿行于事实和法律之间"的过程，于是，解释者面对的文本，不仅仅是法律，而且还有事实。在立法解释中，对法律的解释，似乎只是释明法律规范的内涵，而不涉及相关事实问题，其实不尽然。因为立法本身是将事实的规定性提升为法律的规范，因此，对规范的解释就合成为对规范和事实的共同解释。至于行政解释和司法解释，本身是把具体的事实贯彻到法律之规定中去的解释，因此，其更能体现这种"在事实和法律中穿行"的特点。

既然法律解释乃是"穿行于事实和法律中"的过程，那么，中国古典法律解释中的妥协意向和"视域交融"，自不可避免地既

---

[235]　（清）汪辉祖著：《学治臆说》，载郭成伟主编：《官箴书点评与官箴文化研究》，中国法制出版社 2000 年版，第 193、202、203、204、207 页。

要涉及解释者和法律文本及其立法者的"视域交融",也要涉及解释者和法律事实及其关系人(两造等)间的"视域交融",因此,这是一个多向度和立体型的妥协、交涉、交融过程。故也是一个复杂的理解和解释过程。

在古典的中国,这一解释过程绝不仅仅意味着一种法律的设立,在司法活动中,也绝不意味着对事实的解读、对法律的适用,并在此基础上对两造是非曲直的判断(尽管这也很重要),它所要追求的更长远的意旨,乃是通过法律解释,形成长远的治理秩序,因此,不论前述妥协也罢、"视域交融"也罢,都是为了当下及今后的秩序这一"历史效果"。在所谓"暴秦"时代的法律解释中,我们仍然可以清楚看到那种通过法律解释对合理秩序进行安排的情形:

> "夫盗千钱,妻所匿三百,可(何)以论妻?妻智(知)夫盗而匿之,当以三百论为盗;不智(知),为收。"
>
> "甲告乙盗牛若贼伤人,今乙不盗牛、不伤人,问甲可(何)论?端为,为诬人;不端,为告不审。"[236]

在这里,不难发现两千年前的解释者们是如何将自身对法律的理解融入到"律意"和相关的事实中去的;也不难发现因此种交融形成的在法律解释下的秩序。进一步讲,这种情形,即使到了当今迈向民主的时代,我们仍然在践行着!

在清末,魏息圆就曾编辑了一本《不用刑审判书》,[237] 公开地宣传在审判过程中可以将法律(刑)置之度外。虽然他在书中强调了推理在判案中的作用,但其更多地仍然是坚守道德在判案中

---

[236] 《睡虎地秦墓竹简》,文物出版社 1978 年版,第 157、169 页。

[237] 该书由商务印书馆 1907 年代印出版。

的至上作用。因此，古代的判官们往往"事完令原被跪齐，将本案是非利害及定断情由晓谕一番，以免翻控，以儆将来，或推广论，指点劝诫。"[238] 在此也不难进一步得出如下结论——所谓"情理交融"，每每就是法律解释者、两造等和法律间的"视域交融"。

为了此"视域交融"，判官们甚至每每不是在当下的法律中，而是在某种典型的历史传统或历史事件中寻求判决的根据。这样，法律解释就不仅沟通着当下的理解，而且进一步沟通着古今的"和谐"。清代陆以湉在其《冷庐杂识》中，记述了袁枚和汪辉祖所断的两起案件，并以之说明听讼者应当有博古通今的本事。所谓博古通今，事实上仍然是要通过在判案过程中的法律解释，在古今资料中寻找被两造所能接受的例证作为判决根据，在说理上真正做到案件的判决能明情讲理，在效果上做到使民服膺，使治开明。以便上下沟通、"视域交融"、平息纠纷、构造秩序。兹录如下，以作本章结：

> "袁随园宰江宁，城中韩姓女，为风吹至铜井村，离城九十里。村氓次日送女还家。女已嫁东城李秀才子，李疑风无吹人九十里之理，必有奸约，控官退婚。袁晓之曰：'古有风吹女子至六千里者，汝知之乎？'李不信。取元郝文忠公《陵川集》示之，曰：'郝公一代忠臣，岂肯作诳语者，第当年风吹吴门女，竟嫁宰相。恐汝子无福耳。'李读诗，大喜。两家婚配如初。是知听讼者当博古也。
>
> 汪龙庄大令，官湖南时，宜章县寡妇郑宋氏无子，欲继亲侄郑观。族人谓观无兄弟，且父死，不宜后他人。宋诉县及州。越四年，诉本道，发汪关讯。汪曰：'观宜嗣宋无疑。孀

---

〔238〕　参见韩秀桃著：《司法独立与近代中国》，清华大学出版社 2003 年版，第 60 页。

妇立继，听其自择；昭穆相当，独子勿禁。传曰：已孤不为人后，谓不受命于所生父也。今例得出继，天子命之矣，又何讯焉！'因止宜章，不传两造，援例详结。是知听讼者当通今也。"[239]

[239] （清）陆以湉著：《冷庐杂识》（卷五），转引自华东政法学院语文教研室编：《明清案狱故事选》，群众出版社 1983 年版，第 156 页。

第六章　中国古典法律解释的方法智慧

——关注解释的合法性

"工欲善其事，必先利其器。"法律及其解释作为一种具有广泛实用性的活动，需要一系列方法做指导。在源远流长的中国古典法律解释活动中，业已孕育出了诸多法律解释方法，其中有些和近、现代通行的法律解释方法相去不远，如对法律的历史解释，就和萨维尼所言的"历史解释"以及"历史的处理方式"在实质路向上相差无几。[240] 明人王明德就特别关心读律的方法问题，并提出所谓"读律八法"，这可说是法律理解和解释的高度的方法论抽象。这"八法"分别是："扼要"、"提纲"、"寻源"、"互参"、"知别"、"衡心"、"集义"、"无我"。[241] 这些方法，既可谓是通向法律意义的门径，也可谓是获得法律"真理"的捷径（尽管其"无我"说在当代哲学诠释学所谓"前见"理论看来，几乎是难以成立的。同时，王明德在这里论述的仅仅是读律的方法，至于在司

---

[240] 萨维尼是公认的近代法学方法论和法律解释学的奠基人。在其法律解释学说中，他认为可以用解释、历史以及体系这样三种处理方式来处理实定法。法律的解释涉及三个因素，即逻辑、文法和历史。其中历史因素是要解决法律发生时的状态；而"历史的处理方式"则从法律发展的持续的历史进程中来理解和把握法律。这一学说主要表现在其《法学方法论讲义》中（参见陈爱娥：《萨维尼——历史法学派与近代法学方法论的创始者》，载"法律思想网"之"雅典学园"，2004. 4. 6 日访问）。我国古典法律解释中的"历史解释"，也分为两种：其一是对法律制定的历史情境的说明（类似于萨氏之"历史要素"）；其二是从历史发展脉络来说明法律发展的沿革（类似于萨氏所谓"历史的处理方式"）。

[241] （明）王明德撰：《读律佩觿》，法律出版社 2001 年版，第 1—9 页。

法活动中面对事实和法律时如何品读之，显然是其在该书中所未关注者）。特别是明清律学家们在读律中对"律母"、"律眼"的总结，更和纯粹法学把眼力投注于法律之内在问题相去无远。那么，中国古典法律解释的方法智慧表现何在？

一、独断体解释——法律解释的"适格"问题

在前文中，笔者已经谈到了"独断型诠释学"和"探究型诠释学"这样两种具有深刻方法论旨趣的诠释学类型。这在中国古代的解释实践中也曾不断得以再现。尽管古代中国是一个文献在不断的解释中得以成长的国家，但这种解释过程并非亦步亦趋的"我注六经"，而常常是意义创生的"六经注我"。周裕锴对这种解释现象作出了"通史"式的描述。例如，他对先秦诸子的"论道辩名"的解释方式总结了六点，并和当代诠释学理论相对证，即"循名责实：指称与世界；知者不言：真理与体验；尽言尽意：形上等级制；以意逆志：意图的重建；知言知人：理解的循环；见仁见知：象喻性文本。"[242] 也许把古代中国的解释活动与当代西方诠释学、符号学概念进行这种简单的比附总有不当，但它至少可以说明"探究型诠释"在古典中国的存在及其方式。就法律和法学而言，以法学思想和法学世界观方式存在的、专门"解释法律"的学说，大体上都属于"探究型诠释"的范畴。如法家学说以及其他各家关于法律的学说就是。

但是，值得关注的是，在古代中国，法律解释更具有其独特的独断性特征。不仅如此，更值得注意的是："独断性解释"还是古典法律解释的一种相当重要的方法。具体地说，中国古典法律解释的独断性大体上体现为：

---

[242] 参见周裕锴著：《中国古代阐释学研究》，上海人民出版社 2003 年版。另外，还可参见李清良著：《中国阐释学》，湖南师范大学出版社 2001 年版等。

第一，解释主体的独断性。我们知道，在秦代，秦始皇就接受李斯的建议强调"以法为教"、"以吏为师"。至少从这时起就已经表明中国开始了有文字记载的法律解释主体的独断性。李斯的建议这样说：

> "……今天下已定，法令出一，百姓当家则力农工，士则学习法令辟禁。……今皇帝并有天下，别黑白而定一尊。私学而相与非法教，人闻令下，则各以其学议之，入则心非，出则巷议，夸主以为名，异取以为高，率群下以造谤。……若欲学法令者，以吏为师。"[243]

我们知道，在古代中国，法律解释主体主要集中于皇帝和官吏。皇帝的解释自然是"金口玉言"，具有最高的权威性，也是最高的法律解释主体。当然，皇帝的意见和解释也并非绝对的，特别当其遇到那些对法律秉承忠诚之志的"司法"官员、而皇帝自身又比较开明时，皇帝对法律的解释意见也有"失效"之时。例如，汉文帝与张释之君臣间因为一些案件的审理所引起的争论就是如此，这里选择脍炙人口的一例介绍如下：

> "……顷之，上行出中渭桥，有一人从桥下走，乘舆马惊。于是使骑捕之，属廷尉。释之治问，曰：'县人来，闻跸，匿桥下。久，以为行过，既出，见车骑，即走耳。'释之奏当：'此人犯跸，当罚金。'上怒曰：'此人亲惊吾马；马赖和柔，令它马，固不败伤我乎？而廷尉乃当之罚金！'释之曰：'法者天子所与天下公共也。今法如是，更重之，是法不信于民也。且方其时，上使使诛之则已。今已下廷尉，廷尉，

---

[243]　（汉）司马迁著：《史记·秦始皇本纪》。

天下之平也，一倾，天下用法皆为之轻重，民安所措其手足？
唯陛下察之！'上良久曰：'廷尉当是也。'"[244]

在东汉时，著名的"强项令"董宣也曾使得皇帝的"判决"
和解释无效：

"……时湖阳公主苍头白日杀人，因匿主家，吏不能得。
及主出行，而以奴骖乘。宣于夏门亭候之，乃驻车扣马，以刀
画地，大言数主之失，叱奴下车，因格杀之。

主即还宫诉帝，帝大怒，召宣，欲箠杀之。宣叩头曰：
'愿乞一言而死。'帝曰：'欲何言？'宣曰：'陛下圣德中兴，
而纵奴杀良人，将何以理天下乎？臣不须箠，请得自杀！'即
以头击楹，流血被面。帝令小黄门持之，使宣叩头谢主。宣不
从，强使顿致，宣两手据地，终不肯俯。主曰：'文叔为白衣
时，藏亡匿死，吏不敢至门，今为天子，威不能行一令乎？'
帝笑曰：'天子不与白衣同。'"[245]

在唐代，判官或其他官员使皇帝的解释意欲归于无效的更多，
略举数例：

"其年九月，盛开选举，或有诈伪资荫者。上令自首，不
首者死。俄有诈伪者，大理少卿戴胄断流。上曰：'朕下敕不
首者死，今断流，示天下以不信。卿欲卖狱乎？'胄曰：'陛
下当即杀之，非臣所及，今既付有司，臣不敢亏法。'上曰：
'卿自守法，而令我失信邪？'胄曰：'法者，国家之所以大信

---

[244] （汉）班固著：《汉书·张释之传》。
[245] （南朝·宋）《后汉书·董宣传》。

于天下；言者，当时喜怒之所发耳。陛下发一朝之忿，而许杀之，既知不可，置之于流，此乃忍小忿而存大信。若顺忿违信，臣窃为陛下惜之。'上曰：'法有所失，公能正之，朕何忧也。'"[246]

"濮州刺史庞相寿，坐贪污解任。自陈尝在秦王幕府；上怜之，欲听还旧任。魏征谏曰：'秦王左右，中外甚多，恐人人皆恃恩私，足使为善者惧。'上欣然纳之……"[247]

"时上命玉工为带，坠坏一銙，乃私市以补。及献，上指曰：'此何不相类？'工人伏罪，上命决死。诏至中书，浑执曰：'陛下若便杀则已，若下有司，即须议谳；且方春行刑，容臣条奏定罪。'以误伤乘舆器服，杖六十，余工释放，召从之。"[248]

以上诸例，涉及汉唐时期四位皇帝，汉文帝、光武帝、唐太宗和唐德宗。其中特点，皆在于皇帝的圣旨在坚守法律信条的大臣面前失效。这清楚地说明，尽管皇帝具有对法律的最权威的解释权，但并非在法律的见解上他在任何时候都可以言出法随、为所欲为。

事实上，对君主的此种法律限制，在先秦管仲的学说中已经不断提及，例如：

"君臣上下贵贱皆从法，此谓为大治。
明君置法以自治，立仪以自正也，行法修制，先民服也。
禁胜于身，则令行于民矣。
不为君欲变其令，令尊于君。"

---

[246]　（宋）王溥著：《唐会要》。

[247]　（宋）司马光著：《资治通鉴·唐纪》。

[248]　（五代·后晋）张昭远等著：《旧唐书·柳浑传》。

除皇帝之外，古代法律解释的主体就是和司法相关的大臣，例如刑部、大理寺、御史台等各处的官员，地方政府中的官员等。尽管先秦时期，已开私家注律之先河，但邓析之悲惨遭遇，业已说明问题。逮至明清以来，私家注律可谓盛行，但真正能具有普遍效力的，仍然只是经过了皇权所允可的，否则，其或者转瞬即逝，或者任其自流，或者形同禁书。

第二，解释对象的独断性。一般说来，法律解释的对象是法律。这是法律解释的基本共识。所以，不论古今，从对象视角观察法律解释，则无可置疑的是：法律解释是独断的——即供人们理解和解释的法律文本是独断的，因为在任何一个国家和时代，法律的基本职能是"模范天下、规范久远"。所以，管仲曾这样描述法律：

> "法者，民之父母也。
> 法者，天下之至道，圣君之实用也。
> 法者，天下之仪也，所以决疑而明是非也。百姓之所悬命也。"

正因如此，法律的产出，就是一项相当严肃的任务。它不是常人所应或所能担当与胜任的，它需要既具有最高权威，也能够通天达地的圣人为人类立之。这样的人非帝王莫属：

> "夫生法者君也、守法者臣也，法于法者民也。"[249]

管仲以上关于立法、守法和法于法的论述，揭示了古代社会人们对法律产生的基本态度。当然，由君主所"生"的法，还当应

---

[249] 以上引文分别参见《管子·任法》、《管子·法法》、《管子·禁藏》等篇。

天地之所示，尽生民之所需，这就需要"则"与"象"，在此基础上产生的"法"，最后只有经过"化"、"决塞"、"心术"、"计数"，才能以实现。

> "根天地之气，寒暑之和，水土之性，人民鸟兽草木之生物，虽不甚多，皆均有焉，而未尝变也，谓之则。义也，名也，时也，似也，类也，比也，状也，谓之象。尺寸也，绳墨也，规矩也，衡石也，斗斛也，角量也，谓之法。渐也，顺也，靡也，久也，服也，习也，谓之化。予夺也，险易也，利害也，难易也，开闭也，杀生也，谓之决塞。实也，诚也，厚也，施也，度也，恕也，谓之心术。刚柔也，轻重也，大小也，实虚也，远近也，多少也，谓之计数。……"[250]

法律的这种神圣使命，一方面，只能由有胜任能力的人出面予以解释，这就是前述解释主体的独断性。另一方面，解释者只能针对法律本身进行解释，所以在古典中国，一般说来，立法解释只是对法律文本意义的追问，尽管我们也会时常看到在法律解释中对于立法的背景、法条之历史沿革等方面予以探究的内容，但由于主要是寻求文本自身的意义，因此，更多地采用文义或文法解释的方法。它的直接解释结果，往往表现为对法律条文的具体注释。例如《唐律疏议》、《宋刑统》、《读律琐言》以及《大清律辑注》等，大体上都是如此。

　　当然，在司法性解释中，也会经常存在对事实的解释问题，特别是由于古代中国不仅仅是个成文法国家，在很多时期，还是成文法和判例法交互作用的国家，[251]　所以，其法律文化传统中对案件

---

〔250〕　《管子·七法》。

〔251〕　参见武树臣著：《中国传统法律文化》，北京大学出版社 1994 年版。

事实的解释也就每每与对法律的解释牵连在一起。因为判例法的产出，本身就建立在案件事实基础之上，所以，在这里对案件事实的解释和法律的产出就经常是同一过程：

> "上下比罪，勿僭乱辞。勿用不行。惟察惟法，其审克之。上刑适轻下服，下刑适重上服。轻重诸罚有权，刑罚世轻世重，惟齐非齐，有伦有要。罚惩非死，人极于病。非佞折狱，惟良折狱。罔非在中。察辞于差，非从惟从。哀敬折狱。明启刑书胥占，咸庶中正。其刑其罚，其审克之。狱成而孚，输而孚。"[252]

由以上引文可知，早在《尚书》时代，人们就已经开始深刻地关注在司法活动中对案件事实进行认真的审查和解释工作了："察辞于差，非从惟从。"至于在日后中国的司法活动中，判官们通过事实解释而进一步对法律的解释，更是俯拾皆是，不胜枚举。

表面上看去，这种对事实的解释似乎是对法律作为独断解释对象的背反，但在实质上，它仍然承续着法律作为独断解释对象这一"事实"，因为对案件事实的解释要么是用以适用规则，要么是用以产出规则。不论如何，它们归根结底都是法律解释的过程。

第三，解释权力的独断性。在其他解释现象中，只要具有思维和理解能力的人，都有权解释他面前的文本。即使在当代法律解释中，法律作为一种可阅读的文本对所有有理解和解释能力的主体都是开放的，因此，所有人都有阅读、理解和解释法律的权利。然而，法律解释的目的，按照奥斯丁的言语行为理论，不仅仅是为了"以言表意"，更在于"以言行事"和"以言取效"（尽管在其他所有的解释活动中事实上都存在着这样三种解释的目的趋向，但对

---

[252] 《尚书·吕刑》。

法律解释而言，后者更甚之），奥氏的理论，主要自解释目的出发而立论，其大体上可以总结为如下内容：

> "一是'表意行为'（locutionary），即使用语句来传达某种思想；二是'以言行事的行为'（illocutionary act），表示语句在被说出时带有某种力量；三是'以言取效的行为'（perlocutionary act），它指的是利用说出一个语句来产生一定的效果。"[253]

同其他解释一样，在法律解释中，如上三种目的性指向或者客观效果皆存在，但法律解释不仅仅是通过解释者的语言表述要人们理解之，更重要的在于通过解释取得必要的实践后果。尽管在伽达默尔的学说中，理解、解释和应用是同一过程的三个方面，理解和解释实际意味着应用，从而理解和解释本身就在"取效"，但日常应用和专门应用往往是两码事。日常应用乃是理解和解释者自己指导自己的规范生活之过程，但专门应用则是理解和解释者用以解决当下存在的他人之间的规范生活问题，对他人产生效力，而不仅仅是对自身产生效力。因此在专门应用中，解释者应站在某种支配的地位，并且运用肯定、明确和毋庸置疑的语言来解释。所以，祈使句之类的句子结构和解释语气在这里很难生效。

那么，支配效果从何产生？一般说来，一是权威，二是权力。前者如老师对学生，父母对子女等皆可能生成某种权威，因此，每对关系中的前者之解释往往对后者具有直接支配效力。但权力的支配则来自国家权力在法律上的赋予。就法律解释而言，它意味着被

---

[253] 李红著：《当代西方分析哲学与诠释学的融合》，中国社会科学出版社 2002 年版，第 109 页。另外，还可参见盛晓明著：《知识规则与话语基础——语用学维度》（学林出版社 2000 年版）一书中的相关论述。

赋予从事法律解释之权力的人及其法律解释对未赋予法律解释权力的人们，具有支配和强制性适用效力。这就使得可以产生对他人支配效力的法律解释在解释权力上具有独断性特色。例如，古罗马皇帝赋予乌尔比安等"五大法学家"之法律解释以法律般的效力，从而他们也成为有法律解释权的主体。[254] 再如《唐律疏议》的产出，就是国家（皇帝）授权的结果：

> （永徽）"三年，诏曰：'律学未有定疏，每年所举明法，遂无凭准。宜广召解律人条义疏奏闻，仍使中书、门下监定。'于是太尉赵国公无忌、司空英国公绩、尚书左仆射兼太子少师监修国史燕国公志宁、银青光禄大夫刑部尚书唐临、太中大夫守大理卿段宝玄、朝议大夫守尚书右丞刘燕客、朝议大夫守御史中臣贾敏行等，参撰律疏，成三十卷，四年十月奏之，颁于天下。自是断狱者皆引疏分析之。"[255]

这段历史纪录，既说明了上述人解释权力的来源，也说明了其解释的效力。在这里，法律解释的独断性从其权力视角明显可见。至于在司法活动中，相关的法律解释本来就是由国家授权的"司法机关"所主持的活动，所以，其独断性自不待言。在如下判决中可得明鉴：

> "汉宣帝时，陈留有人年八十余，家富而无子。初娶只一女，已适人，再娶复生一子，数年而翁死。前妻女欲夺财物，乃诬其后母所生非其父之子，郡县不能决，闻于台省。丙吉为

---

〔254〕 参见［意］朱塞佩·格罗素著：《罗马法史》，黄风译，中国政法大学出版社1994年版，第400页以下。

〔255〕（五代·后晋）张昭远等著：《旧唐书·刑法》。

廷尉，乃曰：'吾闻老人之子不耐寒，且日中无影。'时八月中，取同岁小儿，均衣单衣，而老人之子独色变，及立于日中，亦无影，前女遂受诬母之罪。"[256]（丙吉验子）

这是典型的通过解释案情最终解释和运用法律的案例。

第四，解释效力的独断性。不同于其他解释之处在于：法律解释可以分为有法律效力和无法律效力的两类。所谓有、无法律效力，自然是对解释者之外的他人而言，而不是对解释者自身而言。这是和前述解释权紧密相关的一个问题。有法定解释权的主体其法律解释自然具有法律效力；反之，无法定解释权的主体其法律解释则对他人不发生法律效力。这样，因着法律解释权的独断，也形成了法律解释效力的独断性。可以肯定，在源远流长的中国法律解释史上，曾不断有过私家法律解释，但其总是遭遇不济。最典型者莫过于我们在前文中业已提及的邓析。他作为一位在民间聚徒讲法，反对礼制、强调"事断于法"的法律工作者，因为其学说和主张危及贵族统治，则遭郑国执政驷瑞诛杀。其后在历朝历代都有和主流政治意识不相吻合的政治法律主张和解释，如秦朝的儒生议政、汉朝的七王之乱、魏晋的清流思潮、直到明清学者的以言干政等等，但其遭遇，在一部文字狱发展的历史中我们即可发现。

这表明，尽管我们可以在有权解释者之外仍能发现中国古代人对法律的解释，但此种解释，不论对解释者还是其受众而言，都是一种悲酸的心灵历程。这不仅因为它没有效力，而且还因为它往往与有独断效力的法律解释之间产生冲突时，常常遭遇不测。这种情形，甚至一直流传至今。我们知道，仅仅在数十年前，对法律所持有的"异端"的解释，总是被官方禁止。甚至在最近，对宪法修

---

[256]　（南宋）桂万荣撰：《棠阴比事》，北京中国书店影印本（无印刷年号），全一册，第3页。

正案个别内容的讨论还曾被明令禁止！

透过上述四个方面不难知晓，在古代中国，法律解释必须符合上述独断的要求——"适格"，才能有实际的作用和价值。否则，其只能归于"无效"、甚至被取缔之列。由此不难见古典法律解释的独断性。

那么，独断性和法律解释方法之间有何关系？表面看来，独断性乃是法律解释的一般特征，从而很难将其归入方法之列。但此种特征本身出自方法，因为在这里，我们可以更好地发现解释者为了其法律解释的实践效果和实际效力，而所作的具体实现"独断的"努力。

二、问答体解释——解释者对请问者之教示

"问答"不同于对答，也不同于对话。在中西方古典社会人们言语交往的比较中，我们能够清晰地发现：在西方，像苏格拉底和其弟子柏拉图等之间往往以对答或者对话的方式完成其学术作业，这只要看看柏拉图流传至今的主要著作就可以明了、清楚地看出。[257] 但在中国，这种对话体的言语交往尽管在学术史上也不绝如缕，如孟子、庄子等时不时和当时列国的国王或大夫们之间所进行的一些机智的对话，流传至今，饶有兴味。但与此同时，我们发现在古代中国，学术言语交往更多地表现为某种"问答"方式。例如，在整个中国文化史上、特别是在其政治法律文化史上担当重要角色的《论语》，更多地渗透了"问答体"的解释和阐述方式，任举几例：

---

[257] 可参见（古希腊）柏拉图著：《理想国》，郭斌和等译，商务印书馆 1986 年版；《政治家》，黄克剑译，北京广播学院出版社 1994 年版；《法律篇》，何勤华等译，上海人民出版社 2000 年版等。

　　"季康子问政于孔子。孔子对曰：'政者，正也。子帅以正，孰敢不正？'"

　　"王孙贾问曰：'与其媚于奥，宁媚于灶，何谓也？'子曰：'不然。获罪于天，无所祷也。'"

　　"哀公问曰：'何为则民服？'孔子对曰：'举直错诸枉，则民服；举枉错诸直，则民不服。'"

　　"樊迟问知。子曰：'务民之义，敬鬼神而远之，可谓知矣。'问仁。曰：'仁者先难而后获，可谓仁矣。'"[258]

　　在如上引文中，我们可以明显地发现，以《论语》为代表的**中国古代"问答体解释"方式，显然是将解释者置于优位，而被解释者只是解释者的话语受众。解释者可以高高在上地、天然地享有"传道、授业和解惑"的智识、权威和权力，而请问者们则只能往往洗耳恭听。**

　　这种问答体解释传统，和前述"独断性解释"的法律解释要求显然可以产生某种契通效果。我们已知的问答体法律解释方式，在中国历史上早已存在。在最早记载中国历史的文献《尚书》中，君臣间的关于法律的问答对话就已经有此种特征。而到了秦代，其法律解释方式——《法律答问》更体现为此种特征。下面笔者引述数则以作说明：

　　"'抉籥，赎黥。'可（何）为'抉籥'？抉籥者已抉启之乃为抉，且未启亦为抉？抉之弗能启即去，一日而得，论者可（何）也？抉之且欲有盗，弗能启即去，若未启而得，当赎黥。抉之非欲盗也，已启乃为抉，未启当赀二甲。

---

[258]　以上引文分别出自《论语·颜渊》、《论语·八佾》、《论语·为政》、《论语·雍也》。

士五（伍）甲盗，以得时直臧（赃），臧（赃）直（值）过六百六十，吏弗直（值），其狱鞫乃直（值）臧（赃），臧（赃）直（值）百一十，以论耐。问甲及吏可（何）论？甲当黥为城旦；吏为失刑罪，或端为，或不直。"

"告人盗百一十，问盗百，告者可（何）论？当赀二甲。盗百，即端盗驾（加）十钱，问告者可（何）论？当赀一盾。赀一盾应律，虽然，廷行事以不审论，赀二甲。"

"'发伪书，弗智（知），赀二甲。'今咸阳发伪传，弗智（知），即复封传它县，它县亦传其县次，到关而得，仅当独咸阳坐以赀，且他县当尽赀？咸阳及他县发弗智（知）者当皆赀。"[259]

以上引文，其问答形式明显，结果都像《论语》中的问答模式一样，都是请问者在下洗耳恭听，解答者在上端坐释惑。从而使得法律解释产生对请问者以及其他法律运用者的权威效力。显然，**这里可能存在解释者和文本之间的交流对话，但并不存在请问者和解释者之间的交流对话。后种关系宁可被视为是一种训话和接受训话的关系。**

在问答体解释方式中，我们既可以看到其解释对象的特征，也可以看到其解释主体的专门。就前者而言，尽管有通过问和答而对成文法条文的直接解释，但同时又能够根据以前的判例，对所问的相关案件作出解释。对此，《睡虎地秦墓竹简》的注释者这样写道：

"《法律答问》中很多地方以'廷行事'，即判案成例，作

---

［259］ 睡虎地秦墓竹简整理小组：《睡虎地秦墓竹简》，文物出版社1978年版，第164、165、167、176页。

为依据，反映出执法者根据以往判处的成例审理案件，当时已成为一种制度。……当法律没有明文规定，或虽有规定，但有某种需要时，执法者可以不依规定，而以判例办案……"[260]

就后者而言，至少秦代的相关解释主体是十分严格的。从请问者一方说，大约可以看出是下级的一些"司法"官吏（也不排除一些官吏先设问，而后自答的可能）针对具体的案件提出问题，并向有关具有解释权的机构或人员请教。而从解答者一方说，从其所用语词、语气、解释模式等皆可看出，解释者出自固定的人员，并且解释具有直接法律效力。其解释中对具体问题的具体分析，在今天看来，仍然是理由充分的。这些在《法律答问》中根据不同盗窃情节作出不同解释的例证中可以显见。

这种问答体的解释方式，就其功能而言，既能够在很大程度上保障成文法律的严肃性，也能够根据不同案件、不同情节、不同的时空条件作出灵活性的处理，从而使法律产生更大的实践效用。因为在此种解释中，请问者所提出的问题本身是具体的，因此，解释者既要以法律的不变以应万变，也要根据不同案件的具体情况把法律以最佳的方式适用到个案中去。

至少自从《法律问答》以来，这种体例的法律解释方式，在中国法律解释史上一以贯之，特别是在《唐律疏议》中，我们可以不断发现在律条释文之外，还存在着许多问答体的解释内容，它使得律条之具体释文更显内容丰满，使得法律解释者既能够以不变应万变地贯彻法律的基本确定性，也能够使其面对不断变迁的社会事实，修正法律的一些不当的或过时的规定，从而做到把法律的原则性和灵活性结合起来的解释目的。下面列举数条以说明：

---

[260] 睡虎地秦墓竹简整理小组：《睡虎地秦墓竹简》，文物出版社1978年版，第150页。

在"诸犯私罪，以官当徒者，……先以高者当"中，对"先以高者当"的解释是：

> "议曰：'先以高者当'，谓职事等三官内，取最高者当之。若去官未叙者，谓以理去任及虽不以理去任，告身不追者，亦同。并准上例，先以高者当。
>
> 问曰：律云：'若去官未叙，亦准此。'或有去官未叙之人而有事发，或罪应官当以上，或不至官当，别敕令解，其官当叙法若为处分？
>
> 答曰：若本罪官当以上，别条云：'以理去官与见任同'，即依以官当徒之法：用官不尽，一年听叙，降先品一等；若用官尽者，三载听叙，降先品二等。若犯罪未至官当，不追告身，叙法依考解例，期年听叙，不降其品。从见任解者，叙法在狱官令。先已去任，本罪不至解官，奉敕解者，依刑部式，叙限同考解例。本犯应合官当者，追毁告身。"

在"诸在官应直不直，应宿不宿，……若点不到者，一点笞十"中对后者的解释是：

> "议曰：内外官司应点检者，或数度频点，点即不到者，一点笞十。注云：'一日之点，限取二点为坐'，谓一日之内，点检虽多，止据二点得罪，限笞二十。若全不来，上计日以无故不上科之。
>
> 问曰：二日以上，日别常向曹司，曹司点检，每点不到。若科无故不上，即是日别常来；若以累点科之，罪又重于不上。假有十日之内，日别皆来，每点不到，欲科何罪？
>
> 答曰：八品以下，频点不到，便是已发更犯，合重其事，累点科之。如非流内之人，自须当日决放。初虽累点罪重，点

多不至徒刑；计日不上初轻，日多即至徒坐。所以日别上者据点，全不来者计日。以此处断，实允刑名。"

在"诸教令人告，事虚应反坐，得实应赏，皆以告者为首，教令为从"条的解释中说：

> "议曰：'教令人告，事虚应反坐'，谓诬告人者，各反坐；'得实应赏'，谓告齐禁物度关及博戏、盗贼之类令有赏文，或告反、逆临时有加赏者：皆以告者为首，教令者为从。
>
> 问曰：律云：'得实应赏，皆以告者为首，教令为从。'未知告得赏物，若为作首从分财？
>
> 答曰：应赏在令有文，分赏元无等级，既为首从之法，须准律条论之，又不可徒、杖别作节文，约从杖一百之例：假如教人告杖一百罪虚，即告者为首，合杖一百；教令为从，合杖九十，即从者十分减一。应当议亦准此。假有轻重不同，并准十分为例。"[261]

可见，在《唐律疏议》中，大体上是把问答体解释和后文将要谈到的注释体解释合而用之的。注释体解释乃是侧重律文之疏解，而问答体解释更多地看重案件之实情。正是这两种解释的结合，才使得法律解释把法律的原则性和法律运用的灵活性之间紧密结合起来，使得《唐律疏议》在整个东亚法文化中的巨大影响正如陈寅恪所言：

> "至宣武正始定律，河西与江左二因子俱关重要，于是元

---

[261] （唐）长孙无忌等撰：《唐律疏议》，中华书局1983年版，第45—46、185—186、445—446 页。

魏之律遂汇集中原、河西、江左三大文化因子于一炉而冶之，取精用宏，宜其经由北齐，至于隋、唐，成为两千年来东亚刑律之准则也。"[262]

这种把注释和问答相结合的解释方式，在宋代的法律解释活动中，仍不断采用。例如《宋刑统》之"发冢"条在通过"疏议"的方式注释之外，还采取"问答"方式解释：

"问曰：发冢者加役流，律既不言尊卑、贵贱，未知发子孙冢，得罪同凡人否？

答曰：五刑之属，条有三千，犯状既多，故通比附。然尊卑、贵贱，等数不同，刑名轻重，粲然有别。尊长发卑幼之坟，不可重于杀罪。若发尊长之冢，据法止同凡人。律云，发冢者加役流，在于凡人，便减杀罪一等。若发卑幼之冢，须减本杀一等而科之。已开棺椁者绞，即同已杀之坐。发而未彻者，徒三年。计凡人之罪，减死二等，卑幼之色，亦于本杀上减二等而科。若盗尸柩者，依减三等之例。其于尊长，并同凡人。"[263]

但遗憾的是，在笔者所掌握的明清官方和私家注律文献中，问答体的法律解释方式很少被采用，而更多地采用辑注体的法律解释方式。不过尽管如此，这只是在一定程度上减损了注释体法律解释和问答体法律解释的结合使用，但并没有使问答体法律解释销声匿

---

〔262〕 陈寅恪著：《隋唐制度渊源略论稿·四刑律章》，三联书店 1954 年版。欲详知此一影响的读者，可参见杨鸿烈著：《中国法律对东亚诸国之影响》，中国政法大学出版社 1999 年版。

〔263〕 （宋）窦仪等撰：《宋刑统》，中华书局 1984 年版，第 298 页。

迹。事实上，只要人们在法律的贯彻落实、遵守和运用中，特别是在个案的判决中存在着对法律的疑惑，那么，通过问答体的方式给人们以释疑解惑，就是必然的。此种情形，即使在甚为强调严格规则的当代中国，也明显地存在并大量运用着。特别是最高人民法院针对下级人民法院所请问的疑难案件的解决方式及其回答，事实上完全可以被视为是古老的问答体法律解释方式在当今中国的存留和进一步发展，尽管在我们的相关法律解释研究中，反而对此关注不够，而更关注在最高人民法院于每次法律颁布之后所作的类似于立法的解释，[264] 这是值得人们认真反思，并努力加以改革的问题。

三、注释体解释——通过"文法"阐释法律文本中的律意

中国古典社会具有悠久的经典注释传统，传统学术的承续和发展主要是靠对先前文本的不断注释而获得的。所谓"我注六经、六经注我"的说法，就典型地表达了这种情形。我们所习见的唐人孔颖达所著的《十三经注疏》，是这种注疏式学术传统的集大成之作。中国古代的学问，被人统称为经学，其实质就是经典注释学。在这一总称下面的子学、史学、医学、兵学、农学、律学等无不按照此种模式积累其成果，而成中国学术文化的基本发展脉络。

在我看来，如果说在前述经书解释、子书解释、医书解释、兵书解释、农书解释和律书解释等诸种学术解释中，前两种解释主要侧重于某种政治或者社会意识教化功能的话，那么，后四种解释则更多地倾向于社会实践价值。特别是律书解释，对于和人们日常生活中息息相关的法律引向具体的贯彻和落实，具有关键作用。其解释结果，在学理上形成了中国古典的法学形态——律学。如此看来，律学乃是传统中国学术中不可或缺的主要组成部分。

---

〔264〕　如董暤著：《司法解释论》，中国政法大学出版社 1999 年版；张志铭著：《司法解释操作分析》，中国政法大学出版社 1999 年版等书中的相关论述。

在很大程度上讲，古代法律解释主要是就法律条文的字面意义在文法上作出通俗的说明。这特别体现在那些官方法律解释的文本当中，例如《唐律疏议》对"诸谋反及大逆者，皆斩；父子年十六以上皆绞，十五以下及母女、妻妾、子妻妾亦同。祖孙、兄弟、姊妹，若部曲、资财、田宅并没官，男夫年八十及笃疾、妇女年六十及废疾者并免；余条妇人应缘坐者，准此。伯叔父、兄弟之子皆流三千里，不限籍之同异。……"这条规定的解释是：

> "议曰：人君者，与天地合德，与日月齐明，上祇宝命，下临率土。而有狡竖凶徒，谋危社稷，始兴狂计，其事未行，将而必诛，即同真反。名例：'称谋者，二人以上。若事已彰明，虽一人同二人之法。'大逆者，谓谋毁宗庙、山陵及宫阙。反则止据始谋，大逆者谓其行讫，故谋反及大逆者皆斩，父子年十六以上者皆绞。言'皆'者，罪无首从。十五以下及母女、妻妾，注云'子妻妾亦同'，祖孙、兄弟、姊妹，若部曲、资财、田宅，并没官。部曲不同资财，故特言之。部曲妻及客女，并与部曲同。奴婢同资财，故不别言。男夫年八十及笃疾，妇人年六十及废疾，并免缘坐。注云：'余条妇人应缘坐者，准此'，谓'谋叛已上道'及'杀一家非死罪三人'，并'告贼消息'，此等之罪，缘坐各及妇人，其年六十及废疾亦免。故云'妇人应缘坐者，准此'。'伯叔父、兄弟之子皆流三千里，不限籍之同异'，虽与反逆人别籍，得罪皆同。若出继同堂以外，即不合缘坐。"[265]

透过上述解释，我们既可以看到解释者对律文在字面意义上所做的说明，也可以看到通过字面意义解释者对律文背后之义理的追

---

〔265〕（唐）长孙无忌等撰：《唐律疏议》，中华书局 1983 年版，第 321—322 页。

问。笔者权且将前者称为法律解释中"是什么"的说明；而把后者称之为法律解释中"为什么"的追问。兹分述如下：

首先，关于法律解释中"是什么"的说明。"是什么"在这里是一个用来解决法律之字面含义的概念。由于法律用词的专门特征（即使在古代中国，也是如此），许多概念或作为"律眼"、"律母"的字、词，不要说对常人，即使对一些"司法者"在理解上也是一道难题，因此，就法律中的字词作出某种通俗性的说明，便显得特别必要。另外，法律规定尽管在用词上以考究字、词的明确性著称，但在实际的法律规定中，字、词模糊、歧义和多义的情形总是或多或少地存在，因此，通过法律解释以明确之，对法律运行而言，就更是不可或缺的事。在我们所常见的古代法律解释中，更多表现为"是什么"的说明。以王明德释律为例：

"……以者，非真犯也。非真犯，而情与真犯同，一如真犯之罪罪之，故曰以。乃律中命意，备极斟酌，有由重而轻，先为宽假而用以者，如谋叛条内所附逃避山泽，不服追唤，此等之人，未叛于君，先叛于所本管之主矣。与叛何异？而律则以谋叛未行论。若拒敌官兵，实有类于反，而律则以谋叛已行论，按其迹，似用以之意极严。而详其实，则实仁爱之至也。有由轻而重，示人以不可犯。而用以者，如私借钱粮条内，凡监临、主守，将官钱粮等物，私自借用，或转借与人，虽立有文字，并计赃，以监守自盗论。夫立有文字借用，及转借与人，非盗也。乃私自为之，则渐不可长矣。盖监守之人，易于专擅，非重其法，无以示警，故罪非其罪，而以其罪罪之。若以过失杀诸条，则又充类致义之尽，以行其权之妙也。

总之，大义所解，'即同真犯'四字最妙，以则无所不以矣。然所以者不过律而已。若律外条例，则又不得而概以之。盖律例有后先之分，而以为正律中之文，非条例中之文也。读律者，有不可不重为留意。"

"……即者，显明易见，不俟再计之意。如仪制律内，凡
朝参近侍，病嗽者，许即退班。禁止迎送条内，凡军民人等，
遇见官员引导经过，即时下马躲避，此一义也。共谋为盗条
内，凡共谋为盗，临时不行，而行者为窃盗，其不行者，若不
分脏，但系造意，即为窃盗从。名例内，犯罪事发而在逃者，
众证明白，即同狱成。不须对问。职制律内，凡诸衙门官吏，
及士庶人等，上言宰执大臣，美正才德者，即是奸党之类。此
一义也。若名例内，卖放充军人犯，即抵充军。则又一
义也。"[266]

透过王明德的这种解释，我们可以看到他对法律中最基本的一
些字眼之含义的具体归类总结，从而他对"以"、"即"等字在法
律中的基本含义是什么以及它们在何种情形下是何种用法，都作出
了具体的梳理和较为详细、清晰的交代。从中不难发现，这种严格
地限定在法律范围内的研究和解释活动，事实上反映了中国古人类
似于西方规范分析法学所关注的问题域。或许这种结论有牵强附会
之嫌，因为毕竟中国古代的类似解释没有系统地形成像规范分析法
学那样所操守的概念术语、分析工具和框架结构，但中国古代法律
解释中对法律内之知识的关注却与之非常接近。

王明德本人就是一位非常关注法律内部知识，并试图力挽狂
澜，为律学之光大尽心竭力人，这从其《读律佩觿》之序言中明
显可见：

"……律学之不明也久矣……惜乎世也鄙之为刀笔之传，
薄之为残忍之习，抑之为俗吏之司，泥之为拘牵之具，甚或身

---

[266] （清）王明德著：《读律佩觿》，法律出版社 2001 年版，第 4、13 页。

膺民牧，职隶司刑，终其职，终其身，终莫别其科调之位鱼鲁亥豕者，是岂学富五车，识攻金石，反目迷乎此而不悟，良田薄之鄙之，群非而群厌之，坚中囿习，掩目锢聪，不暇深探夫义意所自始，详究乎渊微所独注，而更不知其实为开物成务，法天乘气所必遵。立反唐虞三代，致治羲农所必由之故也。

呜呼！律学之不明久矣，时也，亦数也。小人幸而君子之大不幸也，君子不幸，人心何由大正，世道何由大淳，道德仁义何由大著于天下？是非紊，强弱形，诛赏失，僭乱兴，得毋兵将起而继之欤？兵起则刑暴，刑暴则律亡，是更律之大不幸也。律且不幸，而况于人乎？而况于天下乎？天将奈之何哉。谓非自然之数，自然之气耶。

明生千百世以下，犹幸得读千百世以上之书，而更司其职，因为此惧，昧不自揣，妄以千百世以下之人，仰师千百世以上之心，管窥其义，以辑斯编，抑以旅进贻讥，素餐滋愧，聊不失夫孝子制弹之心，以勿极乎其敝而已，敢云于律实有得乎哉，……"[267]

通过此，可以充分地体识王氏何以对"律眼"、"律母"那样重视，也能够更好地证成笔者如上的结论：王氏的法律解释，已经在向着某种意义上的规范法学推进。从而关于"是什么"的解释在王氏书中看得似乎更为真切，也更为具有学理性。

当然，还值得注意的是，正是在"是什么"的解释中，产生出了"限制解释"、"扩张解释"和"类推解释"这些在文法上的不同解释方式。对此，何敏以清代注释律学为例，做了较为详细的阐述，并且这些法律解释形式在法理学上已经是当代法律人耳熟能详的常识，因此，这里不再赘述。惟须稍加说明的是：何氏更加仔

---

[267] （清）王明德著：《读律佩觽·本序》，法律出版社 2001 年版，第 6—7 页。

细地区分了在"是什么"解释过程中的方法，如"文理解释"、"系统解释"、"逻辑解释"等，并且在每一纲目下又设几个细目。[268] 这无疑是值得人们关注的。由于本文的论旨所限，也在此不加详细讨论。

其次，关于法律解释中"是什么"的说明。古代法律解释者为了更有说服力地说明其所解释的对象，即为了使"是什么"的法律内在意函转换为有根有据的法律解释效果，他们还往往要详尽地说明法律规定背后的"为什么"，即法律规定背后的历史和现实根据，以说明该种规定的合理性与有效性。并强化其解释的实践效果。这在古代律学著作中多有存在。它一般表现为"历史解释"，其中有些是为了说明相关规定的历史渊源和具体沿革。例如：《唐律疏议》对"八议"条的注释是这样的：

> "议曰：周礼云：'八辟丽邦法。'今之'八议'，周之'八辟'也。礼云：'刑不上大夫。'犯法则在八议，轻重不在刑书也。其应议之人，或分液天潢，或宿侍旒扆，或多才多艺，或立事立功，简在帝心，勋书王府。若犯死罪，议定奏裁，皆须取决宸衷，曹司不敢与夺。此谓重亲贤，敦故旧，尊宾贵，尚功能也。以此八议之人犯死罪，皆先奏请，议其所犯，故曰'八议'。"[269]

如上解释，既从古老的礼制传统中寻求"八议"之规定的历史根据，也说明何以要对一些有特殊功劳或者与皇帝具有故旧关系的人实行"八议"制度。王明德在释"例"时说：

---

〔268〕 参见何敏著：《清代注释律学研究》（中国政法大学博士学位论文，1994 年），第 98 页以下。

〔269〕 （唐）长孙无忌等撰：《唐律疏议》，中华书局 1983 年版，第 16—17 页。

> "……按查，例之为义有五：一曰名例，一曰条例，一曰
> 比例，一曰定例，一曰新例。
>
> ……名例之义何居乎？蹂于古之圣帝名王欲以正人心而一
> 天下，则不得不特著大法以空悬，预示人以莫可犯，故帝舜命
> 皋陶曰，汝作士，明于五刑，以弼五教。更命曰，象以典刑，
> 流宥五刑，鞭作官刑，朴作教刑，眚灾肆赦，怙终贼刑。而终
> 则重以叮咛告诫，一惟惟钦惟恤之是命，是以戮人必于市，与
> 众共弃。……愚则以名者，五刑正体变体，及律例中，人所犯
> 该，以及致罪各别之统名。而例，则律例中，运行之活法，于
> 至一中，寓至不一之妙，更于至不一处，复返至一之体。举凡
> 宽猛兢绿权变经常，无不备为该载。所谓权而不离乎经，变而
> 不失于正，是盖轻重诸法之权衡，一定不移之矩矱也。是则
> 名例一篇，盖有舍名无以言例，舍例又无以副乎其名者焉。故
> 不得止号之曰例，而必统之曰名例，世固有不容不为分注，更
> 有不容克致其分注者，大约皆类乎此耳。……"[270]

这里的解释，和前引释文一样，既有博古以通今、追问历史沿
革，并经此表明正当性、合理性的解释理路，也有对"例"即
"名例"的基本义理所做的具体解释和说明，从而深入到"是什
么"背后的义理——"为什么"的逻辑解求。

我们知道，"知其然，不知其所以然"，这是我们专门对那种
只关注事物的外在现象，而不再继续深入事物之内在就里这种浅薄
认识情形的批评用语。古人的法律解释活动，同样存在仅仅阐释其
然（说明"是什么"），而对其"所以然"漠不关心的情形。这样
的解释，充其量，仅仅是为了当下法律的适用，其解释结果很难产
生那种长久的学理价值，尽管就其解释方法本身而言，是文法解释

---

[270]　（清）王明德著：《读律佩觽》，法律出版社 2001 年版，第 19—21 页。

的重要表现。事实上，古人能传之久远的法律解释，往往是那种既关注法条的字面意义，更关注法条字面意义背后的事实和逻辑根据问题的解释。因为它能将法律字面规定进一步引向深入，从而使其既有当下的实践指导意义，也有长久的学理反思价值。

尽管作为文字表达的成文法律自身就记载着其意义，甚至在一切规范性文献中，法律及其术语以最能准确地表现事物的内在规定性而名世，但是，这并不意味着法律自身"叙说"的意义就没有继续深化和意义引申的需要。因为法律只能概括性地规定相关联的事物，同时，法律只能对当下尚有价值的事物作出规定，而无需对某类事物以往如何规定、今后如何发展、现下合理与否等作出论证，否则，法律就很难承担起简练而又有清晰地规范人们行为的使命，承担起对现实社会交往关系加以调节的任务。因为不论命令结构的法律，还是契约结构的法律，归根结底，它们都要被还原为一种指称关系，指称关系即使不是命令关系，但也无可否认的是给人们一种必要的路向引导。这就决定了它像路标那样，必须是简洁的、明晰的。恰恰是法律的这些特征，决定了对法律文字背后的意义进一步解释、论证和"开发"之为可能，也决定了在法律解释中对"是什么"和"为什么"并重的需要。

四、判例体解释——透过事实而"发现"法律

诚如武树臣所言："'成文法'与'判例法'本来是相互对立的。……但是，在中国封建社会（即'混合法'时代），'成文法'和'判例法'却能够并行不悖。……不论是'成文法'还是'判例法'，都不会削弱或动摇皇权的统治地位，反而在皇权的主

宰之下共同为维护封建统治秩序服务。……"[271] 不仅如此，而且，在古典中国，"判例法"还相当发达。从战国以前的"御事"、"议事以制"，中经"廷行事"、"春秋决狱"、"决事比"、"故事"、"例"，一直到专门对皇帝御制判例的汇集——明《大诰》……判例和"判例法"在中国法制发展史上可谓不绝于缕。可以肯定，这些判例或者判例法都是对成文法的必要的解释，正如王明德在谈到"条例"时所言：

　　"……盖以条例所在，乃极人情之变，用补正律本条所未详，采择而并行之，其亦殷因夏，周因商之微意乎？因即全律，反覆而细绎之，深觉律非例，则不可以独行，而例非律，又无由以共著。"[272]

　　这里所言，尽管只及"条例"，但他对其他"例"，特别是判例及"判例法"也照样适用。从总体言之，其功能就是补法律之未详，释法条于个案。使法律贯彻于主体交往实践。这里所谓"判例体解释"，不涉及"判例法"作为法律正条的解释结果，因为这层关系，人们大都了解。这里要重点涉及的，是普通的、没有被作为判例法的判例之解释方法。

　　判例是案件事实和法律规定相结合的产物，是事实与规范相博弈的结果。尽管法律制定后存在着多方面的法律解释，但在最终意义上，只有通过判例的解释才是具有最后效力的解释（对法官所要处理的个案而言），所以，针对个案判决，不是法律一言九鼎，

---

[271]　武树臣等著：《中国传统法律文化》，北京大学出版社 1994 年版，第 412 页。在该书中，作者对中国古典的判例法及其发展作出了系统的梳理和论证。有兴趣的读者可参看之。

[272]　（清）王明德著：《读律佩觽》，法律出版社 2001 年版，第 18—19 页。

反而是判官〔法官〕一言九鼎。与此同时，从对案件的解决这层意义上讲，尽管没上升为判例法的判例不具有普遍效力，但它有具体的、针对个案的效力。而在任何时代、任何地方，在法律原则和规则之下，总体性的法律只能一件一件地适用于个别性的法律关系和案件事实，因此，研究具体判例中结合案情而对法律所做的理解、解释及其方法，就不乏必要。

同注释体的法律解释一样，在古人的判例体解释中，一方面也是对法律的合法性作出必要的说明和辩护，但更重要的是对本案所要解决的方式和结果作出合法性论证：

> "宋传季珪为山阴令，有卖糖卖针者，争一丝团。诉于县。乃令挂丝于柱鞭之。有少铁屑焉，乃罚卖糖者。
>
> 后魏李惠仕为雍州刺史。有负盐负薪者，争一羊皮，各言藉背之物。惠谓州史曰：此皮可拷知主。群下默然。惠因令置皮于席上，以杖击之，见少许盐屑，使争者视之，负薪者伏辜。"[273]

这里所引判例，尽管没有对法律的详细解释，也没有对在案件中适用何一具体法律、法条作出说明，但其判案过程本身已经说明了判官的解释思路——以确凿无疑的事实使理屈者不须判而自屈于法。在这里，破案和判案是同一过程，判者的破案活动及其判决结果，其实就是对法律的解释过程，是对"所有权"关系的维护过程。

在如下疑难案件中，针对究竟"误破婚姻"还是"误乱人伦"这种两难选择判官吴冠贤根据"两利相权取其重、两害相权取其

---

〔273〕 （南宋）桂万荣撰：《棠阴比事》，北京中国书店影印本（无印刷年号），全一册，第16页。

轻"的一般价值原则进行法律解释，并作出了判决：

> "必不能断之狱，不必情理外也；愈在情理中，乃愈不能
> 明。门人吴生冠贤，为安定令时，余自西域从军还，宿其署
> 中，闻有幼男幼女皆十六、七岁，并呼冤于舆前。幼男曰：
> '此我童养之妇，父母亡，欲弃我别嫁。'幼女曰：'我故其胞
> 妹，父母亡，欲占我为妻。'问其姓，犹能记。问其乡里，则
> 父母皆流丐，朝朝转徙，已不记为何处人也。问同丐者，则
> 曰：'是到此甫数日，即父母并亡，未知其始末。但问其以兄
> 妹称。'然小家童养媳与夫，亦例称兄妹，无以别也。有老吏
> 请曰：'是事如捕风捉影，杳无实证，又不可刑求；断离断
> 合，皆难保不误。然断离而误，不过误破婚姻，其失小；断合
> 而误，则误乱人伦，其失大矣。盍断离乎？'推研再四，无可
> 处分，竟从老吏之言。"[274]

在这种疑难案件面前，最能反映判官对于法律解释的态度。判官在古代科技水平、办案技巧相当落后的情形下，面对此等疑难案件，只能根据律意内容之轻重、对社会教化影响之大小作出非此即彼的解释和判决。如前所述，古典中国向来关注人伦教化，万事人伦为要，乃至古典法学史上的重要论争，每每和人伦相关。[275] 直到如今，人伦礼教，仍然是人们所特别关注的重大问题。这就是上述判决在两难的"利益衡量"方面，何以要宁误婚姻、不误人伦的原因所在。从中不难见判例对法律的解释态度。

当然，在复杂疑难案件的处理中往往会发现具有思维完全不同

---

〔274〕　（清）纪昀著：《阅微草堂笔记·如是我闻·四》（卷十）。

〔275〕　特别是清末"礼教派"和"法理派"的激烈论争，基本上围绕着如何对待传统礼教问题而展开。

的判官。古代中国的判官，不像今天的法官那样，大体上都受过法学的专业训练。由于行政兼理司法、司法行政不分的深刻影响，判官们往往对行政管理知识，可谓在行，视司法审判知识，则为旁门。因此，在审判活动中，往往会出现法律解释的冲突。下面这则判例，就典型地表明了这种法律解释的冲突：

> "范纯仁知庆州，诸院罪人皆满。公诘其所以坐，屠犯盗窃而督偿者三分之二。公曰：'此何不责保在外，使之输纳也？'通判州事起白公曰：'非不知此，第以此辈凶暴，不可释；释之，不旋踵复案官司矣。'公曰：'终当何如？'曰：'往往以其疾毙于狱中，是以与民除害耳。'公蹙然曰：'法不当死，而在位者以情杀之，岂理也耶？'遂尽呼出立于庭下，戒饬之曰：'尔辈为恶不悛，在位者不欲释汝，惧为良民害，复案官司也。汝等能悔过自新，我欲释汝。'皆叩头曰：'敢不佩服教令！'遂释之。欢呼而出，转相告语。是岁犯法者，减旧岁之半。"[276]

可见，在"在位者"看来，对这些凶暴之徒，即使在狱中关押至死，也不过是为民除害之举，根本不值得珍惜其生命，甚至不惜"以例破律"。但在范纯仁看来，既然法不至死，则即使其为凶暴之徒，也不能因情而在实际上置其于死地。这两种解释结果，显然表明了不同的判官对法律的不同态度。当然，在该判例中，我们还可发现范纯仁的解释有偶然性因素在其中，那就是为了解决"诸院罪人皆满"的困难而作出的因应对策，但即便如此，其法律解释的理念仍跃然纸上，其与先前判官的解释立场不同则明显可见。

---

[276]　《宋史·卷三一四，列传第七三》。

　　由于判例体解释总是针对法律适用于个案中的问题而进行的，是法律和个案案情相结合的产物，这就使该种体例的解释在解释后果上千差万别。归纳起来，大体上有如下数种：

　　第一，严格因循律意，谨防因情害法。这在中国法律史上屡见不鲜。它强调法律的至上性，一桩案件事实，只要有相关法律存在，就必须借助法律规定而判决。决不能因一时情感而破坏法律尊严，即使面对皇帝的压力，也不退让。前述张释之、董宣、戴胄、魏征以及柳浑等在帝王面前坚执法律的严肃性，[277] 决不为私情而殉法律的故事，可视为典型。这里再以三国时曹魏名臣高柔的执法故事和明太祖手刃爱将胡大海之子的故事来进一步说明：

　　　　"时猎法甚峻。宜阳典农刘龟且于禁内射兔，其功曹张京诣校事言之。帝匿京名，收龟付狱。柔表请告者名，帝大怒曰：'刘龟当死，乃敢猎吾禁地。送龟廷尉，廷尉便当拷掠，何复请告者主名，吾岂妄收龟耶？'柔曰：'廷尉，天下之平也，安得以至尊喜怒而毁法乎？'重复为奏，辞指深切。帝意寤，乃下京名。即还讯，各当其罪。"[278]

　　　　"初，太祖克婺州，禁酿酒，大海子首犯之。太祖怒，欲行法。时大海方征越，王恺请勿诛，以安大海心。太祖曰：'宁可使大海叛我，不可使我法不行。'竟手刃之。"[279]

　　如上判（事）例，清楚地表明在古典中国的一种法律解释意

<hr>

[277]　在北京大学法律系法律史教研室选译的《中国古代案例选》（山西人民出版社1981年版）、辛子牛主编的《中国历代名案集成》（上、中、下，复旦大学出版社1997年版）、刘岐山选编的《古代法案选编》（北京出版社1981年版）等书中，皆搜罗了这方面的不少类似案例，可参见。

[278]　（晋）陈寿著：《三国志·卷二十四·高柔传》。

[279]　《明通鉴·太祖·元至正二十二年》。

向，那就是：即使面对皇帝的高压，或者宁可舍弃战场上的得失，也不能背反国家法律的至上尊严。脍炙人口的"张释之抗旨严执法"、"诸葛亮挥泪斩马谡"、"满宠不以情害法"、"隋文帝执法不惜子"……等等故事，都确切表明古代中国通过判例体的法律解释所争取的这种结果。可以说，倘若没有这种对法律本意在个案处理中的尊重，那么，法律诚信的确立、法律秩序的形成便遥不可及。

第二，坚持揣摩上意，强调以意释法。我们知道，在汉代，一位酷吏的名字至今仍被人们不断提及，他就是杜周。他与张释之好像在中国"司法"史上正好一反一正，代表了中国司法的两种形象。笔者在前文已多次提及，杜周的法律观乃是唯仰人主鼻息、揣摩人主意志为特征的法律观，其名言"三尺安出哉？前主所是著为律，后主所是疏为令，当时为是，何古之法乎？"[280] 已成为我们批判中国古代社会法律无常的经典根据。尽管对这段文字，法学界一般给予嗤之以鼻的评价。但也有例外，例如刘星就对杜周的主张做了尽管不是辩护，但却是"同情地理解"的评论，他针对这段话指出：

> "这话是说，哪条法律当初不是来自皇上的意思，既然是皇上的意思，今儿不断地依皇上意思去做，将法律文字解释成皇上的心思，不是理所当然？那帮鄙夷者听了这番话，一点脾气也没有，左琢磨右琢磨，发现杜周说的绝对在理。"[281]

当然，刘氏对杜周上述名言的新解，乃是为了说明法律的不确定性，或者至少说明法律不确定性的主张具有一定的合理性，从而

---

〔280〕 （汉）司马迁著：《史记·酷吏列传》。

〔281〕 刘星著：《古律寻义·杜周》，中国法制出版社 2000 年版，第 12 页。

引入"后学"的分析理路。尽管如此，但只要我们回顾一下在此种名言影响之下所导致的古典法律秩序之混乱，我们宁可坚持对它的批判姿态、鞭挞精神和否定意识，因为法律之为法律，更要者在其必须的确定性，而不在于其不确定性。且看如下记载：

> "俊臣与其党朱南山辈造《告密罗织经》一卷，皆有条贯支节，布置事状由绪。俊臣每鞫囚，无问轻重，多以醋灌鼻，禁地牢中，或盛之瓮中，以火围绕炙之，并绝其粮饷，至有抽衣絮以啖之者。又令寝处粪秽，备诸苦毒。自非身死，终不得出。每有赦令，俊臣必先遣狱卒尽杀重囚，然后宣示。又以索元礼等作大枷，凡有十号：一曰定百脉，二曰喘不得，三曰突地吼，四曰著承即，五曰失魂胆，六曰实同反，七曰反是实，八曰死猪愁，九曰求即死，十曰求破家。复有铁笼头连其枷者，轮转于地，斯须闷绝矣。囚人无贵贱，必先布枷棒于地，召囚前曰：'此是作具。'见之魂胆飞越，无不自诬矣。则天重其赏以酬之，故吏竞劝为酷矣。由是告密之徒，纷然道路，名流龟勉阅日而已。朝士多因入朝，默遭掩袭，以至于族，与其家无复音息。故每入朝者，必与其家诀曰：'不知重相见不？'"[282]

显然，其以皇帝意志为宗旨的基本结果，就是冤狱不断、法纪无存、社会失序、统治昏暗。尽管它也是判例释法的一个标准。

第三，固守礼教传统，倡导因情释法。在前文中，笔者一再言及在我国古典法律解释中情理对释法的重要性。特别是在判例体的法律解释中，因为每个判例往往有其自身独特的情理在其中，因

---

[282]　（五代·后晋）张昭远等撰：《旧唐书·酷吏传上·来俊臣》。我们知道，此种情形，在数十年前的"文革"时期，还大张旗鼓、公然存在！

此，根据这些情理具体问题具体分析地判决案件、解释法律的现象就多有存在。尽管在前文中笔者多有例举，这里不妨再引三例，以为说明：

> "钟离意字子阿，会籍山阴人也。……二十五年，迁堂邑令。县人防广为父报仇，系狱，其母病死，广哭泣不食。意怜伤之，乃听广归家，使得殡敛。承掾皆争，意曰：'罪自我归，义不累下。'遂遣之。广敛母讫，果还入狱。意密以状闻，广竟得以减死论。"[283]

> "何承天，东海郯人也。五岁丧父。母徐广姊也，聪明博学，故承天幼渐训义。宋武起义初，抚军将军刘毅镇姑孰，板为行参军。毅尝出形，而鄡陵县吏陈满射鸟，箭误中直帅，虽不伤人，处法弃市。承天议曰：狱贵情断，疑则从轻。昔有惊汉文帝乘舆马者，张释之劾以犯跸，罪止罚金。何者？明其无心于惊马也。故不以乘舆之重，加于异制。今满意在射鸟，非有心于中人。案律过误伤人三岁刑，况不伤乎？微罚可也。"[284]

> （韩思彦）"巡查剑南，益州高资兄弟相讼，累年不决，思彦敕厨宰饮以乳。二人寤，啮肩相泣曰：'吾乃夷獠，不识孝义，公将以兄弟共乳而生邪！'乃请辍讼。"[285]

上述例证，皆为借助情理而释法律的典型。其中有些情理和法理大体一致，根据情理的判决反倒合乎律意，如第二例。但有些则

---

[283] 范晔著：《后汉书·第五钟离宋寒列传》。

[284] 《南史·何承天传》。这段记载尽管在前文中已经引述，但为更直观地说明这里的问题，不妨再征引之。

[285] 《新唐书·韩思彦传》。

纯粹以情理而替代律意，作出法律之外的判决，或者强调法律本乎人情，因此，将人情自然地带入到法律的解释和案件的判决中，从而为通过判例的法律解释增添了另种方法。

如上诸种体例的法律解释方法，使得古典中国形成了一种独特的法律学术和法律知识。这将是笔者在下一部分中要重点着墨交代的问题。

第七章　中国古典法律解释的知识智慧

——法律解释知识形态

在以往我国国民的观念中，法律就是一种特殊的"文件"。而"文件"的性质不在于其是否符合知识的规范和要求，也不在于其自身是否为知识，而在于其借助某种强制性权力的贯彻和推行。因之，法律和知识似乎无关，法学也就成了法条的简单疏解。特别是规范分析法学那种对"法律是主权者命令"的强调，[286] 以及这种法学通过其变种方式——维辛斯基法学对中国 20 世纪 50 年代至 80 年代的深刻影响，使人们普遍接受了如下关于法律的观点：

> "法，又称法律（就广义而言）。国家按照统治阶级的利益和意志制定或认可、并由国家强制力保证其实施的行为规范的总和，包括宪法、法律（就狭义而言）、法令、行政法规、条例、规章、判例、习惯法等各种成文法和不成文法。法属于上层建筑范畴，决定于经济基础，并为经济基础服务。法的目的在于维护有利于统治阶级的社会关系和社会秩序，是统治阶级实现其统治的一项重要工具。所以，法是阶级社会特有的社会现象，它随着阶级、阶级斗争的产生、发展而产生和发展

---

[286]　应该说明的是：恰恰是规范分析法学系统地总结并得出了法律区别于道德、宗教、社会、经济等现象之知识形态。在此意义上讲，规范分析法学就是法律这种社会现象的知识形态。特别是该学派对法律内部问题的深切关注，使得法学才真正找到了自己的活水源头，并以独立的学术形态面世。因此，这里只是就该学派的上述经典命题提出反思，而不是对该学派对法律知识的巨大贡献不予正视。

……并将随着阶级、阶级斗争的消灭而自行消亡……"[287]

这种情形，再加之古人留给我们的法律主要是刑律，相应地其法律观念，主要也是刑法观念，因此法律和某种政治权力强制在观念上结盟，而与自由探讨和发展的知识就似乎无缘。这真是我国法律和法学的悲哀！尽管如此，我们还是能通过古典法律解释及其成果，透视出我国古代法律解释中的知识智慧。

一、附生于政治哲学（经学）的法律解释智慧

我们知道，在近代大学教育及知识史上，法学教育及其知识创造具有特殊的地位：世界上近代第一所大学——意大利波伦亚大学所开设的第一个专业，即为法律学专业。自此以后，其他各大学的成立，每每将法学学科当作最主要的专业对待。为什么会这样？这是和法律作为实践应用学科的特殊属性以及商品贸易在欧洲的迅速发展对于法律及法学的呼唤紧密相关的：因为在一个商品贸易的社会里，陌生人之间的交易必须比熟人社会中的交往更需要以法律为基础的诚信，以及一旦破坏此种诚信，就更需要一种比熟人社会还要强有力的强制性制度保障机制来确保法律的落实和人们贸易行为的有序、有利。这样，在中世纪之前，以罗马法学家及其学说为代表的西方法学就已经因在学术上独立的品格而存在于世；到中世纪以后，注释法学派和评论法学派的分庭抗礼，标志着法学摆脱了神学的禁锢，再次以独立的品格成为世界学问百花园中一朵鲜艳而灿烂的奇葩，其影响直至如今。

但遗憾的是，在中国，即使到了今天，法学仍然被排斥在人文社会学科的主流学问之外。因为人们的基本观念是：法律作为白纸黑字的规定，人们大体上都能看懂，因此，专业的法学训练就似乎

---

[287] 《中国大百科全书·法学卷》，中国大百科全书出版社 1984 年版，第 76 页。

多此一举。这大概正是形成任何人都可以从事法律职业，从而"复转军人进法院"的根本原因，恐怕也是我们的法律职业资格考试制度独树一帜地向所有其他学科的本科学历者开放的原因所在。我承认，这是我们的国情，但我更认为，如果我们不努力设法去改变这种法律和法学的"国情"，那么，所谓法治以及必须在其规制下的市场经济、民主政治、多元文化也许只能是大而无当的口号，很难转化成为穿针引线的实践。

我们还是先回到由古代中国的法律解释所积累的知识智慧中去。古代中国究竟是否存在法学？这是在学术上是有争议的问题。绝大多数学者，特别是那些从事中国古典法律研究的学者，如沈家本、陈顾远、武树臣、俞荣根以及日本学者滋贺秀三、大庭修等等都主张、并详尽论证中国古代不但有法学，而且其法学还是相当发达的。但我国一些新生代的法学学人，如梁治平、张中秋等都否认中国古代有法学存在。[288] 对此，何勤华站在前种立场上进行了系统反驳，并以煌煌两卷本《中国法学史》以作证明。

其实，提出中国古代没有法学的论断，正如提出中国古代有无哲学、数学、化学、物理学、地理学、社会学等等一样，只是一种以西方现代学问分工体系为参照的问题。的确，在严格按照这一参照及其内部的学术范式、学术术语、研究方法等等来衡量的时候，我们不得不遗憾地说：尽管古代中国有独特的法律知识智慧，但确实没有西方人所谓的那种法学。甚至在我们数千年的发展历程中，并没有发展出在西方文明传统中的那种法律，因此，在古典的中国不仅没有西式的法学，也没有西式的法律。对此，费正清曾深刻指出：

---

[288] 参见何勤华著：《中国法学史》（第一卷），法律出版社 2000 年版，第 24 页以下。其实，在民国时期，梁启超就曾认真思考过这一问题，强调中国律学和西方法学的差异，尽管其有《中国法学发达史》行世。

　　"法律的概念是西方文明的荣耀之一，而在中国，法家学说虽然深深影响了中国人对所有法律的态度，但是，两千余年来，它一直不受重视。这是因为法家的法律概念与罗马的法律概念相比，有着较大的缺陷。西方法律一直被认为是上帝或自然的某种更高级命令在人间的体现，而法家的法律只代表了统治者的命令。中国很少甚至没有发展出民法保护公民；法律大部分是行政性的和刑事的，是民众避之犹恐不及的东西。"[289]

　　当然，如果换个视角，从而摆脱西方中心主义的法学和法律观念对于我们思考的制约，则可以发现，中国古代不但有法学，而且具有独立于世的法学智慧；中国古代不但有法律，而且有独特的令西方人不可思议的民事方面的法律。[290] 这真可谓是"横看成岭侧成峰，远近高低各不同。"[291] 让我们以晋代律学的代言人张斐的两段话看看这种堪称"精细"的法学吧：

　　"……其知而犯之谓之故，意以为然谓之失，违忠欺上谓之谩，背信藏巧谓之诈，亏礼废节谓之不敬，两讼相趣谓之斗，两和相害谓之戏，无变斩击谓之贼，不意误犯谓之过失，逆节绝理谓之不道，陵上僭贵谓之恶逆，将害未发谓之戕，唱首先言谓之造意，二人对议谓之谋，制众建计谓之率，不和谓

---

[289]　[美] 费正清著：《东亚：伟大的传统》，转引自高道蕴等编：《美国学者论中国法律传统·导言》，中国政法大学出版社 1994 年版，第 2—3 页。

[290]　在民国时期，胡长青就这样认为："谓我国自古无形式的民法则可，谓无实质的民法则厚诬矣。"（胡长清著：《中国民法总论》，中国政法大学出版社 1997 年版，第 16 页）。由此我们也就不难理解为什么潘维和能写出《中国民事法史》（台北：汉林出版社 1982 年版）；李志敏能写出《中国古代民法》（法律出版社 1988 年版）；叶孝信等能写出《中国民法史》（上海人民出版社 1993 年版）等的原因。

[291]　（宋）苏轼：《题西林壁》。

之强，攻恶谓之略，三人谓之群，取非其物谓之盗，货财之利谓之脏：凡二十者，律义之较名也。

夫律者，当慎其变，审其理。若不承用诏书，无故失之刑，当从赎。谋反之同伍，实不知情，当从刑。此故失之变也。卑与尊斗，皆为贼，斗之加兵刃水火中，不得为戏，戏之重也。向人室庐道径射，不得为过，失之禁也。都城人众中走马杀人，当为贼，贼之似也。过失似贼，戏似斗，斗而杀伤旁人，又似误。盗伤缚守似强盗，呵人取财似受赇，囚辞所连似告劾，诸勿听理似故纵，持质似恐吓。如此之比，皆为五常之格也。……"[292]

从此不难得见，在近两千年前，我们的先人就对刑法和刑法学的基本问题作出了精要而又不乏系统的解释和阐述。显然，这是我们无法不正视的法学成果。直至如今，我们在刑法学中的许多基本概念之界定，并没有超出张斐当年界定水平之多少，甚至还落后于他！

那么，古代中国在法律解释中的法学智慧究竟具体表现为何？笔者以为，正如在中世纪的西方，法学只是神学的奴仆或婢女一样，在古代中国（先秦诸子时期可谓例外，但其法学也无例外地是其政治哲学的副产品。道家学派是如此、儒家学派是如此、墨家学派是如此、甚至连专注于法律和法治的法家学派，其学问也毫无疑问首先是政治哲学，其次才在其中包容了相关法律主张。对此，学界论述甚多，限于本文研究的视角，不再以此为例来说明古代中国法学之于政治哲学的附生性），特别是自汉代"罢黜百家、独尊儒术"以来，一切学问，都委身于经学门下。被官方所认可的法律解释活动，基本上沿用着经学的注释范例。我们所熟知的历史上

---

[292] （唐）长孙无忌等撰：《晋书·刑法》。

一些法律注释家，同时也是著名的经学家。例如，在汉朝，董仲舒倡导"引经决狱"的故事人们大都耳熟能详；而大经学家叔孙宣、郭令卿、马融、郑玄等都曾以经注律，并有各自的律学著作流行当世（可惜后来皆失传）：

> "……汉承秦制，肖何定律，除参夷连坐之罪，增部主见知之条，益事律兴、厩、户三篇，合为九篇。叔孙通益律所不及，傍章十八篇，张汤越宫律二十七篇，赵禹朝律六篇，合六十篇。又汉时决事，集为令甲以下三百余篇，及司徒鲍公撰嫁娶辞讼决为法比都目，凡九百六卷。世有增损，率皆集类为篇，结事为章。一章之中或事过数十，事类虽同，轻重乖异。而通条连句，上下相蒙，虽大体异篇，实相采入。盗律有贼伤之例，贼律有盗章之文，兴律有上狱之法，厩律有逮捕之事，若此之比，错糅无常。后人生意，各为章句。叔孙宣、郭令卿、马融、郑玄诸儒章句十有余家，家数十万言。凡断罪所当由用者，合两万六千二百，七百七十三万二千二百余言，言数益繁，览者益难。天子于是下诏：但用郑氏章句，不得杂用余家。"[293]

从以上引文可知：一方面，精通儒术的经学家们在汉代的立法和法律运用中发挥着巨大的作用，从此时起，中国法律已然开始了其儒家化的历程。另一方面，当国家法律日渐冗繁，令人难以确切掌握之时，皇帝不是命令人们遵守那些精通法律者的注疏，而是把经学的集大成者——郑玄的注律章句作为人们操守的圭臬。这足以说明法律解释和法学的经学化，即以律学为主要内容的法学基本上开始走着一条经学解释的路数。

---

[293] （唐）长孙无忌等撰：《晋书·刑法》。

再如在号称中国律学兴盛的魏晋南北朝时期，法律往往由精通儒术的经学家负责制定。特别是魏律，更是由陈群和刘劭这样一些时贤巨儒所编纂。尽管这一时期似乎重现了春秋战国时期那种百家争鸣的局面，故何晏、王弼、嵇康、阮籍的道统玄学，贾充、杜预、刘颂、张斐的儒家经学，以及从域外输入的佛学等等，在中国学术舞台上展开了明显竞争之势。但是，儒家经学在整体上讲还是这一时期中国学术的绝对中心。即使玄学家、佛学家们，都不得不借助儒家经学来阐释其主张。这就不难理解为何像何晏、王弼、嵇康、阮籍等究竟属道家学派的人物还是儒家学派的人物在史学界有颇多争议了。这种在百家争鸣景观下儒学大盛的情形，也正是《晋律》以及相关的法律解释能够比较彻底地贯彻儒家思想的原因。正如陈寅恪曾说的那样："司马氏以东汉末年之儒学大族创建晋室，统治中国，其所制定之刑律尤为儒家化。"[294]

至于几位伟大的法律注释家——杜预、张斐等等，也基本上都是儒学训练和经术造诣深厚的学者。其中前者是一位典型的经学家，他特别着迷于《左传》，时人称有"左传癖"。他不但参与了著名的《泰始律》的制定工作，而且在其后以一位经学家的眼光撰写了《泰始律》的法律解释。其法律解释一直影响到南朝时期。而后者尽管在很大程度上专攻律学，并且以法律解释而名世，但经受了"罢黜百家、独尊儒术"浸染的学者们，几乎无不是受儒学的巨大影响者。我们知道，儒学是积极入世之学，而法律更是积极入世之举。在古代中国，先秦之外，精于法律的学者无不同时精通儒术，笃信六经。就张斐而言，其言论可为佐证：

> "律始于《刑名》者，所以定罪制也；终于《诸侯》者，所以毕其政也。王政布于上，诸侯奉于下，礼乐抚于中，故有

---

[294] 陈寅恪著：《隋唐制度渊源略论稿》，三联书店1954年版，第100页。

三才之义焉，其相须而成，若一体焉。……

夫刑者，司理之官；理者，求情之机；情者，心神之使。心感则情动于中，而形于言，畅于四支，发于事业。是故奸人心愧而面赤，内怖而色夺。论罪者务本其心，审其情，精其事，近取诸身，远取诸物，然后乃可以正刑。仰手似乞，俯手似夺，捧手似谢，拟手似诉，拱臂似自首，攘臂似格斗，矜庄似威，怡悦似福，喜怒忧欢，貌在生色。奸真猛弱，候在视息。出口有言当为告，下手有禁当为贼，喜子杀怒子当为戏，怒子杀喜子当为贼。诸如此类，自非至精不能极其理也。

……王者立此五刑，所以宝君子而逼小人，故为敕慎之经，皆拟《周易》有变通之体焉。欲令提纲而大道清，举法而王法齐，其旨远，其辞文，其言曲而中，其事肆而隐。通天下之志唯忠也，断天下之疑唯文也，切天下之情唯远也，弥天下之务唯大也，变无常体唯理也。非天下之圣贤，孰能与于斯！

夫形而上者谓之道，形而下者谓之器，化而财之谓之格，刑杀者是冬震曜之象，髡罪者似秋凋落之变，赎失者是春阳悔吝之疵也。五刑成章，辄相依准，法律之义焉。"[295]

在此，张斐业已充分表达了他在法律解释（《泰始律》）过程中对儒家经籍的看重，并且也在字里行间反映着其在法律解释时是如何运用儒家学说于其中的。

在唐宋之际，中国的法律解释者们仍然往往是精通儒术的学者型大员要吏。在《唐律疏议》和《宋刑统》之序言和具体释文中，我们就不时能见到借助儒家经典以说明法律解释之理和具体的法律规定者。因在前文中多有引证，这里不再赘引之。

---

[295]　（唐）长孙无忌等撰：《晋书·刑法》。

唐宋以后，尽管中国社会日渐失去昔日的活力，但儒学的统治强度却并未丝毫有所减弱，反而在不断地加固。所以，明清法律解释，尽管有不少私家注律者为律学发展带来了不少新资，但以儒家经典为指导的法律解释格局仍然没有丝毫改变。这真可谓"天不变、道亦不变"了。

以上论述旨在表明，中国古代法律解释中的知识智慧，乃是在政治哲学——经学框架下的法律智慧。这在一定意义上有其必然性，因为古代社会本来是一个"元"社会，其社会分工的落后，使得一切问题都围绕着现实政治统治或人们交往的秩序问题而展开。在这一大前提下形成了政治哲学的一统天下，因而其他一切问题和学问皆围绕此种政治哲学而展开。

这种情形，即使在其他古代文明体系中，似乎也相差不大。例如，在以希腊罗马文明为源头的西方学术传统中，至少从亚里士多德开始、中经阿奎那并一直到黑格尔、马克思，除了中间偶尔有学术分工的迹象外，总体上都表现为某种"元典"式的学问风格，因此，不同学问的内容都包含在这一"元典体系"中（甚至在当代，以韦伯和哈贝马斯为代表的西方学者似乎重新捡起了这种"元典精神"）。即使被我们称之为"法学家"的西塞罗，其实首先是位政治学家，其次才是法学家。真正具有独立的法学家倾向、并作出相关学术和知识贡献者，主要是乌尔比安、盖尤斯等"五大法学家"，然而，我们知道，他们的学问，也主要是被帝王所看重的法律解释学。这和古代中国至少在形式上有某些相似、甚至相同之处。

这对我们的启示是：要论述古典中国的法学，最好是同样和古典的西方以及其他古典文明相比较才更有说服力。否则，就会出现比较之时代的错位和不对称。以此为参照，我们就可以领略中国古代法律解释之知识智慧的另一面。

二、相对独立的法律解释智慧——律学

前文所述，已然涉及律学问题，并且笔者也强调了作为一种知识形态，它是附生于古代中国的政治哲学（经学）的。**尽管如此，但不能因之而言它就是经学的一部分。事实上，它只是运用经学的神髓来解释法律的问题，它的对象、问题、专门术语等等都是法律和法学的。我们知道，法律是公认的专门词汇最多的社会规范领域，且它的专门术语完全不同于经学所用的术语，这客观上就决定了即使古典中国以法律解释为前提的法学委身于经学门下，也不是说它就没有自身的范畴术语、运思方法和知识体系，否则，律学之谓，便徒有其名。**

前文已多次提及，在笔者看来，古典中国在经学之下，大体上呈现出八种相对独立的学问格局，即经学、子学、史学、文学、医学、兵学、农学和律学。除此之外，当然还有阴阳五行之学、天文历法之学等等，但都没有像前八种学问那样，形成较为完整的学术体系。

经学大体上是一种类似于意识形态的学问，几乎任何一位身置其中的政府官员、知识分子都会当作套语一般（当然，这绝不否定相当一部分士大夫阶层对它的虔诚信仰之心和认真践履之情）使用之。就像我们今天每个人对于一些意识形态说教都能夸夸其谈地说上几句一样。因此，经学语言和经学思维方式业已是一种运用广泛的"公共话语"。与之相比，其他几种学问在"公共性"方面就明显地相形见绌。尽管"律学"应当属于典型的"公共事务。"

但法律毕竟不是意识形态，因此，它不能主要靠心灵感悟或纯粹教化来落实，它自身具有明显的专门术语和知识体系，这样，它就需要一定的专业训练才能习得。这种情形，即使在古典中国也是如之。一个不争的事实是：在古代中国官府所聘请的"刑名师爷"、"钱谷幕友"中，大量的是在法律和法学方面确有造诣者，

因为他们的主要任务是协助地方官员从事和司法相关的活动，这正如一位学者所言：

> "正如前面所说，官的任务就是幕的任务，但毕竟刑名幕友居于'佐治'的地位，它在司法活动中既要发挥作为专业人员的特殊作用，又不能掠人之美、夺人之名，这就使其工作有所侧重。同时由于各级官府司法权限不同，幕友的任务也有别。"

该学者还进一步将"刑名幕友"所肩负的具体任务归纳为如下几点：拟批呈词，酌定审期、传集两造和人证，幕后参与庭讯，制作司法公文，审核驳诘案件。同样，"钱谷幕友"也往往参与司法活动，只是与"刑名幕友"在所参与的具体案件（从内容看）上有所区别而已：

> "……除了催科钱粮、赈灾济民等财政和民政事务外，如强占田界、阻塞水道、私典盗卖、找价回赎、追控账绩等民事争讼也在钱谷幕友的管辖之内，钱谷幕友同样承担办案任务，与刑名幕友办案的程序和方法是一样的。因此清人学幕，往往刑、钱并习，只是在具体从事工作时，再有所侧重而已。"[296]

之所以需要这么多的"幕友"出任司法活动中的辅佐，就在

---

[296] 高浣月著：《清代刑名幕友研究》，中国政法大学出版社 2000 年版，第 39—41 页。还可具体参见（清）汪辉祖著：《学治臆说》，载郭成伟主编：《官箴书点评与官箴文化研究》，中国法制出版社 2000 年版，第 192 页以下；（清）佚名著：《钱谷指南》，载郭成伟等点校整理：《明清公牍秘本五种》，中国政法大学出版社 1999 年版，261 页以下；（清）王又槐：《办案要略·论批呈词》（载郭成伟主编：《官箴书点评与官箴文化研究》，中国法制出版社 2000 年版，第 156 页以下）等。

于他们既具有法律的专门知识，又为了谋生，能够机警而干练地协调方方面面的关系，从而上可以辅佐官府，下可以和谐百姓。并在一定程度上克服官府衙门中的"官人"们尽管满腹之乎者也、道德仁义，但对法律知之甚少、甚或无所了解之弊。

那么，为什么一定要从懂得法律的人当中挑选"幕友"？这既需要我们回到科举文化的弊端中去观察，也需要我们从法律和法学（律学）的专业性出发来考量。就前者而言，古代中国的科举制尽管从社会的下层源源不断地向统治阶层输送了大批人才，从而至少使隋唐以还的古代中国大体上能够不断地有新鲜血液被输入到政权体系中去。但众所周知，在这种选官制度中，也明显存在着不足，那就是在考试内容上，过多地强调儒家经义，而对能够真正经世致用的法律极不重视，法律几乎在科举考试中不被涉及。正如有人所言：

> "……中国古代选举考试的主要内容不外乎经学（家法、帖经墨议、经疑、经义）与文学（诗赋）。策问及诰、论、表等公牍则可以说是两者的一个结合或更偏重于经学，其意主要在通经致用，而又须略具文采。但经学又可以说也包括了先秦史学（如章学诚所言'六经皆史'）和子学（自然主要还是儒家学说）。按现代眼光，经学则既是哲学、伦理学，又是政治学、社会学，包括了人文与社会学科的一些主要领域。在察举时代，经学、文学稍稍分途，科举时代，两者渐渐合一，唐至宋初一段似以文学为主，表里皆文学；宋元以后渐渐是以经学为主，或者说以经学为里，文学为表，……作为经义应试文的八股在次一级的意义上仍然是经学与文学的一种结合，其内容是经学，形式则为文学。"[297]

---

〔297〕 何怀宏著：《选举社会及其终结》，三联书店 1997 年版，第 167—168 页。

这样，入选官员便普遍于儒家经义会了如指掌，但于法律规定则徘徊门外。然而，就各级官员所承担的任务而言，他们毕竟既不是学者，也不是教师，而是要随时随地面对各种复杂的案情的行政、司法官员。尽管儒家经义也能够在一定程度上解决一些纯粹属于伦常之类的案件，但它毕竟不是详尽的法条规范，因此，于更复杂多样的案件而言，就显得捉襟见肘。这样，就极需要在这些官员之外，选择有法律和法学素养的人们辅佐治理国政，协助管理地方事务，处理民、刑纠纷。

当然，更重要的是，幕友，特别是刑名幕友，每每是法律知识的真正拥有者。尽管他们在一个儒家思想充斥于各个角落的国家，免不了受其深刻影响（如清代名幕汪辉祖，在其论著中就不时地表现出受儒家思想深刻熏陶的情形），但他们更重要的特点，还在于其术有专精、业有专攻——对法律的深刻理解和成竹在胸。对此，张晋藩指出：

> "幕友之制由来已久，迄至清代由于八股取士所造成的官员对世事的瞳朦，而增加了对于幕友的倚重，幕友之制遂得以迅速发展，趋于鼎盛。尤其是刑名幕友，以瞭然律例知识，成为地方司法活动的实际操纵者。他们在各级地方机构中，虽无职而有权，在佐治的名义下，发展成特殊的权力群体。"[298]

法律活动和法学专业知识的专门性与独特性，直接决定了在正统的经学之外，法学的独特地位。笔者之所以在此不厌其烦地陈述"幕友"制度，就是要以此来说明律学在古代中国的明显独立地位。因为从那些"道术"修炼深厚、儒学教养有成的官员不能圆

---

[298] 高浣月著：《清代刑名幕友研究·序》，中国政法大学出版社 2000 年版，第 1 页。

满地解决讼案问题，而必须借助"幕友"们辅佐处理的事实中就可以推论出：儒家经术尽管在古代中国具有全方位的统摄功能，但它并不能完全包办其他。反之，在这一整体性的指导思想之下，发展出相对独立的能够真正指导像司法一类的社会实践的理论，就势不可免。

那么，以什么来衡量古代中国律学的相对独立性呢？笔者以为，如下数端不妨可以参照：

首先，大量律学著作的存在。 先秦时期，中国法学乃是和儒学等相并列的知识体系，不论源自齐国的法家如管仲、晏婴还是秦晋式法家如商鞅、韩非等等，都标举法律和"法治"的旗帜，公开主张"君臣上下贵贱皆从法，是谓之大治"；[299] 强调"法不阿贵，绳不挠曲，法之所加，智者弗能辞，勇者弗敢争。刑过不避大臣，赏善不遗匹夫。"[300] 甚至连今天所津津乐道的所有权关系在他们的论著中也有精妙论述。例如慎到就曾通过设例而深刻地指出：

> "慎子曰：今一兔走，百人逐之，非一兔足为百人分也，由［分］未定。由［分］未定，尧且屈力，而况众人乎？积兔满市，行者不顾，非不欲兔也，分已定矣。分已定，人虽鄙，不争。故治天下及国，在乎定分而已矣。"[301]

百家争鸣时代法家学派的人物们大都在当时留下了足以称之为法学作品的著作，有些甚至较为完整地流传到现在，如《管子》、《商君书》、《韩非子》等。这些作品，就是古典中国的政治法学。即总的说来，它们都是立足于为作者的政治主张服务的。因此，是

---

[299]　《管子·任法》。
[300]　《韩非子·有度》。
[301]　《吕氏春秋·慎势》。

和一定的政治诉求相结合的法学。

秦汉以后，特别是汉代以来，和儒家政治主张能够分庭抗礼的政治诉求不是没有，但能真正流传于世，并影响民众者甚少，我们时常所谓儒、道、释三家鼎立的文化格局，事实上都被窜入了儒家的精髓。所以，后世对道家之道和儒家之道在理念上不再区别。至于外来的佛教文化，其在中国化的过程几乎可以称之为是以儒家文化改造之的过程。真正对儒学的怀疑和抨击，只是在明清之际和"五四"之后。因此，在当时一种学问的独立就取决于他和儒学所表达的基本关怀的差异上。如果说儒家关怀仁道，那么，律学则关心的是仁道在法律中的具体落实及其方式。但即使如此，仁道精神毕竟不同于对这种精神的贯彻落实，后者更需要专门的知识。正是在此意义上，可以说古人为我们留下了足以自豪的儒学作品之外的一系列实用的律学著作。

对这些律学著作，何勤华在《中国法学史》中已经做了在国内学者中最为详尽的考证、阐述和总结，既有定量的考察，也有定性的论述。根据其定量的考察可知：在宋代仅私家法律著述就达66种、元代有27种、明代101部、清代160余部。[302] 这些统计，有些是根据历史记载，有些是根据相关著作的统计，有些则是作者亲赴海内外图书馆查阅所得。因此，其中有些流传至今，有些则可惜已失传！但不论如何，可以从中看到律学著作是我国古典文化作品中值得关注的一大领域。如此卷帙浩繁的作品，在古代中国其他学术领域是极为罕见的。

其次，法学家和法律家职业的初现。可以肯定，尽管中国古代没有现代意义上的法学家和法律家阶层，甚至也没有出现过古罗马那种法学和法律职业者的辉煌和深受器重的局面，但在数千年的政

---

[302] 参见何勤华著：《中国法学史》（下卷），法律出版社 2000 年版，第 29、31、202、208 页。

治统治中，人们深深认识到法律的重要和以心统治的枉然。韩非早就言明：

> "释法术而任心治，尧不能正一国；去规矩而妄意度，奚仲不能成一轮；废尺寸而差短长，王尔不能半中。使中主守法术，拙匠守规矩尺寸，则万不失矣。君人者，能去贤巧之所不能，守中拙之所万不失，则人力尽而功名立。……释仪的而妄发，虽中小，不巧；释法制而妄怒，虽杀戮而奸人不恐。……故至治之国有赏罚而无喜怒，故圣人殛；有刑法而无螫毒，故奸人服。发矢中的，赏罚当符。"[303]

这种对法律之治的深刻认同和对圣人之治的嘲笑讥讽，尽管没有在古代中国催生出法治之果，但我们知道，所谓阴法阳儒、外刑内德乃是中国古代政治统治的基本策略。即使那些坚守仁道理念的帝王将相们，对法律也决不轻忽之、放任之。反之，一个有作为的朝代往往也有一部足以表现此时代特征的煌煌法典。这足以表明法家主张的实践价值。

有如此的实践，就必然有和此实践相关的从业者。我们知道，古代中国在中央国家机关中，尽管皇帝集立法、司法、行政大权于一身，但在其下的各部衙门，则有明显分工。其中基本贯通古代的刑部以及在有些朝代设立的御史台、大理寺等机构，就是专司法律的机构。这些机构中的从业人员，尽管没有像今天这样受过专门的法律训练，但其至少由大体精通法律的人士充任。即使其入相关机构之先对法律不甚了了，但进入之后也得必须认真钻研，以致成专家。

至于在地方，尽管供职于各级衙门的大都是精通诗书之徒，但

---

〔303〕《韩非子·用人》。

其中也不乏对法律颇有钻研者。笔者在本文所提及的王明德、雷梦麟、颜俊彦、徐士林、蓝鼎元、沈之奇、汪辉祖等等皆为地方官员，也为彪炳史册的律学家。而被官府所延揽的"幕友"们，更是以钻研法律见长的"专门"人才。它们完全可以被看作古代中国的法学家和法律家（"法律职业者"）。[304]

最后，律学教育的存在、甚至"发达"。 古代中国虽然没有古罗马那样发达的公、私法律教育机构。但也有富于自身文明特色的法学教育。在先秦时期，邓析曾聚徒学讼，尽管其悲惨结局，已是中国法学史上尽人皆知的公案，但其对开创私立法律教育的贡献，则永垂青史！其后自从秦朝强调"以法为教，以吏为师"以来，国立的教育机构（含法律教育）则不绝于史。在汉代，官方教育从中央到地方分别设有"太学"、"学"、"校"、"序"和"庠"，而包括法律教育在内的私学教育也在一定程度上被提倡，从而涌现出了一些法律教育家：

> "……在西汉时有……以乐臣生、陈平、汲黯等人为代表的黄老刑名之学，以黄霸、赵禹、张汤、于定国、杜周等为代表的法家私学等。至东汉时，随着律学的发达，私学的法律教育更加活跃，出现了许多律学世家，如颍川的郭氏（郭弘、郭躬、郭祯等），河南的吴氏（吴雄、吴诉、吴恭等），沛国的陈氏（陈咸、陈宠等）。"[305]

在魏晋南北朝时，中国律学教育最可自豪的是"律博士"的

---

[304] 陈景良曾经以宋代的司法传统为例，系统说明讼师和"讼学"的关系。参见陈景良：《讼学与讼师：宋代司法传统的诠释》，载《中西法律传统》（第一卷），中国政法大学出版社 2001 年版，第 201 页以下。

[305] 何勤华著：《中国法学史》（第一卷），法律出版社 2000 年版，第 145 页。

设立。自此以后，律学成为国家教育活动的重要内容，为律学的发达昌明创造了必要的教育条件。"律博士"的设立，首先源自魏国，是根据卫凯向魏明帝的一封上书而设立的。上书这样写道：

> "九章之律，自古所传，断定刑罪，其意微妙，百里长吏，皆宜知律。刑法者，国家之所贵重，而私议之所轻贱。狱吏者，百姓之所悬命，而选用者之所卑下。王政之弊，未必不由此也。请设律博士，转相教授。"[306]

从此之后，以律学为主的中国传统法律教育便代代相传，不绝于史。这种情形，直到清末西学传入中国，特别是一些私立的或者教会大学对西方式法学教育的关注，才有所改观。清朝的灭亡以及民国向西方现代化民主和法治模式的学习，才从根本上断绝了律学教育。[307]

律学教育的这种发达程度，足以说明律学在古典中国作为一种相对独立的学问这一判断的成立。尽管其对经学的附生也是一个不争的事实。

三、作为裁判方式的法律解释智慧——司法过程

司法裁判活动，往往最能表现法学发展和发达的程度。事实上，西方法学的独立化过程，并不是因为立法活动的迅速展开，我们知道，和立法活动关联更为紧密的往往是哲学、特别是政治哲学。当然，纯粹的立法技术学问在此一过程中也很重要。而和司法活动相关的学问才真正地构成法学的内容。因此，司法活动的繁荣

---

[306] （西晋）陈寿著：《三国志·魏书·魏凯传》。

[307] 关于古代中国律学教育的较为系统的阐述，参见汤能松等著：《探索的轨迹——中国法学教育发展史略》，法律出版社1995年版，第1—111页。

预示着为法学的创生提供一种可能。尽管在中国正统法律文化中，因人们反对或者不倡导争讼活动（这恰如孔子所言："听讼，吾犹人也，必也使无讼乎！"），[308] 因此，司法及其权力在这里和"行政权"相比较，是相当衰弱的，甚至根本就没有现代视野中的司法和司法权。但这并不意味着古典中国没有司法，前述**孔子所言，充其量只是一种"理想"追求，而不是社会运作的现实**。在有些时期和有些学者的观念中，司法活动还得到了特别的垂青和倡导。例如在宋代沿海和江南的一些地方，随着商品经济的迅猛发展，就出现了明显的"好讼"之风。对此，陈景良曾论述到：

> "'兴讼'、'嚚讼'、'健讼'等词语在宋代的史料中俯拾皆是，其意一也，即皆为善于或喜欢打官司的意思。宋朝，至迟在宋仁宗之后，随着私有制的深入发展及商品经济的繁荣，经济利益多元纷呈，民间善讼之风已初露端倪。《宋史》卷八十五《地理志一》称'登、莱、高密负海之北，楚商兼凑，民性愎戾而好讼斗'。生活在北宋中期的沈括也在其《梦溪笔谈》中记载：'世传江西人好讼，有一书名《邓思贤》，皆讼牒法也。其始则教以侮文；侮文不可得，则欺诬以取之；欺侮不可得，则求其罪以劫之。邓思贤，人名也，人传其术，遂以之名书，村校中往往以授生徒。'另外，欧阳修、司马光、郑克等人的文集和笔记中亦有民间喜讼的记载。"[309]

---

[308] 《论语·颜渊》。我们知道，在《周易》中，这种贬低诉讼的观念业已形成，在第六卦即"讼"卦中，其卦辞强调"有孚，窒惕。中吉，中凶。……"而在各爻辞中，大体对"争讼"做了不"吉"的预测（参见刘大钧、林忠军著：《周易古经白话解》，山东友谊出版社1989年版，第13页以下）。

[309] 陈景良：《讼学与讼师：宋代司法传统的诠释》，载《中西法律传统》（第一卷），中国政法大学出版社2001年版，第202页；另可参见其《讼学、讼师与士大夫》，载《河南政法管理干部学院学报》2002年第1期，第58—73页。

　　而学者崔述也对司法诉讼活动给予了充分肯定和系统的合理性论证，他坚决反对那种刻意息讼的主张，倡导诉讼的必要和必然。他以饱含感情的笔墨写道：

　　　　"夫使贤者常受陵于不肖，而孤弱者常受陵于豪强而不之讼，上之人犹当察而治之；况自来讼而反可尤之乎！今不查其曲直而概不欲使讼，陵人者反无事而陵于人者反见尤，此不惟赏罚之颠倒也，而势也不能行。何者？人之所以陵于人而不与角者，以有讼可以自伸也；不许之讼，遂将束手以待毙乎？抑亦与之角力与蓬蒿之下也？吾恐贤者亦将改行而孤弱者势必至于结党，天下之事从此多，而天下之俗从此坏矣。"[310]

　　可见，"无讼"的理想追求，在古典的实践中也只是一种必要的影子，尽管它切实地控制了人们求讼决纷的观念，也助长了官吏厉行教化而轻贱诉讼的事实，但这绝没有真正导向那"无讼"的境界。也正因如此，一旦某官员在某一案件判决后能使当地出现一阵"无讼"的局面，文献上总是抱着赞许的态度而褒颂之、旌扬之。每赞其有"刑措之风"。这种赞扬的反面恰恰意味着争讼之风的大量存在和司法活动的必不可免。既然司法活动大量存在，那么，判官在司法过程中就不仅仅在关注个案解决本身，而且在解决个案中关注着相关解释理论。

　　我们知道，由于在古代中国分权未立、权力合一，从而导致了司法活动过程中起诉、侦查和审判等活动大体上都属于同一的司法

---

[310]　（清）崔述著：《无闻集·讼论》，载顾颉刚编订：《崔东壁遗书》，上海古籍出版社 1983 年版，第 701 页（详细论述可参见陈景良：《崔述反息讼思想论略》，载《法商研究》2002 年第 5 期）。

过程，[311] 其间也分工但并非很明显，因此，在司法活动中，相关的法律解释智慧既通过具体的判决得以展现，也通过对案件的侦察等环节得以表达。在这里，我们可以通过生动的个案看到古人是如何作出事实认定的、又如何进行法律推理的，从而使得司法判决活动和法律知识有机地牵连在一起。试举几例说明：

> "唐裴子云为卫州新乡令，部人王恭戍边，留六头于舅李瑞家，五年，产犊三十头。恭还索牛，李云：'牸牛二头已死。'只还四头老牸。恭诉之，子云送恭于狱，令收追盗牛者李瑞。瑞至，子云叱之曰：'贼引汝盗牛三十头，藏汝庄上，唤贼共对。'乃以布衫笼恭头，立南墙下，命瑞急吐款。云：'三十头牛，总是外甥牛所生，实非盗得。'子云追去恭布衫，即令尽还牛，即以五头酬瑞辛苦。"[312]

> "程颢察院知泽州晋城县时，有富民张氏子，其父死未

---

[311] 当然，这种情形，也并非绝对，例如在宋朝，汪应辰曾就论及几个"司法部门"间各司其职的问题时指出："国家累圣相授，民之犯于有司者，常恐不得其情，故特制祥于听断之初。罚之施于有罪者，常恐未当于理，故复加查于赦宥之际。是以参酌古意并建官师，上下相维，内外相制，所以防闲考核者，纤细委屈，无所不至也。盖在京之狱，曰开封，曰御史，又置纠察司以纪其失；断其刑者，曰大理，曰刑部，又置审刑院以决其平。鞠之与谳者，各司其局，初不相关，是非可否，有无相济，无偏听独任之失……迨原封更定官制，始以大理兼治狱事，后刑部如故，然而大理少卿二人，一以治狱，一以断刑。刑部郎中四人，分为左右，左以祥核，右以叙雪。"（《历代名臣奏议》，卷二一七，上海古籍出版社1989年影印版，第2850页。）而周林更是明言："狱司推鞫，法司检断，各有司存，所以防奸也。"（《宋会要辑稿》刑法三之二八，中华书局影印本，第2591页。以上皆转引自陈景良：《讼学与讼师：宋代司法传统的诠释》，载《中西法律传统》（第一卷），中国政法大学出版社2001年版，第225—226页。）但这种分工，也主要是在中央国家机关。

[312] （宋）桂万荣编：《棠阴比事》，中国书店影印本（无出版年号），全一册，第13页。

儿，晨起有老父在门，曰：'我汝父也，来就汝居。'具陈其
由，张氏子惊疑莫测，相与谐县请辨之。老父曰：'业医，远
出治疾。妻生子贫不能养，以与张氏。某年月日，某人抱去，
某人见之。'颢谓：'岁月久矣，尔何说之详也？'老父曰：
'某归而知之，书于药法册后。'因怀中取册以进，其记曰：
'某年月日，某人抱儿与张三翁。'颢问张氏子：'尔年几何？'
曰：'三十六。''尔父在年几何？'曰：'七十六。'谓老父
曰：'是子之生，其父年四十，人已谓之三翁乎？'老父惊骇
服罪。"[313]

　　如上两则判例，判官各用其高超智慧，根据一定的逻辑准则，
首先辩驳案件事实，在事实面前，孰是孰非，几乎不言自明。理屈
者也知趣服罪（判），理直者权利得保。真可谓具有"不战而屈人
之兵"的效果。由于它们不是判官的判词，而仅仅是对裴子云、
程颢等判官判案之事迹的介绍，所以我们不能通过此对两者的逻辑
推论过程进行详细的了解，但就在这三言两语的简单介绍中，我们
不难看出判官们"以事实为根据"的坚定理念。一切纠纷的解决，
都要建立在此一事实基础之上。事实清楚乃是使用法律的逻辑
前提。

　　前述案件，相对而言，都比较简单（当然，在古代科学条件
较差的时代，也许并不如此简单，反而可能是"复杂案件"），即
使相对复杂的案件，判官们还是能够经常运用类似的高超智慧，来
较好地决疑解纷：

　　　"唐咸通初，赵和为江阴令。有楚之淮阴二农比庄，其东

<hr>

[313]　（宋）郑克编撰：《折狱龟鉴》，杨奉琨选译，题《折狱龟鉴选》，群众出版社
　　　1981 年版，第78—79 页。

邻以庄券质西邻，钱百万缗。明年，先纳八千缗，期来日以残资赎券，持契，不征领约，明日赍余镪至，而西邻不认，既无保证，又无文籍，诉于州县，皆不能直。

乃越江而南，诉于江阴，和曰：县政甚卑，且复逾境，何计奉雪！东邻泣曰：'此不得理，无由自审。'和乃思策。一日，招捕盗吏数辈，赍至淮阴，云有寇江者，案劾已具，言有同恶相济者在某处居，名姓、形状、俱以西邻指之，请梏送至此。

先是邻州条法，惟持刃截江，无得藏匿。既至，和责之曰：'何为寇江？'，囚泣曰：'田夫未尝舟楫。'和曰：'所盗多金宝、锦彩，非农家所宜有，汝宜自籍以辩之。'囚意稍开，乃言：'稻若干斛，庄人某人者；绸绢若干匹，家机所出者；钱若干缗，东邻赎契者。'和乃曰：'汝果非寇江者，何为讳东邻所赎八千缗？'遂引诉邻，令其偶证。于是梏往本土，检付契书，卒置之法。"[314]

这则案例，和上述第一则案例在处理方式、逻辑思路上大体类似，但又明显是一则疑难案件。原告在本地县、州两级皆不能为其弄清案情、公正审判的情形下，才越界诉讼，终于判官赵和运用计谋取得口供，声东击西，运用欺诈手段从被告口中"顺其自然"地引出事实。在今天看来，这种提取证据的方式，显然不符合正当程序，但在古代，它又不失为判官智取证据、巧妙判决的经典案例。它告诉我们，古人尽管没有我们今天所谓法学，但他们在判案中所表现出的高超智慧，足以为今天的法学，特别是法律侦查学、

---

[314] （宋）桂万荣编：《棠阴比事》，中国书店影印本（无出版年号），全一册，第43—44页。这种通过一定的"诈术"来获取证据的情形，至少在《旧唐书·张允济传》中就已出现。此后便不绝于史。

法律逻辑学、审判心理学等所借鉴。法学上有"行动中的法"或"活法"这样的概念，我们可否照猫画虎，将古人在判案中所体现的这种高超技艺和巧妙逻辑也称之为"实践中的法学"或"活法学"呢？

综上所述，作为裁判技巧的法律解释，大体上体现为两个方面，即其一是通过裁判活动对事实作出解释，从而发现事实"真相"。其二是在裁判中对法律作出解释，从而要么适用法律，要么发现法律——发现个案事实中的法律。下面我将分别简要论述之：

首先，对案件事实的解释。 在法律解释学中，人们以往的研究，更多地集中在对法律规范的解释上。然而，应当清楚的是，法律解释在最终意义上讲，总是在案件判决过程中实现的。而案件的判决，其前提是按照法律规定认定、筛选和采信证据的过程。这一过程同时意味着也是否定、放弃一些"证据"（所谓"假证据"）的过程。我们知道，该过程必须是程序正当、实体合法的过程。面对两造冲突的诉讼请求、所举证据，判官何以择其一而弃其一？例如在前述所引案件中，裴子云何以对案件中外甥的主张、程颢何以对案件中张氏子的主张、赵和何以对"东邻"的主张更加相信，从而判官在相关案件的"侦破"过程中，其对策总是围绕着"证实"外甥、张氏子或东邻的策略而展开？为什么不去设法"证实"另一方的主张，或者设法"证伪"上述三人的主张？这说明，判官在"侦破"案件过程中已经带有自身对案件事实的明确前见，已经在按照其前见所引向的道路而解释案件事实，所以其中计谋、策略的筹划，都围绕此前见而系统展开。下面这例发生在唐朝，由东都留守杜亚罗织罪名，德宗皇帝对案件深信不疑，而宰相以及御史李元素认为是冤案的案情对此或许更有说服力：

> "李元素字太朴，刑国公密裔孙，仕为御史。东都留守杜亚恶大将军狐运，会盗劫输绢于洛北，运适与其下畋近郊，亚

疑而讯之。幕府穆员、张弘靖按鞫无状，亚怒，更以爱将武金
掠服之，死者甚众。亚请斥运丑土，诏监察御史杨宁覆验，事
皆不雠。亚怒，劾宁罔上，宁抵罪。又自以不失盗为功，因必
其怒，傅致而周内之，若不可翻者。德宗信不疑，宰相难之。
诏元素与刑部员外郎崔从质、大理司直卢士瞻驰按。亚迎，以
狱告。元素徐察其冤，悉纵所囚以还。亚大惊，浮劾元素失有
罪。比元素还，帝已怒。奏狱未毕，帝曰：'出。'元素曰：
'臣言有所未尽。'帝曰：'弟去。'元素曰：'臣以御史按狱，
知冤不得尽辞，是无容复见陛下。'帝意解，即道运冤状，帝
感寤曰：'非卿，孰能辨之！'……后岁余，齐抗得真盗，繇
是天下重之。"[315]

此案可谓复杂矣！其原因在于皇帝对于杜亚关于狐运有罪的认
定坚信不疑，而杜亚又刻意将该案做的似乎天衣无缝，"若不可翻
者。"但李元素在认定有冤情之时，其一切活动都围绕着证明他所
认定的冤情而展开。显然，这是一种独特的事实解释过程，没有此
一解释过程，则法律的适用活动——对法律的解释就殊难展开。正
是这种对事实解释的看中，我们也就不难理解何以能在中国产生世
界上最早的法医学名著：《洗冤集录》。[316]

其次，对法律的解释。通过对案件事实的解释，判官紧接着所
做的事可分为两种：**第一种情形是适用既定的法律规则，亦即把所
认定的事实与法定的规则连接起来，从而案件的判决、法律的适用
本身就是法律解释过程。**此种法律解释过程，似不难理解，困难的

〔315〕 《新唐书·李元素传》。
〔316〕 该书由（宋）宋慈著，较常见者有（台北）文海出版社 1968 年版本以及福建科
学出版社 1980 年版《洗冤集录译释》、群众出版社 1980 年版《洗冤集录校译》
等。

只在于当和某一案件事实相关的法律有数条时，人们如何识别最相适合的法律而运用之，这就是一个复杂的解释过程。但即使如此，它仍然大体上是一个"以事实为根据、以法律为准绳"的过程。

第二种情形则是：在中国古代，判官们每每在法律之外，或者在事实当中直接发现解决案件的新规则和新方案，从而面对案情，不是直接适用白纸黑字的国家法，而是在国家法律之外、在人们情感当中寻求平息、解决案件的具体方式和规则根据。这就是"因情判案"、"以礼代律"。这种判决方式在表面上看是抛弃规则的过程，但在实质上，却是在案件事实中发现新规则的过程。"春秋决狱"可谓这方面的典型。[317]　笔者在前文中不时引述的一些典型案例，也能清楚地说明这点，并且在后文中我对判词的研究也主要涉及此，故这里不再赘述。唯需稍加说明的是：判官在案件事实中发现法律，尽管不是古典中国的正式制度，但在事实上，判官们恰恰是赖此而维系并创造着古典秩序的。

四、作为裁判结果的法律解释智慧——判词

如上我从司法活动过程探讨了司法过程中的法律解释之与中国古典法学、特别是法律思维方式和司法中法律发现过程间的关系。这里将继续论述司法活动的直接结果——判词与法律解释之知识智慧间的关系，以进一步说明司法作为最重要的法律解释活动中的知识智慧。

我们日常所看到的古典法律判例，多为他人在叙述某判官的事迹时的描述，例如一些史书中的判案记载；或者后人根据判词改编

---

[317]　其实这种判案方式，在叔向针对刑侯、雍子和叔鱼之案件的裁决中就已经开始，因为"议事以制"的"判例法"传统，导致其引用《夏书》（而不是法律）来判决："《夏书》曰：'昏、墨、贼，杀，'皋陶之刑也。请从之！"（《左传·昭公十四年》），董仲舒主张的"春秋决狱"只是对此种判案的历史事实之"再发现"而已。

的判例汇编，像《棠阴比事》、《折狱龟鉴》、《疑狱集》、《刑案汇览》等等；或者判官自身对自己所曾从事过的司法活动的回忆，如《鹿州公案》等等。真正流传下来的原汁原味的判词反倒不多，但并非不存在，例如唐代张鷟的《龙筋凤髓判》、宋代幔亭曾孙辑录的《名公书判清明集》、清代樊曾祥的《樊山批判》（其中多批而少判，判词总计 10 则）、清代徐士林的《徐雨峰中丞勘语》（今汇集为《徐公谳词》）、清代蒯德模撰著的《吴中判牍》以及清代董沛所著的《汝东判语》等。我认为，在中国古典的判词中至少可以看到关于法律的世界观、适用法律的方法论和判官发现法律的方法这样几个方面。下面以具体判词为例来说明古代的判词在中国法学学术史上所起的这些作用和意义。[318]

第一，中国古代判词中所反映的法学世界观。这些世界观大体上有"德主刑辅"、"情理兼顾"、"以刑统法"、"恤刑慎罚"等等，从而与整个古代中国法学世界观相呼应。

> "大凡人家置买田宅，固要合法，亦要合心。合法则不起争讼，合心则子孙能保。夫欲置田宅，必予高价，盖欲厚其所积，使为子为孙不至又如此之典卖也。范廊之父初以乳名优立户，后来却以范庚名领举得官，初于主簿，终于推官。而其户名则终仍范优之旧，而不改易，故典卖田地，亦用范优名契。及有官之时，则田产往往已卖尽矣。范廊费出数重干照，历历可考，范优于乾道三年至淳熙四年，以小郭坂园屋，三次计价钱一百九十二贯足，出典与丁逸。丁逸家人丁叔显等于嘉泰末、开禧初年，两次计钱一百八十二贯足，交上手转典与丁伯

威管业，整整二十年，积收课利不为不厚，岂不知其为范廊父之业。范廊贫窘，欲断屋骨，则不为之断骨，欲取赎，则不与之还赎，欲召人交易，又不与之卖与他人。偶因其父有二名，又有官称，以此为词，挂应官司，坐困范廊，欲白据其园骨，是诚何心哉？况转典卖与元典价已有十千之损，只以此十千之外，所增能几何，与之断骨，则可以塞范廊之望矣。却乃巧词曲说，持讼官府，丁伯威亦可谓不仁之甚者也。最是范侁上手契出于丁元珍职守，范侁契草出于范廊之手，就当庭比对字画，元词年月更无差错。当官唤上识认，丁元珍亦口吃面赤，而无辞以对。如丁元珍愿与断骨，合仰依时价。如丁元珍不与断骨，即合听范廊备元典钱，就丁伯威取赎。如范廊无钱可赎，仰从条别召人交易。丁伯威如敢仍前障固，到官定从条施行。干照各给还。"[319]

面对这样一例涉及田产纠纷的民事案件，判官根据无可辩驳的事实，以入情入理的判词妥当地处理了纠纷。他强调在置买田宅时要"合法合心"，何尝又不是在判决案件时也要合法合心？这种把法和心（情）紧密结合起来，既有固定不易之法，也有寸心柔肠之情。从而充分体现了在法学世界观上"情理兼顾"、恩威并用的理念。再如下例判词：

"于旦奏：孝门旧多伪作祥瑞，并请破孝门，勒从课。

天地所生，人为万物之贵，人伦所重，孝为百行之原。昔传曾闵之名，今有苟何之誉。孝通厚载，则白兔呈休，孝感圆穹，则丹鸟结庆。与旦巡省风俗，敷扬皇猷，未闻沮劝之方，遽表浇浮之迹。旧蒙旌表，今请剔除。诈浊不逮于诈清，慕善

〔319〕 （宋）幔亭曾孙辑录：《名公书判清明集》，中华书局 1987 年版，第 321—322 页。

> 犹愈于慕恶。岂可以己无仁，不信仁者之行仁，以己无孝，即
> 疑孝者之非孝。蛮貉之国，尚或难容，父母之邦，如何自处。
> 縻闲大体，好奸微疵，事既不然，若为通允。"[320]

在以上判词中，判者则站在中国古典传统中德化的立场上对所
奏事件作出了判决。阅览全文，其法律世界观跃然纸上。它不仅是
一篇判词，而且是作者表达其思想理念的一篇卓越论文。在这里，
判词的说理过程甚至掩盖了其判决结果。

以上判词大体上可以表现古代判官们的法学世界观。在很大程
度上讲，它不仅是判官们的法学世界观，而且也是古典中国普遍的
法学世界观在判词当中的回光和折射。

第二，中国古代判词中所反映的法律方法论。一般认为，中国
古代只是一个关注实质理性的国家，因而在方法上的贡献，微不足
道。特别是在法律方法上，似乎更不足道。其实，此种看法，要么
是数典忘祖，要么是不学无术。事实上，仅仅通过判词（至于关
于侦查、审判方面的专门论述，则更多，因为不在本文所考察的范
围，因此，这里不予涉及之）我们就能不断发现古人在法律方法
论上的贡献。试以如下判词为例说明：

> "吏部侍郎朗山巨源奏称：选人极多，缺员全少等邑色，
> 书判不公，词学优长选号复少，望请判事鉴镂，词理寒酸者，
> 虽有等级十选并放。
>
> 六卿分职，百官总已，周开冢宰之司，汉列尚书之位。铨
> 衡万国，不易其人，藻鉴九流，古难斯任。在魏则荀攸监识，
> 毛介公方，居晋则裴楷清通，王戎简要。故能辕轮莫弃，玉石

---

[320] （唐）张鷟撰，田涛等校注：《龙筋凤髓判校注》，中国政法大学出版社 1996 年
版，第 53 页。

咸收，不求备于寰中，无滞才于天下。宏词硕学，不绩公劳，浅见狭闻，多求等级。祗如视肉之辈，篌瑟莫分，走骨之徒，狐狸诋辨。食梅衣葛，无以暴其酸寒。咀梨餐茶，不足方其辛苦。鸳鸟累百，不如一鹗之雄，羊皮数千，不如一狐之腋。镂冰之子，万众不可滥收，画饼之夫，百选犹其堪总。自然私谒之门塞，公平之路开。长闻振鹭之飞，无复促牛之谤。"[321]

在这一简短的判词中，我们发现，判者即成功运用历史解释的方法，对于吏部之历史渊源和其基本职能作出了简单又明晰的交代，提供了一种人们据以认识、并据以裁判相关问题的开阔的历史视野。当然，这是借古以喻今的修辞手法。在该判词中，作者还广为运用其他修辞手段，如比喻、比较、对仗等等，对所涉及的问题作出了富有感染力的裁判。

一般认为，司法判决只宜运用平实的文字进行说理，因此，修辞在其中的作用相当有限。相比较而言，逻辑则在司法判决中具有更大的用场。显然，在此种观点的背后隐含着视法律为当然之理性的前见。但在如上判决中，我们明显看到对上述观点的证伪，从而发现即使修辞学也能够在司法判决中发挥很大的作用和功能。当然，这也有一个前设，那就是在古代中国人看来，即使严谨有余的法律生活，在本质上也是一种关于生活的艺术，从而修辞和"修辞学"就成为在古代中国司法判词中最重要的法律解释方法之一。再看如下判词：

> "审得刘弘昌盗案，据县审，昌等六人探知卢宪御、卢弘儒腰有贷银，挟刀截劫，伤其左手，被夺凶刀鞋屐等物，斩又

---

〔321〕（唐）张鷟撰，田涛等校注：《龙筋凤髓判校注》，中国政法大学出版社 1996 年版，第 20 页。

何辞？然识请得而细诘之，宠御、洪儒二人，其一被伤。六贼操刀相向，劫其腰缠，乃复能夺其凶器等物，二人何雄，六贼何怯也？既能夺其凶器等物矣，何不并其所夺之银而夺之？此理之必不可信者也。至云遇贡生胡悟玄经过，将被劫情縣向贡生吐说，查询系弘昌等面貌姓名。六人之面貌何了然于宠、御二人之舌尖，而遂跃然于胡贡生之目中也？况所谓胡贡生未尝到官一证，不知曾有其人否，此可称铁案乎？而遽下笔定斩，是何斩之易言乎？五人已填圜土，仅存弘昌一犯，亦恹恹垂尽。以人命为戏，职窃为谳狱者危之。即亟释弘昌，亦无及矣。杀人之事，不敢雷同附和以自干冥谴也。具縣请夺。……"[322]

如果说前引判词乃以注重修辞手法而令笔者特别关注的话，那么，这则判例则更多地表现出判官的逻辑推论能力。判词中六个设问（尽管我们知道，问号是后人标点时加上去的，但也是根据古人行文的语气加上去的），既敏锐地指出了原判的疑点，也表达了判者对一些面对生死判决，而不加细究，说斩就斩的糊涂官员的愤怒之情。正是通过对这些疑点的指出，判者在逻辑上推论出对被告人适用斩这种死刑的不当。最终使仅存的被告人刘弘昌得以释放。显然，在这里，逻辑的力量得到了印证，逻辑的辨析方法得到了尊重。甚至我们还通过本判决能够发现在古人那里，业已存在"罪疑存无"（某种意义上的"无罪推定"）的进步观念（其实，这种观念在"与其杀无辜，宁失不经"、"疑罪唯轻"等等古训中业已存在）。可见，判者在判决中不仅运用逻辑方法解释案情和法律，而且运用它创造、发展、实践着某种"先进"的法学世界观。

这一类的判词，在古代判词中多有存在，以上引述的内容，已

---

[322]（明）颜俊彦著：《盟水斋存牍》，中国政法大学出版社 2002 年版，第 282 页。

经足以说明问题。当然，在古代中国法律判词中所存在的方法论，不止于此，这里的叙述，只不过是挂一漏万而已。

第三，中国古代判词中反映的法律发现方法。如前所述，在中国古代的法律判决中，判官不仅仅依据国家正式法律在判案，而且还往往引入情理原则，在具体案情中发现法律。作为一个具有"判例法"传统的国家，在"先王议事以制，不为刑辟"[323] 的时代，人们针对具体案件，往往寻求和该种案件相关的判决根据。《尚书·召诰》曰：

> "先王服殷御事，比介于我有周御事，节性，惟日其迈。王敬作所，不可不敬德。"[324]

如果把这里的"御事"看作判例（法）能够成立的话，那么，中国的判例法传统至少已有三千余载。而判例法的特点，即在于寻常理解的"遵循先例"，也在于"先例识别"以及在此识别基础上的个案创新。否则，判例法（先例）便和成文法无所区别，其僵

---

[323] 《左传·昭公六年》。

[324] 《尚书·召诰》。对这里的"御事"，武树臣解释为法官，解释为判例，故此段话可谓周因殷例。因此这段话的"大意是说，先参照殷人的判例，逐渐形成我们周人的判例。在审判中要节制喜怒之情，因为判例的作用是十分久远的。王要谨慎地判决，不能失去民心。"（参见武树臣著：《中国传统法律文化》，北京大学出版社1994年版，第210页。）而王世舜则是这样翻译的："王先治理殷国的遗臣，使他们能够亲近我们并和我周国治事诸臣一样为国效劳。要节制、改造他们的性情，使他们天天有所进步。成王也应恭敬谨慎，以身作则，不可不敬重德行！"（王世舜著：《尚书译注》，四川人民出版社1982年版，第187页）。两者理解尽管大方向一致，但内容显然有别。孰是孰非？参照《康诰》中周公对卫康叔的训词："呜呼，封，汝念哉！……往敷求于殷先哲王，用保乂民。汝丕远惟商耇成人，宅心知训。……"则武树臣的阐释似乎更有道理。因为《康诰》像《召诰》一样，亦为周公告诫之词，不过告诫对象有变而已。两者相照，事实上反映了周公前后思想之一致。

硬呆板，亦不言自明。只要判例法能够充分发挥把原则性和灵活性相结合的优势，就必须强调对先例的遵循和对现例的创造，以便使现例成为先例，从而不断推进判例法的发展。

要使现例成为先例，就必须强调判官能在现例中发现区别于先例的规则。在这方面，董仲舒倡导的"春秋决狱"可谓开创了先河。董氏"春秋决狱"的"判例"，前文已引证数则，这里再引一则，以做说明：

> "君猎得麂，使大夫持以归。大夫道见其母随而鸣，感而纵之。君慍，议罪未定，君病恐死，欲托孤，乃觉之，大夫其仁乎！遇麂以恩，况人乎？乃释之，以为子傅。于议何如？仲舒曰：'君子不麛不卵，大夫不谏，使持归，非义也。然而中感母恩，虽废君命，徒之可也。'"[325]

显然，"君"以及董仲舒都在根据案情、特别根据自身体验"发现法律"。就"君"而言，先欲治大夫罪，后因心灵感之，又释放大夫。从董仲舒言，在该简单案件中，既指出其作为大夫的失谏之罪，也指出其能"中感母恩"的良善心灵，于是，他所主张的"《春秋》之听狱也，必本其事而原其志。志邪者不待成，首恶者罪特重，本直者其论轻。……罪同异论，其本殊也。"[326] 在这里得到了具体体现。判词直接引春秋微言大义，以为案件之解决方案。这一过程，显然为法律发现的过程。自此以后，中国历代的判官们尽管不专门言据"春秋"而判案，但根据儒家经义判决案件的事实则不绝于史。在如下判词中，更可见法律发现之道：

---

[325] 《白孔六帖》二十六。转引自程树德著：《九朝律考》，商务印书馆 1934 年版，第 164 页。

[326] （汉）董仲舒著：《春秋繁露·精华》。

"读刑台台判，洞烛物情，亦既以郏氏为不直矣。然郏氏非，则汤氏是，二者必居一，于此而两不然之，举而归之学官，此汤执中之所以不已于讼也。披阅两契，则字迹不同，四至不同，诸人押字又不同，真有如邢台之所疑者，谓之契约不明可也。在法：契要不明，过二十年，前主或业主亡者，不得受理。此盖两条也。谓如过二十年不得受理，以其久而无词也，此一条也。而世人引法，并二者以唯一，失法意矣！今此之讼，虽未及二十年，而李孟传者久已死，则契之真伪，谁实证之，是不应受理也。合照不应受理之条，抹契附案，给据送学管业。申部照会。"[327]

在此判词中，判官所关注者不是法律的外在文字，而是法律的内在意思。因此，根据案情，判词并没有呆板地遵守"过二十年不得受理"，而是在对案情的解释中重新"发现"律意，并把其所发现的律意运用之于案件的判决，从而在判词中再发现法律。这种判词，显然不仅是判官对一事一案的判决。它对我们更进一层地了解古代法学的发展，对我们知悉判词中的法学意蕴，难道不是一个极好的参照吗？

---

[327] （宋）幔亭曾孙辑录：《名公书判清明集》（上），中华书局1987年版，第132—133页。

第八章　西法背景下中国古典
法律解释的意义
——文化视角的说明

在这个因西方法律对民主政治、市场经济、分工社会以及多元文化更为适应，从而西方法律模式权霸天下的时代，说古老的中华法系业已"死了"，似乎完全可以被人们所能理解。**然而，在规则模式上的死去并不意味着数千年的法律遗产就完全走出了我们的生活世界，相反，固有的法律观念还十分顽强地统治着我们的日常行为选择和法律理解路向，因此，关注中国古典法律解释的经验，就**不止是关注古人们对法律的理解模式，或者关注一种已经逝去了的法律文化传统，从而"发思古之幽情"。在实质上，对它的关注，仍然是对我们生活于其中的文化现实和法统精神的关注。

一、学术意义：寻求法律解释学的中国经验

说近代以来，特别是"五四运动"以来的中国人整体上患了一种文化失忆症，恐怕并非危言耸听。之所以这样讲，乃是基于如下的基本事实：我们的文化、产业和政治精英们也曾不断探寻通过学习西方来以夷制夷的方式，并在这一过程中几乎忘记了自身文化的存在，于是文化大破坏似乎成了一种时髦举措，研究古典文化中严肃的问题也成为"不可理喻"的坐而论道行为。在"五四"前后，鲁迅要青年"不读中国书"、钱玄同公开号召"废除汉字"、而胡适则以"百事不如人"来愤怒反思、检讨我们在文化上的缺陷：

　　"欲废孔子，不可不先废汉字"；"两千年来用汉字写的书籍，无论哪部，打开一看，不到半页，必有发昏做梦的话。"

　　"只有一条出路，必须承认自己百事不如人，不但物质机械上不如人，不但政治制度上不如人，并且道德不如人，知识不如人，文学不如人，音乐不如人，艺术不如人，身体不如人。"[328]

　　于是，中国古典文化在自己传人的"破坏"下，其萧条业已成为不争之事实。不过，也许"破坏"本身就是一种建设，所谓不破不立，所言不正是指此吗？但这决不意味着"破字当头，立在其中"。因为文化的进化不是靠破坏而立起来的，文化自身既是一个前后承递的复杂积累过程，也是一个明显的需要尽心竭力的心智创造过程。正是基于此种认识，笔者以为，国人在自己文化方面的"失忆症"绝不应是被我们所殆忽的问题。

　　看看东邻日本吧，人家在突飞猛进的现代化过程中对自身文化的珍重，是何等地令我们汗颜：在许多方面、甚至在民族精神气质方面，我们都有理由数落日本人，但唯独在对自己文化的珍重方面，患了"失忆症"的中国人，实在无颜数落和嘲笑日本人——因为我们没有发现，世界上有哪个文明是在毁了自己固有文明的基础上生机勃发的，除非它已经变质为另种文明。号称"中心"的现代西方文明，在很大程度上是文艺复兴、罗马法复兴和新教改革基础上的产物，因此，它特别关注自身的文化传统，关注在"进化"和经验积累中接续、并壮大其文化传统。即使像法国那种具有激烈反传统特征的国家，也没有我们这种令人不可思议的文化失

---

〔328〕　以上皆参见李泽厚著：《中国现代思想史论》，东方出版社 1987 年版，第 42 页以下。

忆症，反之，我们之所以在西方文化传统中还能区别出什么"德国文化"、"法国文化"、"英国文化"、"北欧文化" 等等分界来，恰恰在于他们各自有其传统。而我们，却要刻意去割断此种传统——多么令人不可思议的问题！

或如钱玄同所指责的那样，即使中国传统文化确实主要是糟粕，[329] 但这也需要我们在认真保存、详尽知悉它的基础上才能辩正（一如巴金建议设立"文革"纪念馆所能起的功能一样），否则，我们的所作所为只能是无的放矢。我们也只能在自己所假想的"糟粕"前提下叙述、并搜罗我们的论据，完成我们"无情批判"的任务，而与中国文化和学术的进一步推进，则收效甚微。我们的唯一收效，就是数典忘祖，乃至忘我。

或以为，这种批评并不公允，因为我们所要批判、并否弃的是封建糟粕，而不是其精华。并且这种论述似乎也建立在对我们业已做的成就的否定之上。对此，我需稍作申辩如下：

首先，我们今天所要摒弃的糟粕，究竟是"封建糟粕"呢，还是自从我们的文化被自己无情放逐，西人的文化又远离我们的制度实践、行为选择以及心灵观念，从而在文化空地上疯长出来的新毒瘤？这确实是令人颇费踌躇的问题。我的基本看法是：这种被我们称之为糟粕的东西：如社会失信、政府失威、官场腐败、人际怨恨、奢华浪费、破坏生态等等令人发指的现象，无不是在中国文化的规范功能被否定，西方文化的规范模式尚未立这种文化的空地上发展起来的，因此，我们所要摒弃的糟粕，恐怕只能是"新传统"中的"新糟粕"，而不是令我们忧虑重重的"封建糟粕"。相反，

---

〔329〕 在我看来，钱尽管是令人尊敬的学术"大家"，但这种激愤之辞十足地说明"大家"也会犯幼稚病，也会说一些无知话，甚至说出比常人还无知的话。因为"大家"要标新立异，"大家"更借助灵感，所以，"大家"并非神，也只是一介受感情支配的凡人而已。因此，我尊敬"大家"，但绝不顶礼膜拜任何"大家"。特别是那些为了思想实践而丢弃了学术反思精神的"大家"。

那种"封建糟粕"已经被我们通过种种个人迷信、组织迷信以及现代化的传媒手段演变成为"新糟粕"中的重要内容。

其次，在上述意义上，我强调对文化"失忆症"的反思，绝不意味着是对我们经过艰难选择、并已经有初步成就的文化努力的全盘否定，并且即使我作了这种否定，也不可能对中国正在进行的文化、特别是新法律文化的努力构成任何威胁。我在这里只想说的只是：对自己文化传统的失忆，意味着创造这种传统的民族之自我颠覆。它不可能产生所谓"凤凰涅槃"的效果，相反，它只能危及一个民族以其独特的创造确立其在世界竞争中的地位。

如果说在一般文化问题上国民皆患了某种"失忆症"的话，那么，在古典法律文化、特别是在古典法律解释问题上，自从辛亥革命以来，我们基本上在制度、意识形态以及学理层面全盘放逐了既有的法律文化，从而使得此种法律文化传统在法学建设上基本处于无用武之地的尴尬位置。相较而言，在大洋彼岸、在周边邻邦，对中国传统法律文化、包括传统法律解释问题的研究，每每令我们自叹弗如。这种他乡之石，至少能够帮助攻克我们的不足。

论述这么多关于国民（特别是学者）文化"失忆症"的问题，仍是要说明研究中国古典法律解释问题的学术意义。如果说"有法律就必然有对法律的解释"这句话成立的话，那么，同样也可以说，**一方面，有法律解释就必然有相关的学术支撑和理念基础；另一方面，法律解释自身作为法律的实践过程也在不断产出相关的学理和知识。**大体说来，中国古典法律解释的研究，对于当下中国法学研究的意义有二：一是为中国法学，特别是法律解释学的研究提供一种可资借鉴的古典资源；二是其在解释中形成的理论对今天法律解释学的研究所具有的可借鉴内容。下面首先来看前者。

包括法律解释学在内的解释学，是以人类理解和解释这种精神现象为研究对象的学科。其中理解是内在的，而解释是外在的。就法律解释学而言，其基本的研究对象是人类法律解释的活动和相关现象。古人明言，"刑书之文有限，而舛违之故无方……"，[330] 这恰如"言有尽而意无穷"。以有尽之"法"来适用和解决"无尽"之事，究竟如何，可想而知，于是，相关法律解释活动就为必需。正因如此，在法律的适用、案件的解决中，"解释者一言九鼎"几为至理名言。但法律解释应当遵循什么规则？应当拥有何种技术？应当强调什么程序？应当遵循何种原则？谁是解释者？等等问题，就必须通过系统的学问化的机制来解决。于是，法律解释现象和法律解释学之间就形成了一种原材料与加工机式的内在关联关系。倘若要建立一种能够有说服力的法律解释学，就绝不能仅仅局限于当下的法律解释现象而研究。对古代法律解释文献的关注，正好能够在法律解释学中说明我们文明的延续，说明理性安排的重要。这种可借鉴、可加工的内容，我们在仔细阅读中国古典法律解释中，随时能够捡拾得到。例如《唐律疏议》在解释"名例"时曰：

> "……名者，五刑之罪名；例者，五刑之体例。名训为命，例训为比，命诸篇之刑名，比诸篇之法例。但名因罪立，事由犯生，命名即刑应，比例即事表，故以名例为首篇。第者，训居，训次，则次第之义，可得言矣。一者，太极之气，函三为一，黄钟之一，数所生焉，名例冠十二篇之首，故云'名例第一'。"[331]

这段话是在其通过对"名例"的历史解释后得出的结论。从中可见，简短的百余个文字，把名例在刑法中的地位、作用以及安排其为篇首的原因等都作出了一个系统的学术梳理。回想今天在制定民法典过程中学者们关于编撰民法典之体例的争论及其理由论

---

[330] （唐）长孙无忌等撰：《晋书·刑法》。

[331] （唐）长孙无忌等撰：《唐律疏议》，中华书局 1983 年版，第 2—3 页。

证，我们不难理解今天的争论事实上是历史传统的遗续。尽管我们可以刻意地追求和历史告别，或者刻意地宣告和传统再见，但我们的思维模式、我们的行为选择总是会不由自主地和传统接轨的。

通过前面的叙述，我们知道：在中国古代，法律解释材料积数千年的发展，可谓汗牛充栋。如此丰富的材料在古典中国因为法学的相对滞后，更由于人们（主要是士大夫阶层）对诉讼和法律的普遍轻视，导致其到目前为止只能是书架上吸纳灰尘的物什，基本上没有被纳入我们的学术视野，这不能不说是古人的隐痛，也更是今人的悲哀。希腊哲人云："认识你自己"。笔者不妨鹦鹉学舌，主张"认识自己的文化"。即使我们在论述法律解释学中，完全引入西人的分析工具、逻辑框架和思维成果，也应当对自身传统中的法律解释问题予以高度重视，或者至少用中土固有的法律解释资料来验证西人法律解释学的足与不足。

由于研究方法的迥异和关注内容的分殊，当下中国法学内部已经有完全不同的面目和分支——包括不同的分析工具、逻辑框架、价值取向和思维成果。于是，价值法学、社会实证法学、规范分析法学以及经济分析法学等等各呈风姿、各展娇容。从而使法学的百花园更加绚烂多彩。不过，就法学的正宗而言，毫无疑问，规范分析法学为首当其冲、责无旁贷者。尽管就笔者个人的兴趣、爱好而言，更加倾向于价值法学，但这并不意味着我赞同把价值法学或者社会法学等奉为法学"正宗"的做法和看法。[332] 法学如果抛弃或者放松了对规范自身以及规范在运用过程中技术问题的研究，有可能只会堕落为"四不像"的怪物。今天已经有学者提出质疑：法学总是会借助其他学科的方法展开研究，那么，法学自身的方法是

---

[332] 这几乎是中外学界的一种痼疾：一位学者自己感兴趣于什么，就一定要把其感兴趣的学问推为该学科的至尊地位。我觉得，这和争山头无所区别。我更倾向于少涉及地位之争，多一些学理辨析。

什么?[333] 这种质疑本身恰恰说明我们对法学之"正宗"——规范法学研究的殆忽和不尊。

而规范法学既有在宏观上的研究，如规范的性质、规范的逻辑结构、规范的分类等等，但也有中观和微观层面的研究。**我觉得，法律解释学就属于中观或微观的规范法学范畴，因为它所研究的是规范在运行当中的意识和技巧问题。**在规范法学中，宏观问题的研究尽管非常重要，但如果舍弃微观的法律解释学研究，那么，宏观问题的研究在法律实践视角看就必显空疏。因之，强化微观视角之规范研究，对法律规范运用之于法律实践，就有了特别的意义。这也意味着，我们关注古典法律解释现象自身对于法学研究、特别是法律解释学研究的意义。

我们再来看后者。如前所述，有人认为，古代中国没有法学。按照此种逻辑，也就意味着当今中国的法学研究不可能在古人的法律智虑中获得灵感。然而，事实却为，古典中国有着自己独特的、甚至是发达的"法学"。除了流传两千余年至今不衰的法家政治法学之外，还有诸子百家的政治法学，更有与当今规范法学类似的、侧重于法律规范内部问题而寻源溯流的律学。尽管它不能和现代法学在法律思维的发达程度和法律现实批判的深入程度上相提并论，但作为我们先人自己创造的法学思维成果，不要说站在敝帚自珍的自我立场上分析，即使在法学自身的深度上看，其在解释法律过程中完成的言简意赅的重要结论也颇值得我们认真对待。现以《读律佩觽》的相关论述为例说明之：

在古典中国法律解释的相关成果中，自法学视角最令笔者关注并感兴趣者为《读律佩觽》。在该书编撰之初，作者就确立了"图

---

[333] 这是一位从事西方哲学、并对制度和法哲学具有一定兴趣、曾赴美国研究较长时间的教授给笔者在餐桌上提出的问题。这表明在中国其他学术界对法学的普遍认识水平，也表明当下中国法学自身之不足！

终虑始，溯流穷源，一追立法之初，以期共信……"[334]　这样的基本宗旨和法律解释原则，在这一宗旨和原则之下，作者对读律的方法以其经验为据作出了系统阐述。这在前文中笔者已经具体涉及，不再赘述。惟需说明的是：**事实上，所谓法学，就是解读法律的方法之学。**因此，在其"读律八法"中，不难发现作者对建立一种具有普适性质的法律理论的探索。更令笔者感兴趣的是他的"八字广义"。

所谓"八字"，是指在法律中经常出现的以、准、皆、各、其、及、即、若等八个字：

> "律有以、准、皆、各、其、及、即、若八字，各为分注，冠于律首，标曰八字之义，相传谓之律母。
>
> ……窃议八字者，五刑之权衡，非五刑之正律也。五刑各有正目，而五刑所属，殆逾三千，中古已然，况末季乎？汉唐而下，世风日薄，人性变态，一如其面。若为上下比罪，条析分隶，虽汗牛充栋，亦不足概舆情之幻变。故于正律之外，复立八字，收属而连贯之。要皆于本条中，合上下以比其罪，殊不致偕乱差忒，惑于师听矣。此前贤制律明义之大旨也。然即刑书而详别之，正律为体，八字为用。而即八字细味之，则以、准、皆、各四字，又为用中之体。其、及、即、若四字，更为用中之用。盖引律者，摘取以、准、皆、各四字，固无事乎取用于其、及、即、若，而摘取其、及、即、若四字时，则舍以、准、皆、各，别无所为引断以奏爰书矣。……"[335]

这里对"律母"——法律中关键词的阐述，与现今我们关注

---

[334]　（明）王明德著：《读律佩觿·凡例》，法律出版社2001年版，第2页。

[335]　（明）王明德著：《读律佩觿》，法律出版社2001年版，第2—3页。

法律规范中的关键词，如"应当"、"可以"、"是"等等何其相似乃尔！在此之外，作者还论述了在读律过程中"律眼"的重要性，并对例、但、并、依、从等在法律中作为"律眼"的词汇作了较为详细的剖析，从中不难发现古人在法律解释中对规范自身作为一种学问体系的深切关注。这完全不同于我们今天几乎将法律规范当作政策性规定，法学研究则远离规范，而舍近求远地在法律规范之外寻求法学学理的情形适成对照；同时也与西土一些学者关注规范内部的问题相映成趣。笔者以为，这正是我们今天研究中国古典法律解释问题时应予特别关注者。

二、立法意义：实质合理的价值追求是否过时

在几乎所有当今的法律人看来，法律乃是一种形式合理的规则体系。我们知道，这一理念来自马克斯·韦伯。他把法律分为四种，即形式合理的法律、实质合理的法律、形式不合理的法律和实质不合理的法律四类。在他看来，只有受罗马法深刻影响的欧洲大陆法系，才是形式合理的法律，而其他法系大都归入另外三种法律的分类中。

"一般而言，……不管僧侣统治者还是世袭的王公们，他们的'理性主义'都具有'实质的'性质。它追求的不是形式法学上最精确的、对于机会的可预计性以及法和诉讼程序中合理的系统性的最佳鲜明性，而是在内容上符合那些'权威'的实际的——功利主义的和伦理的要求的明显特征：正如我们已经看到过，把'伦理'与'法'区分开，甚至也不是在法律形成的这些因素的意图之中，他们对于任何本身要求并不高的和'按法学家的办法'来对待法是完全陌生的。"

"只有罗马法的一般形式的品质，才以不可避免地日益要求提高法律操作的专业性……这些形式的品质也制约着西方世

袭王公的司法不像其他地方那样，转入到原始的父权家长制的维护福利和实质正义的轨道上去。……法学家们作为官员必须依赖形式主义的培训……

　　……在这里，没有神圣的法的约束，也没有神权统治的或者实质伦理的利益来束缚这种思想，并因此把它挤到纯粹推理的决疑证论的轨道上去，这对法律事务实践的发展具有强烈得多的结果。法学家们无法'想像'和'构想'的东西，也不能在法律上有效地存在着，这条原则的某些苗头实际上已经存在于罗马的法学家身上。"

　　"……纯粹专业法学的逻辑，根据'抽象'的法律原则在法学上'构思'生活的事实，而且在承认这条占主导地位的公理的情况下：法学家根据由科研工作得出的原则的尺度不能'设想'的东西，在法律上是不存在的……"[336]

至于中国古典法律在韦伯的视镜中究竟属于哪种？学者们对韦伯的论述，产生了相异的解读和不同的观点。如有人认为，在韦伯眼中，中国古典法律是实质合理的；而另有人则认为，韦伯眼中的中国古典法律是实质不合理的。[337] 且不管这两种看法孰是孰非，仅就中国古典法律及其解释的哲学理念所追求的基本目标——

---

[336]　[德] 马克斯·韦伯著：《经济与社会》（下卷），林远荣译，商务印书馆1998年版，第139、180—181、204页。

[337]　例如，在2002年于香港召开的"亚洲法哲学大会"第五次会议的大会发言和自由讨论中，来自香港的余兴中和台北的林端分别对此各执一词。前者说韦伯眼中的中国古典法律是实质合理的法律，后者则对此反唇相讥，认为前者误读了韦伯，韦伯把中国法律归入实质不合理之列（后者的意见详见氏著：《韦伯论中国法律传统》，三民书局2003年版）。而季卫东等尽管没有从韦伯视角出发来研究这一问题，但他们都分别对中国古典法律以实质合理的评价（参见季卫东：《法律程序的意义》，载氏著：《法治秩序的建构》，中国政法大学出版社1999年版，第3页以下）。

"……轻刑明威，大礼崇敬。……'天垂象，圣人则之。'观雷电而制威刑，睹秋霜而有肃杀，惩其未犯而防其未然，平其徽墨而存乎博爱，盖圣王不获已而用之。"[338]——而言，似乎可以大体得出中国古代法律以实质合理为其追求的结论来。因此，**了解韦伯如何说中国古典法律是什么只对研究韦伯本身的法律观有意义；我们运用韦伯的类型学说来研究中国古典法律，并不影响我们自己对中国古典法律的归类。**

可以这样认为，**中国古典法律，和其政治哲学的追求相适应，大体上是一种以实质合理为追求的法律体系。**这在古典法律解释中我们可明显看出：

> "律以平情，衷乎义，义取乎别。律意首重伦常……"
> "律重元谋，慎烛始，诛心隐也。"
> "我之为害，千古一辙。无论庸愚鄙陋，赋性凶残，惟私是营。如赵禹、张汤之属，卒归戮灭，否亦痛遭天谴，自不必言。即秉质温良，慈祥和易，立心于布泽伸恩，一以全活为主脑，亦不免踏有我之癖。……法乃天下之公，即天子亦不容私所亲。……圣贤立教，惟有一中。中，则洞洞空空，不偏不倚，何有于功德。倘意见微有执着，虽公亦私，难免乎有我矣。有我之念横眩于胸，将未见刑书，即目为俗吏之司，残忍之习，未及展卷，先已枘凿其不相入。一旦身膺民寄，位列台辅，其何以定大狱而决大理，辅圣治而熙万姓哉！愚恐其寄权左右，授柄积胥，冤集祸丛，积久发暴，身且为累，况望后嗣其昌乎？故曰：读法必先于无我。"[339]

---

[338] （唐）长孙无忌等撰：《唐律疏议》，中华书局1983年版，第1页。

[339] （明）王明德著：《读律佩觿》，法律出版社2001年版，第4、5、8—9页。

在如上论述中，王明德将整个法律理解（读律）和解释的立足点放在读者"无我"的位置，这和当代解释学对于"前见"的强调明显不同。只有"无我"，才能做到对法律的正确理解；做到"一追立法之初，以期共信"的解释目的；做到"中，则洞洞空空，不偏不倚"的法律实践效果。所以，法律解释者所追求的显然是法律实践的实质合理。正是这种对实质合理的刻意追求，才能更好地体味在古代中国为何平反冤狱的现象那么常见（笔者在山东郯城调查时始知，窦娥的原型——孝妇之冤案——就是该案的承办人于公——汉代名臣于定国之父——亲自平反的。中国史上平反冤案之久远，于此可见一斑）。追求实质合理，不仅体现在官方的法律解释活动中，而且也表现在民间和司法解释活动中。特别在司法解释中，判者甚至不惜背法而求实质合理。如对"陈五诉邓楫白夺南原田不还钱"案，判者写道：

> "陈世荣绍兴年间，将住屋出卖与邓念二，名志明。志明生四子，其地系第四子邓谋受分。邓谋于淳熙十一年，复将卖与长位邓演，明载有火客陈五居住，陈五乃陈世荣之孙。邓演诸子又各分析，离为三四，多系陈五赎回，但内邓楫一分未曾退赎。见得陈五犹是邓楫地客，且当元陈世荣既作卖契，倘非业主情愿，无可强令收赎之理。去冬，方燧出卖土名唱歌堆晚田四亩，田在陈五门前，其主邓楫托陈五作新妇吴二姑收买，往往欲为寄税之计。其后陈五自以田在本人之门，便于耕作，托曾少三致恳，凭邓四六写契，就以本人南原祖业田两相贸易，陈五立契，正行出卖，邓楫亦立约付陈五，俾照方燧田为业。陈五与曾少三、邓四六送狱供对，各已招伏分明。今陈五不以方燧田自邓楫户入己为业，却以南原田入邓楫户。为无价钱贸易田产，于法虽不许，然彼此各立卖契，互有价钱，凭此投印，亦可行使。陈五与邓楫自有主仆之分，往往久欲并赎邓

> 楫一分住居，而邓楫不从，因此交易遽为昏赖，可见奸横。李洪与陈五即无相干，初状到官，乃作李洪名字，故入勾加，教唆词讼，尤为无赖。李洪、陈五各勘杖一百，其田各照元立契管业，余人并放。”[340]

在该判词中可发现，尽管该案所涉及的契约“于法不许”，但判官还是作了变通处理——“然彼此各立卖契，互有价钱，凭此投印，亦可行使”——以使得案件判决更符合人们的接受能力，从而以方便契约关系中的人们为己任，而反对给人们带来更多的不方便。

这样看来，充斥于古典中国法律及其解释实践中的实质合理追求，并不是阻挡以形式合理为取向的现代法律制度在中国建立的万恶之源，相反，如果我们在立法以及法律解释中能妥当地把握两者之间的内在关联，可能对于克服在现代法治中借形式合理所导致的社会不公平和法律不公正[341]会更有意义。

可以肯定，当代中国正处于一个艰难的价值抉择和（制度）技术培育过程中，在这样的时代背景下，究竟以何种理性为标准设计我们的法治（尽管有不少学者反对“设计法治”这样的说法，但我还是要坚持主观努力——“设计”在法治建设中的重要性，因为所谓自然长成的法治，每每只适用于一个渐进的时代。但我们都清楚的是，当今世界已经无可例外地都被拖入到所谓“跨越式发展”的时代），就是人们不得不应当特别正视的问题。这同时也

---

[340] （宋）幔亭曾孙辑录：《名公书判清明集》（上），中华书局1987年版，第108—109页。

[341] 例如，曾令世人震惊的辛普森案件，就是以形式合理替代实质合理的典型。尽管国内不少学者对该判决每每以欣赏姿态待之，但纵然在美国，这也是一个绝非仅仅以肯定的口吻对待的重要案件。即使法学家们也是如此，否则，法学家也就太“团结一致”了。

就涉及如何对待以实质合理为特征的我们自身的法律文化传统问题。

也正因如此，即使在西方国家，正在对此种一味追求形式合理的法律诉讼模式采取必要的变革措施。这种变革的具体成果就是"交涉合理"或者"反思合理"的原则在法律及其实践中的倡导和确立。[342] 尽管它并不否定从总体上看，程序在法律中的中心地位，但过度形式化可能对法治所带来的严重威胁——人们对法律保障其利益的失望，总是存在的。因此即使像美国这种典型地吸收了大陆法系形式合理性的国家，也在积极探索、关注、运用、实践着辩诉交易、法庭调解等有助于实质合理因素发挥作用的纠纷解决机制。[343] 或者更进一步讲，英、美国家所奉行的判例法制度，在总体上看，它是在正当程序中通过遵循先例、先例识别、本例创新等这样一系列的比较、反思和交涉过程中完成的，因此，可将其视为形式合理与实质合理的恰当结合。

论述这些的基本目的，就是要说明，古典中国在法律及其解释中所盛行的实质合理原则，是否应当为必然退出法律舞台的一个文化因子，在我看来，恐怕不应是如此。我们需要建立的形式合理的法治，并不应当以牺牲实质合理的实现为目的，恰恰相反，形式合理的法治所要追求的正是实质合理的效果。换言之，形式合理的法治，要比仅仅规定实质合理的内容，但并未对之作出可操作的形式规则能更好地实现实质合理。所以，形式合理所反对的，仅仅是不讲程序、蔑视公开的法律制度，而不是否定实质合理本身。

这就要求我们在当代中国的法治建设中，如何采取一种恰当的

---

[342] 参见季卫东：《法律程序的意义》，载氏著：《法治秩序的建构》，中国政法大学出版社 1999 年版，第 3 页以下。

[343] 参见范愉著：《非诉讼纠纷解决机制研究》，中国人民大学出版社 2000 年版，第232 页以下。

方式——像林毓生所言的那样：寻求传统的"创造性转换"，[344]
从而既能够建立起大体反映现代形式合理的法治要求，也能够尽量
避免形式合理的法治可能对实质合理本身所带来的威胁，还能够在
我们自身的文化血脉中低成本、高效益地获取到可资利用"本土
资源"。这样的法治，当然是我们这一代人、甚至数代人的使命。

或以为，中国法制传统自从辛亥革命以来，就已经是一套僵死
的东西，它不可能拿来作为今天我国法治建设的材料。对此，我将
在后文要详细论述。这里仅仅要说的是：只要实质合理不可避免地
作为法治的目标追求，那么，对古典中国以实质合理为价值取向的
法律及其解释通过"创造性转换"而予以汲取，就理所当然、无
可厚非。问题仅仅在于我们有无此种能力，而不在于有无相关
必要。

当然，话说回来，古典中国法律中存在的那种"实质合理"，
一方面，在很大程度上是以牺牲程序正义为目标的，因此，普遍的
刑讯逼供、装神弄鬼、欺诈取证、漠视人权等等现象的存在人所共
知；另一方面，它自身只能适用于一个相对简单的社会，故而尽管
在中央，"司法"过程有一定分工，但在地方上，判官们一般是自
侦查到审判，一路进行到底。所以他们每每事必躬亲，强调主动出
击。即使能够很有水平地解决某个个案，但并没有一种普遍有水平
地解决案件的程序保障机制。因此，有水平地解决案件的使命，就
只能是那些既具有卓绝智慧、又近乎完美圣人的人，对于常人而
言，似乎往往就遥不可及。

如此看来，古典中国法律中的实质理性，当然在我们这样一个
已经无可更改地迈向复杂社会的时代，其用场是相当受限的了。我
们知道，因社会分工和科技进步所导致的经济的市场化、政治的民

---

〔344〕 参见［美］林毓生著：《中国意识的危机》，穆善培译，贵州人民出版社1986年
版，第260页以下。

主化以及文化的多元化业已是一个世界性的现象，中国作为一个后发达的大国，也经过近二十五年的持续改革开放（主要在经济制度领域），汇入到这一历史进程中，这种经济、政治和文化的结构模式，所导致的是一个复杂社会在中国的明显呈现。因此，再强调昔日那种判官事必躬亲、无所不能地追求实质合理的古典制度，而原封不动地适用于当世，则既无可能，也无必要。所以，前述"创造性转换"是我们无法放弃的任务，我们所要选择的，主要不是古典社会实质合理的具体内容（当然，无可否认的是，其中相当一些内容在今天仍具有重要意义），而是实质合理的理念。这样，在立法上综合形式合理与实质合理之优点，建立我们的法律体系，就是我们必须面对的现实。因此，我赞同这样的看法：

> "我国法治方略、进行法治建设的初衷，并不仅仅是为了完善一套形式性的法律制度，以建立稳定、统一、整齐的社会秩序，而且是为了推进民主和人权保障事业。民主和人权不仅是法治的基础和前提，而且是法治的发展动力。……只有认真对待民主和人权，才能认真对待法律……我们所选择的法治观念是实质法治观。这一选择是正确的，应当坚持下去。我国法治建设的目标不仅是通过完善一套形式性的法律制度以规范和维护社会秩序，而且是通过这套制度以推进国家生活中的民主建设和社会生活中的人权建设，不仅要加强立法、执法和司法等环节，而且要把法律制度建立在不断扩大的民主和人权基础之上，为人民所认可、接受和满意。"[345]

---

[345] 侯健：《实质法治、形式法治与中国的选择》，载《湖南社会科学》2004 年第 2 期，第 43—47 页。

三、法治意义：法治中国的本土文化基础

透过前述中国古典法律及其解释中实质合理问题的论述，我们已经涉及到古典法律解释与当下中国法治建设的关系问题。这里将进一步在相对更为宏观和整体的意义上——即在中国法制进程中资源选取的视角来观察古典法律解释在西法背景下的当代意义。

近十年来，围绕着当代中国究竟要以何种资源为主建设其法治这一问题，形成了多种不同的学术观点，其中既有"法律移植论"，它主要强调中国的法治应当在大力引进西方法律的基础上进行建设，扎扎实实地移植现代化的西方法律，是我国法治建设的首要任务。也有"本土资源论"，它强调要以中国自身的资源为主建设我们的法治。这其中对"本土资源"的理解各异，有些学者所说的本土资源，为当下国人的实践和创造；而有些学者更关注自身的法律文化传统在今天法制建设中的作用，特别是那些专研中国法制史的学者。

说实在的，在这样一个明显地全球流动的时代，像中国这样一个大国的法治建设，究竟以何种资源为主来建设，实在不是什么人可以主张和预测的事，而只能是通过其法治实践博弈而决的事。一方面，**我们处于全球性流动中，必须运用人类业已选择并遵守的规则来解决我们所面临的法治难题；另一方面，中国自身就构成一个伟大的文化共同体，它永远不可能撇开自身的文化积淀和现实关切而栖身于任何意义上的异文化的"卵翼"中。因此，中国法制进程中的资源选取实在不是简单地移植外域法律文化或简单地恢复本土汉家故物就能解决的。**它需要我们充分张扬、发挥我们这个富有创意的民族之综合智慧和协调能力。这里仅以本文所关注的中国古典法律解释为例，说明它对当下中国法制建设的资源支持和阻碍。

我们知道，法律解释是法律实现的基本方式，这即使在严格规则模式的法治条件下，也是如此。古典中国的法律体系，如果按照

现代法律的标准，当然可以把礼制啦、官制啦等等皆可纳入其中。但如果我们以中国固有的法律观念大体还原一下古典中国的法律内容，则其主要是刑法，这正如"诸法合体，以刑为主"的著名论断所指出的那样。不过问题是：尽管刑法可以处理大量的社会纠纷，但它不可能、更没必要包办社会纠纷的处理。既然刑法不可能对形形色色的社会纠纷作出通盘的处理，但社会秩序却要求只要出现社会纠纷，就应当有相应的规则出来处理，于是刑法规则的极其有限和社会纠纷的永恒无限之间就出现了明显的张力、甚至对立。那么，如何将有限的刑法规范纳入到无限的社会纠纷之处理中？这就需要解释。在中国古代的许多判例中，我们可以看出，一起普通的民事纠纷，每每被判官们赋予了刑法上的意义。例如：

> "李广县吏贴，有何能为，鲍焕之屋主人，反遭凌侮。几载托帡幪之庇，一朝逞除拆之私。甲家私过乙家，固当搬去自物，东壁打至西壁，不应毁作破庐，遂致四达以无旁，岂知一日而必葺。有心害物，夫何画茄树而行，定罪原情，岂可从蒲鞭之恕。李广勘杖一百，监修。"[346]

> "前汉时，颖川有富室兄弟同居，其妇俱怀妊，长妇胎伤匿之，弟妇生男，夺为己子。论争三年不决。郡守黄霸使人抱儿于庭中，乃令娣姒竞取之。既而长妇持之，甚猛；弟妇恐有所伤，情极凄怆。霸乃叱长妇曰：'汝贪家财，固欲得儿，宁虑或有所伤乎！此事审矣，即还弟妇儿。'长妇乃服罪。"[347]

这说明，刑法尽管在古代中国名声不好听，但在实践中它具有普适性。当判官将现今我们所言民事案件纳入到刑法调整的轨道中

---

〔346〕 （宋）幔亭曾孙编撰：《名公书判清明集》（上），中华书局1987年版，第197页。
〔347〕 （明）冯梦龙：《增广智囊补》。

时，一个基本的方式就是靠判官们的解释活动来实现此种上已述及的刑法功能。毫无疑问，对于当今中国的法治建设而言，我们并不需要把任何纠纷不问青红皂白地纳入刑法的视界，因此，在理念上讲，这种泛刑法主义的解释及解释观自然是当今法治建设所要义无反顾地摒弃的内容。对它的留恋，就是对当今法治实践的漠视。

然而，即使在这里，人们也不难寻觅到对今天法治建设非常有益的养料，那就是对法律解释本身的重视。中国古代法律解释的经验，至少可在如下方面对当今法治建设以启示：

第一，严格的解释制度对当今法治建设的启示。当代中国的立法，尽管已经在各个方面全面地展开，以至于说当下的中国法律汗牛充栋、多如牛毛，似乎并不为过。然而，法律体系的混乱不堪、法律内部的自相冲突、法律自身的漏洞百出、立法原则的宁粗勿细等等，都已经严重地妨碍着法律的运行、贯彻和落实。于是国家不得不大力借助法律解释、特别是所谓"司法解释"[348]来完成"法律规范续建"的任务。既然法律解释在法制建设过程中承担着如此重要的使命，那么，借鉴中国古代社会那种严格的法律解释制度——严格的解释原则、严格的解释主体、严格的解释对象、严格的解释过程……对我国当下的法治建设而言其意义可想而知。

第二，在法律解释中形成的相对繁荣的律学对当今法治的启示。任何时代的法治建设，都需要一套严格的思想体系的支撑，其中特别需要关于法律自身的思想。在当代中国法制建设中，公允地

---

[348] 这里的司法解释，与前文所言"司法性解释"不是一个概念，后者是通过将法律运用之于案件过程中时对法律的解释，因此，它与司法判决是同一过程；而前者则事实上履行着细化、完善立法的功能。当然，它也和当今世界所通行的司法解释不同：在内容上，当今世界所通行的司法解释与古典中国的"司法性解释"类同。在解释活动的起因上，则当代世界普遍的做法是：司法解释因请求而引起，因此，司法解释权是被动性权力；但在中国，司法解释往往由法院主动提起，因此司法解释权是主动性权力。

讲，法学者们也阐述了相当有价值的一些法律思想，但真正在立法、司法以及行政等法律活动中，人们所关注的要么是政治家的意识形态主张，[349] 要么是某一时期执政党的政策，至于法学家的主张，几乎是法学家们"自娱自乐"的范畴。这不能不说是当代中国法学家、法学理论和法治建设的悲哀！而在古代中国，尽管律学只是诸学问中最不起眼的一种，但当政者对法律解释的必要重视，使得律学与当时法制建设紧密相连：

> "……律学对法的本质、法与其他社会现象的关系等法哲学问题都有过较为深刻的阐述。具体而言，律学探讨了律例之间的关系，条文与法意的内在联系，以及立法与用法、定罪与量刑、司法与社会、法律与道德、释法与尊儒、执法与吏治、法源与演变等各个方面，比较律典之优劣，评论各朝之得失，其微、其细、其广、其博、其实、其用均为世界同时期所少有。在这一过程中，形成了独特的法学世界观：将法视为君王意志的表现，是规范文武百官的准则，统治百姓的工具；将法视为伦理道德的器具，治理国家首先必须依靠道德教化，法律是道德施行的手段；将法视为维护宗法等级社会秩序的工具，用以维护既定的秩序及和谐；将法视为整个社会既不可无又不可高扬的东西……"[350]

显然，这种在政府（皇权）观念指导下对律学的高度重视，比之今天我们在法制建设中对法学的重视程度，要高出许多。在古代中国，对律学的高度重视，使得律学与法制建设、特别是法律的实践运用相辅相成。显然，这是我们理应认真汲取的内容。

第三，较为完善的法律解释方法对当今法治建设的启示。 既然法律在解释中实现其使命，那么，如何进行法律解释就理所当然地

---

[349]　参见谢晖：《政治家的法理与政治化的法》，载《法学评论》1999 年第 3 期，第 14—21 页。

[350]　怀效锋：《中国律学丛刊·总序》，法律出版社 2000 年版，第 7—8 页。

是一个至关重要的问题。本来，在法律的施行中，法律解释自身就是一种方法，但由于法律解释在法律实现中的作用如此重要，以至于人们不得不关注法律解释的方法。相较而言，中国古代在法律解释中已经积累了丰富的方法。对此，何勤华以《唐律疏议》为例，进行了认真地总结。[351] 这里仍引用怀效锋的结论说明之：

> "法典注释方法是中国古代法学的主要研究方法。中国古代在春秋时期就已出现了成文法，有了法律，就要执行，法律只有经由解释才能适用。因此，在一般情况下，成文法典的持续适用，法制的长期发展，必然导致法典注释学的产生。在中国，法典注释学亦产生很早，并在其两千多年的发展过程中，形成了丰富独特、纤细备至的注释方法，内容包括法律术语的规范化解释、互校解释、限制解释、扩大解释、类推解释、经义解释和判例解释等。……由于这些解释方法的运用，使中国古代法学达到相当的水平，并具有综合性、准确性、协调性和实用性的特点。可以说，古代中国的法律注释学，是可与罗马法学等量齐观的。……"[352]

也许如上对中国古代律学的评价有过度敝帚自珍之嫌，但它仍然大体反映了中国法律解释方法的发达程度。相比较而言，当代中国在法治建设中尽管在运用法律解释，但法律解释方法明显单一。在总体上看，当今的中国的法律解释方法还落后于古典中国的法律解释方法。比如通过历史解释以说明法律的合法性，在古代中国，可谓经常运用，但在当今中国，运用之甚为少见。再如，对法律作

---

〔351〕 参见何勤华著：《中国法学史》（第一卷），法律出版社 2000 年版，第 377 页以下。

〔352〕 怀效锋：《中国律学丛刊·总序》，法律出版社 2000 年版，第 8 页。

出道义性的解释和说明，在当今法律解释中也罕见。如上种种，难道还不足以说明古代法律解释方法对今天法律解释的镜鉴作用吗？

第四，判官的解释能力对今天法治建设的启示。 当今的法治国家，几乎都公推司法权为最后的、最权威的权力，原因在于社会纠纷的解决，到此为止，就是再无法逾越的边界。这就要求法官（判官）在司法活动中，对案件本身及其与法律的关联关系具有权威的解释能力。尽管古代中国的判官并没有、也不可能做到如此权威的解释，但坦率地讲，和今天我国法官对案件及其与法律关联的解释权威性相比、特别是在案件判决的论证问题上，古代判官的解释毫不见差，甚至还可能在其之上（而在当今，一个普通的高中生、甚至由院长司机转制来的"法官"就足以写出官样判决书）。下面我们以古代判词为例说明之：

> "审得僧人省庵原买千总李京田四石五斗，价一百二十两，契载归赎。乃活产，非绝产也。雍正二年，省庵转典田三石与郑君启，得银三十五两，将买契付君启收执。至六年君启复转典与省庵佃人殷宋尧。既而省庵嘱李京转卖，清伊原价，立有准约。李京随向宋尧议卖，先交银五两四钱，稻六百三十斤，立准约，未立契也。既而宋尧田价无措，其事不谐。
>
> 省庵典田于君启，君启转典于宋尧，原无不可。省庵果能备价取赎，君启何辞？君启即以省庵之价，取赎于宋尧，宋尧又何辞？至李京业主也，以准赎之产，或断卖于买主，或别卖于他人，李京为政，省庵惟有得价已耳，况省庵已立准约于李京，令其别卖，是李京宋尧之授受，正大光明，省庵又复何辞？李京宋尧交易不果，省庵仍可取赎于君启，君启仍可取赎于宋尧，故物不失，两无所害，省庵更复何辞？皖卫先断宋尧足价，原欲斩断葛藤，但未审明省庵准约勘断，殊失平允。继因宋尧力不能买，仍批省庵赎田执业，情理允协。

何物秃奴刁词叠控，不曰盗赎则曰盗买，不曰佃占冬田则曰嘱卫翻案。窥其隐衷，盖省庵急欲得原价，李京急欲得重价，串成一局，两路夹攻，虽列李京为告犯，实藉李京为声援。本应责惩，姑宽逐释。宋尧果能成交，即着李京楚还省庵原价。如果力不能买，仍听省庵赎取执业，李京所得宋尧银稻，如数清偿可也。"[353]

如上判词，言简意赅，但又分析透辟，它充分表明古代判官的判断能力、分析水平以及法律赋予判官的相对"独立"的判断权力。尽管时人喜欢批评古人没有"司法独立"观念，但自那些风格各异的判词中，我们不难发现法官的判断个性、乃至其行文个性在判词中的充分展示。站在现代法治的立场看，尽管法官要尊重正当程序规则，但这并不否定法官的推理能力和个性判断水平在判案中的作用。籍此，也就不难理解柯克、霍姆斯、卡多佐、马歇尔等在现代法治下的法官和张释之、狄仁杰、包拯、况钟、海瑞等古典中国的判官何以能够影响历史，而其他法官（判官）不能。这就启示我们在当今中国的法制建设中，选择最有法律判断和解释能力人、并在制度上赋予法官以充分的法律解释权，但又通过公开说明理由的方式使其不至于滥用这一解释权，是多么必要和重要！

前已述及，当代中国的法制建设，不仅需要充分引入和移植西方的法治理念和规则模式（甚至这种理念和模式的引进及有效推行，是中国当下法治建设的主旨），而且要关注中国人在当下的独特创造，当然也要关注中国固有的传统。我们知道，辛亥革命以来，汉家故物被破坏得不可谓不彻底，而西土经典又游离于我们生活之外，所以我们基本上处于一种可怕的**规则缺席时代**。在这样一

---

[353]　陈全伦等主编：《徐公谳词——清代名士徐士林判案手记》，齐鲁书社 2001 年版，第 240—241 页。

个时代，任何规则——不论古今、还是中外——的借取，都可能被某种所谓"潜规则"[354] 所销蚀，因此，在我看来，**只有发展到中国的新规则体系建立起来以后，对古今中外法律规则的借鉴才能得到更好的发挥。这也就意味着：仅仅对古典中国的旧规则、旧解释及其理念本身的恢复，尚不足以令这种"本土资源"发挥更大的作用。**

四、施行意义：法律在解释中实现

法律的意义，既在于规则，但绝不囿于规则。在实践中，法律的意义，每每是在解释过程中产生的。因此，弗兰克等现实主义法学家甚至认为真正的法律乃是法官所作出的最后判决。[355] 这种结论的偏激显然是无可疑义的，但其较好地说明了法律制定之后，倘若不借助解释的力量以实现，则只能是一些僵死的条文，而不能因之产生活动的交往秩序。这大概正是所谓"法律在解释中实现"这一命题被人们普遍接受的缘由所在。

古典中国汗牛充栋的法律解释成果，就很能说明：不仅在现代这个法治发达、不确定性因素日有所生的时代，法律必需借助人们的解释来实现，即使在古代强调"严格规则"、并且社会秩序甚少有变动的时代，法律也照样通过解释来实现。为什么法律必须通过解释来实现？古今中外的学者们对此曾作出过不断的论述，如法律的僵硬性、法律不可避免的漏洞、法律可能产生的歧义、法律语言的专门性所带来的理解上的困难以及对法律合法性的历史知识、现实根据并非人人都能理解等等因素都导致需要对法律规范作出必要

---

[354]　关于"潜规则"的系统论述，参见吴思著：《潜规则：中国历史中的真实游戏》，云南人民出版社 2001 年版，第 1 页以下；《血酬定律：中国历史中的生存游戏》，中国工人出版社 2003 年版，第 1 页以下。

[355]　参见吕世伦主编：《现代西方法学流派》（上卷），中国大百科全书出版社 2000 年版，第 487 页。

的解释，使其深入人心，并贯彻于人们的行动中。可以说，**法律的历史有多长，法律解释的历史就有多长。**

以古典中国的法律为例，先秦以前因为相关文献的匮乏，其法律解释的具体文献我们所知甚少，除了像《尚书》[356] 以及邓析、子产等所进行的法律解释活动之外，其他法律解释活动只能靠今人的推理和想像来阐述。但可以肯定，在中国制度文明的早期，擅长政治哲学和政治统治的古人对于法律及其解释的重视该是理所当然的。

我们已知的较为全面的法律解释文献乃是通过考古发掘而发现的，即 1975 年发现的"睡虎地秦墓竹简"中所存留的《法律答问》。该"竹简"整理者在介绍《法律答问》时这样讲：

> "《法律答问》……计简二百一十支，内容共一百八十七条，多采用问答形式，对秦律某些条文、术语以及律文的意图作出明确解释。
>
> 从《法律答问》的内容范围看，《答问》所解释的是秦法律中的主体部分，即《刑法》。……商鞅制订的秦法系以李悝《法经》为蓝本，分《盗》、《贼》、《囚》、《捕》、《杂》、《具》六篇。《答问》解释的范围，与这六篇大体相符。……
>
> 《法律答问》中很多地方以'廷行事'，即判案成例，作为依据，反映出执法者根据以往判处的成例审理案件，当时已

---

〔356〕 在一些学者看来，《尚书》简直就是一部先秦时期中国法学和法律文献的集大成之作："《尚书》是关于周朝及上古时期的历史文献的汇编，其中有丰富的法学内容，是研究中国法制史，特别是先秦法制史必不可少的古籍。"（张紫葛等著：《〈尚书〉法学内容译注》，四川人民出版社 1988 年版，第 1 页）。该书作者在《尚书》全部 28 篇作品中选取了其中 14 篇 "法学内容比较集中"的加以译注，但我们知道，其他没被译注的各篇中，仍有丰富的法学内容。可见，把《尚书》说成是一部法律和法学文献，恐怕并不为过。

成为一种制度。……

《法律答问》中还有一部分是关于诉讼程序的说明，如'辞者辞听'、'州告'、'公室告'、'非公室告'等，是研究秦的诉讼制度的重要材料。

秦自商鞅变法，实行'权制独断于君'，主张由国家制订统一政令和设置官吏统一解释法律。本篇决不会是私人对法律的任意解释，在当时应具有法律效力。……"[357]

由此可见，《法律答问》是对秦律所作出的官方解释。自此以后，中国历史上的法律解释便代代相传，积淀深厚，形成中国法律—制度文化中重要的、独具特色的一页。它深刻地表明，尽管自秦以后，中国历朝历代都有相关系统而完整的法典产出，但这些法典并没有直接包办所有相关的法律秩序，而是借助对法典的解释完成法典调整社会关系的使命。这些解释，有些以法典为蓝本，有些则在法典之外，还特别关注"判例"的指导价值；有些忠实于法律的原意，有些则对法律原意有所伸展；有些在法典规定的现实文本中寻求律意，有些则从历史文化传统之呈递接续中寻求律意……下面我侧重取此三方面，以说明古典法律解释之于古代法律的施行方法对于今日法律解释之于今日法律的施行之镜鉴作用：

第一，中国古典的判例解释对于当下法律解释推进法律实现的启示。谈到判例解释和判例法，在晚近以来我国的法学中大体上对其极尽批判否定之能事，例如，"睡虎地秦墓竹简"中《法律答问》的解释者在对以"廷行事"为根据所做的解释进行介绍之后，这样评价道：

---

[357] 睡虎地秦墓竹简整理小组：《睡虎地秦墓竹简》，文物出版社 1978 年版，第 149—150 页。

　　"这种制度表明，封建统治者决不让法律束缚自己的手脚。当法律中没有明文规定，或虽有规定，但有某种需要时，执法者可以不依规定，而以判例办案，这就大大有利于封建统治者对劳动人民的镇压。"[358]

　　尽管这种批判带有明显的时代痕迹，但这种对古人的智慧总带着有色眼镜来批判、否定，而不是"同情地理解"的研究理念和粗暴做法在当今仍然严重存在。如一谈到封建主义的，就想当然地将其和"反动"、"落后"这些词汇联系起来。至于"封建主义"是什么，则很多研究者不知其所以。在我看来，与其说这是一种研究结论，毋宁说它是一种意识形态套话。特别是对古典中国灿烂的判例和判例法而言，这种武断的否定可能会使我们放弃、并最终丧失对民族法律文化传统的记忆。它只能使我们自身对法律的理解更拘泥、机械，而不可能在法律解释中，创造性地构织法律秩序，实现法律使命。

　　大概正是这种对判例修正法律的否定，导致在中华人民共和国成立以来，对判例制度和判例法保持着一种高度的警惕、甚至敌视态度。其原因尽管不外乎"竹简"解释者的以上说辞。但遗憾的是我们也并未因此实现对成文法或法典的基本重视。相反，一切法律，在这里都横遭蔑视，甚至连国家宪法也是可以三天两头地随意修改的对象！因此，我们所见到的只是一些要人们"和尚打伞、无法无天"的现实。从而法律在很大程度上只是象征性地装点门面，而不是切切实实地以之构造秩序、保障人权。可见，否定了判例和判例法，并不意味着就能够真正确立成文法典的崇高地位，也并不意味着成文法典就一定能构织良好的法律秩序。

─────────────

[358] 睡虎地秦墓竹简整理小组：《睡虎地秦墓竹简》，文物出版社 1978 年版，第 150 页。

　　笔者认为，判例制度、判例法与成文法典一样，都是人类在构造秩序过程中所创造的伟大的制度成果。世界制度发展史业已证明，尽管判例制度不像成文法典那样关注整齐划一的形式法治，但它对人类交往秩序的规范和调整绝不比成文法典明显逊色。反之，我们知道以英美法系国家为代表的判例法开创了另种秩序形成模式，乃至连坚持形式法治的大陆法系国家也开始借鉴判例法的经验，构建其主体交往秩序。古典中国对成文法典和判例法的共同关注，创造了一个在该时代罕见的成文法与判例法混合存在的法制模式，从而将成文法典的严格规则和判例法律的灵活运用巧妙地结合起来。不管人们对此持何种评价，古典中国历数千年而不衰的历史事实已经表明它所具有的独特优势。

　　可见，判例法并不意味着它是任意的代名词，反之，只要有判例法，就有关于判例法制作和运用的控制机理。否则，它就不能谓之为法，反而是法律的对立物。只有以这样的判例法观念来理解古典中国的混合法体系和英美法系的判例法模式，才能更好地引领我们进入判例法的世界，促进当代中国法律解释中判例解释的展开和深入。

　　判例法既有通过与成文法并列的体制使其发挥作用的模式，也有在解释成文法过程中引入判例解释的机制而发挥其作用的模式。就古典中国的情形而言，这两种情形都存在。但我所特别关注的是后者，因为它可为当下不讲究判例法的中国可以提供一种适时地借助判例法以补救成文法典之不足的机制。真正借助判例的功能将成文法的规定带入到法律实践中去。

　　第二，中国古典法律解释中的创造对于今天借法律解释以推进当下法律施行的启示。法律解释尽管必须遵循法律原意，但也绝非解释者对法律的亦步亦趋。正如解释学格言所云："只要有理解，理解便会有不同。"这其实是将理解者的个体主体性带入到解释活动中的过程。人之为人，端在于其个体意识和个体主体能力的差异，如果在法律解释中销蚀了解释者的这种个体意识和个体主体能力，法律解释便成为法律誊写或者背诵，而不是解释。

尽管法律解释和其他解释，如语文解释、学术解释等相比较更强调共性和公共应用性，但这也不意味着否定法律解释中解释者的个性。不然，我们就在古典中国汗牛充栋的法律解释材料和成果中难以分别出孰优孰劣、孰对孰错。优劣之别、对错之判，皆在于对法律解释者解释成果的个性、风格、特征的比较基础上才能获得。因此，在很大程度上讲，法律解释的目的之一，就是要设法将解释者的个性因素渗入到法律中，以对法律的种种不足作出补充。这种情形，也在期待着法律解释者在解释时的适度创造——再造法律。所以，解释者一言九鼎。

当然，这种情形也可能意味着"以解释破法律"现象的出现。在绝对意义上讲，对任何一种文本的解释活动，即意味着对原有文本的修补和完善，也意味着在原有文本基础上的意义增生。因此，"以解释破法律"的现象就可能无法免除。然而，个性在法律解释中之发挥作用，绝不是对这种情形的默认，相反，在制度上必须设置一定的措施，使得法律解释更有利于完善法律、以补法律自身的缺陷，即使在法律解释中的意义增生，也应围绕着能更好地贯彻落实法律的规定而进行，最终限制和克服解释者个性的发挥可能对法律实施的不利影响，彰显解释者创造性地将法律运用到实践中去的功能。

在这方面，古典中国的法律解释，不论像《唐律疏议》那样的官方解释文本、抑或像《大清律辑注》那样的民间解释文本，还是像诸多的"司法者"通过判决所形成的"司法性解释"文本，都能较为充分地彰显解释者的个性，从而使法律创造性地贯彻到人们交往行为的实践中去。这恰恰是当代中国法律解释如果要发挥更大的实践价值所必须借鉴的内容。

反观当代中国的法律解释，尽管于完善法典之不足有一定作用，但法律解释的模式则千孔一面、千篇一律。司法活动及司法判决也是如此，极少论证，套作明显，因此，个案的判决对于丰满法律、理解法律帮助不大。学者解释则急于求成，根本不像古人那样积一生功力，成一卷解释。这恐怕也是当局不愿提及学者法律解释之效力的原因之一吧。在此意义上讲，如何借鉴古典中国法律解释中既能遵循法意、也能扩展法律视界的做法，以通过法律解释推进法律更好地施行，当是当下中国的法律解释理应关注的问题。

　　第三，关注历史解释，以说明法律的合法性对今天法律解释的启示。 对法律合法性的说明，可以是意识形态的说教，如"以上帝的名义"、"以人民的名义"、"以集体的名义"、"以国家的名义"等等，毫无疑问，这些都在一定意义上构成了合法性的内容，只要说理所依赖的事实是成立的。但在笔者看来，合法性最重要的基础，是一个国家、一个民族所固有的历史文化和传统。一方面，它被伪造的可能性较小，另一方面，它可以被人们理所当然地借来说明问题。"古已有之"、"相沿成习"、"究天人之际、通古今之变"等等说法，都是为所论证的问题寻求历史合法性的理由说明。对法律解释而言，这种说明自然不是多余。

　　在前文中我们曾一再提及，古典中国的法律解释非常关注历史解释。不论官方的解释、民间的解释还是司法性解释，皆为如此。如窦仪等在解释《宋刑统·笞刑》时则完全照抄了《唐律疏议》中长孙无忌等人对笞刑的历史解释：

　　　　"笞者，击也。而律学者云，笞训为耻。言人有小愆，法须惩戒，故加捶挞以耻之。汉时笞则用竹，今时则用楚。故书云：'扑作教刑。'即其义也。汉文帝十三年，太仓令淳于意女缇萦上书，愿没身为官婢，以赎父刑。帝悲其意，遂改肉刑，当黥者髡钳为城奴令舂，当劓者笞三百。此即笞杖之目，未有区分。笞击之刑，刑之薄［者］也。随时沿革，轻重不同，俱其无刑，意为必措。孝经援神契云：'圣人制五刑以法五行。'礼云：'刑者刑也，成也，一成而不可变，故君子尽心焉。'孝敬钩命决云：'刑者刑也，质罪示终。'然杀人者死，伤人者刑，百王之所同，其所由来尚矣。……"[359]

如上照抄行为，尽管给人缺乏新意之感，但它自身就是一种在对法律进行历史解释时，对前人权威法律解释的关注和尊重，从而深深透出解释者的历史文化意识和法律传承观念。

"前清制度，娼优隶卒，喜庆不能用仪仗鸣锣。及光绪末造，纲纪荡然，嫁女婚男者，只须有钱，即可铺张扬厉，目空一切；甚至粮差之卑贱，竟敢用仕宦之威仪，识者讥之。当光绪二十一年，分太仓镇阳县粮差沈锦，为其子娶太仓州差陆少蓬之女为室，迎娶及揖岳，皆用鸣锣开道，虽过绅衿门第、有司衙署，均所不避。斯时为某讼师闻之，击命家人取其旗牌锣伞，送县究办。时权镇阳县事为河南吴粤生。因陆少蓬州差故，特与州官程序东商酌，从严惩办。由镇阳县审讯，并将判词榜示大堂，以儆傲慢。……"[360]

这段话是在介绍和"婚礼僭越"相关的一判例时，作者对何以要对"婚礼僭越"判罚的时代背景介绍，它不是为了说明某种合理性，相反是为了说明"婚礼僭越"这种现象产生和存在的非理性及其时代背景。这种民间的法律解释，也不失为一种历史解释。

---

[359] （宋）窦仪等撰：《宋刑统》，中华书局 1984 年版，第 1—2 页；（唐）长孙无忌等撰：《唐律疏议》，中华书局 1983 年版，第 3—4 页。

[360] 虞山襟霞阁主编：《刀笔菁华》，中华工商联合出版社 2001 年版，第 78—79 页。

　　至于在司法判决中，我们不时可以发现在古代的判例或者判案故事中后代判官对前代判官关于同类案件判决方式的仿效。如《折狱龟鉴》中所记载的唐朝裴子云、赵和，宋朝侯临等在相关案件的判决中对隋朝人张允济所作的类似案件在判案方式上的明显借鉴；[361] 再如南朝何承天、唐朝戴胄、狄仁杰等在相关案件的处理中对西汉名臣张释之类似处理方式的公开引用等等。[362] 这些，都可以看作是在司法判决这种法律解释中运用历史解释的范例。

　　自以上的交代，我们可以看出，如何像古代中国的法律解释者那样，自觉地善待法律传统、尊重法律文化、关注法律积淀，从而达到法制的循序渐进，当是当今中国法律解释者以及所有关心法治建设的人们都应深长思之的问题。因为历史是割不断的，即使我们人为地去割它，但其结果只能是"剪不断、理还乱"。与其如此，何不树立历史解释方式，不论对相关法律规定在中国的沿革还是在西土的发展，作出历史的解释和交待，寻求法律规定之可实证的历史合法性呢？

---

[361]　参见郭建著：《五刑六典——刑罚与法制》，长春出版社2004年版，第194页以下。在本文中，对相关的案件，我们也曾有引用。

[362]　相关案件参见辛子牛主编：《中国历代名案集成》（上卷），复旦大学出版社1997年版，第304、481、500页。

征引文献与观点书（文）目

1. ［东汉］曹操：《蒿里行》，载《三曹诗文全集译注》，吉林文史出版社 1997 年版。

2. ［汉］班固著：《汉书》（刑法志、贾谊传、张释之传），载《二十五史》（一），中州古籍出版社 1996 年版。

3. ［汉］董仲舒著：《春秋繁露》（基义、深察明号、精华），载《二十二子》，上海古籍出版社 1986 年版。

4. ［汉］桓宽著：《盐铁论·刑法》（马非百注释本），中华书局 1984 年版。

5. ［汉］司马迁著：《报任安书》，载《古文观止》（上册），中华书局 1959 年版。

6. ［汉］司马迁著：《史记》（酷吏列传、平淮书、秦始皇本纪），载《二十五史》（一），中州古籍出版社 1996 年版。

7. ［晋］陈寿著：《三国志》（高柔传、魏凯传、姜维传），载《二十五史》（二），中州古籍出版社 1996 年版。

8. ［明］冯梦龙著：《智囊》（增广智囊补），中州古籍出版社 1986 年版。

9. ［明］冯梦龙著：《三言·醒世恒言》，岳麓书社 1989 年版。

10. ［明］雷梦麟撰：《读律琐言》，法律出版社 2000 年版。

11. ［明］丘濬著：《大学衍义补·治国平天下之要·慎刑宪》，法律出版社 1998 年版。

12. ［明］颜俊彦著：《盟水斋存牍》，中国政法大学出版社

2002 年版。

13．［明］佚名著：《新纂四六合律判语》，载郭成伟等整理：《明清公牍秘本五种》，中国政法大学出版社 1999 年版。

14．［南宋］范晔著：《后汉书》（钟离宋寒列传、董宣传），载《二十五史》（一），中州古籍出版社 1996 年版。

15．［南宋］桂万荣撰：《棠阴比事》，北京中国书店影印本（无印刷年号）。

16．［清］崔述著：《无闻集·讼论》，载顾颉刚编订：《崔东壁遗书》，上海古籍出版社 1983 年版。

17．［清］黄宗羲著：《明夷待访录·原法》，载《黄宗羲全集》（第一册），浙江古籍出版社 1986 年版。

18．［清］纪昀著：《四库全书总目提要·按语》。

19．［清］纪昀著：《阅微草堂笔记·如是我闻·四》，华夏出版社 1998 年版。

20．［清］蓝鼎元著：《鹿洲公案》，群众出版社 1985 年版。

21．［清］刘衡著：《读律心得》，载郭成伟主编：《官箴书点评与官箴文化研究》，中国法制出版社 2000 年版。

22．［清］陆以湉著：《冷庐杂识》（卷五），转引自华东政法学院语文教研室编：《明清案狱故事选》，群众出版社 1983 年版。

23．［清］沈家本撰：《历代刑法考》（二）、（四），中华书局 1985 年版。

24．［清］沈之奇撰：《大清律辑注》，法律出版社 2000 年版。

25．［清］汪辉祖著：《学治臆说》，载郭成伟主编：《官箴书点评与官箴文化研究》，中国法制出版社 2000 年版。

26．［清］王明德撰：《读律佩觿》，法律出版社 2000 年版。

27．［清］谭嗣同著：《仁学》，中华书局 1981 年版。

28．［宋］窦仪等撰：《宋刑统》，中华书局 1984 年版。

29．［宋］幔亭曾孙著：《名公书判清明集》（下），中华书局

1987 年版。

30．［宋］司马光著：《资治通鉴·唐纪》，上海古籍出版社1987 年版。

31．［宋］苏轼：《题西林壁》，载《苏东坡全集》，北京中国书店 1986 年版。

32．［宋］王溥著：《唐会要》，中华书局 1955 年版。

33．［宋］郑克编撰：《折狱龟鉴》，杨奉琨选译，题《折狱龟鉴选》，群众出版社 1981 年版。

34．［宋］张载著：《进思录拾遗》、《张子语录》，载《张载集》，中华书局 1978 年版。

35．［唐］长孙无忌等撰：《唐律疏议》，中华书局 1983 年版。

36．［唐］贺知章：《回乡偶书》，载《历代诗歌选》（第二册），中国青年出版社 1980 年版。

37．［唐］房玄龄等撰：《晋书》（刑法、杜预传），载《二十五史》（二），中州古籍出版社 1996 年版。

38．［唐］柳宗元：《驳“复仇议”》，载高潮等主编：《中国历代法学文选》，法律出版社 1983 年版。

39．［唐］吴兢撰：《贞观政要》，上海古籍出版社 1978 年版。

40．［唐］张鷟撰，田涛等校注：《龙筋凤髓判校注》，中国政法大学出版社 1996 年版。

41．［五代·后晋］张昭远等著：《旧唐书》（刑法、酷吏传上、柳浑传），载《二十五史》（五），中州古籍出版社 1996 年版。

42．《道德经》（第一十八章、第三十八章、第八十章），载《二十二子》，上海古籍出版社 1986 年版。

43．《管子》（任法、正世、七臣七主、法法、禁藏、七法），载《二十二子》，上海古籍出版社 1986 年版。

44．《韩非子》（难三、用人、有度、定法），载《二十二子》，上海古籍出版社 1986 版版。

45.《礼记》（礼运、曲礼上、丧服四制、月令），载《四书五经》（上），岳麓书社1991年版。

46.《陆稼书判牍·兄弟争产之妙判》。

47.《吕氏春秋》（离谓、慎势），载《二十二子》，上海古籍出版社1986年版。

48.《论语》（为政、颜渊、尧曰、子路、学而、八佾、里仁、阳货、雍也、宪问），载《四书五经》（上），岳麓书社1991年版。

49.《孟子》（告子上、离娄上、藤文公上），载《四书五经》（上），岳麓书社1991年版。

50.《明通鉴·太祖·元至正二十二年》。

51.《南史·何承天传》，载《二十五史》（三），中州古籍出版社1996年版。

52.《商君书·定分》，载《二十二子》，上海古籍出版社1986年版。

53.《尚书》（吕刑、召诰、康诰），载《四书五经》（上），岳麓书社1991年版。

54.《慎子·佚文》。

55.《宋史·卷三一四》（列传第七三），载《二十五史》（八），中州古籍出版社1996年版。

56.《新唐书》（韩思彦传、李元素传），载《二十五史》（六），中州古籍出版社1996年版。

57.《荀子》（成相、非十二子、君道、王制、宥坐），载《二十二子》，上海古籍出版社1986年版。

58.《左传》（襄公二十六年、昭公六年、昭公十四年、昭公二十年），岳麓书社1988年版。

59.《中国大百科全书·法学卷》，中国大百科全书出版社1984年版。

60. 睡虎地秦墓竹简整理小组：《睡虎地秦墓竹简》，文物出版社 1978 年版。

61. 北京大学法律系法律史教研室选译：《中国古代案例选》，山西人民出版社 1981 年版。

62. 蔡枢衡著：《中国刑法史·序》，广西人民出版社 1983 年版。

63. 陈景良：《讼学、讼师与士大夫》，载《河南政法管理干部学院学报》2002 年第 1 期。

64. 陈景良：《讼学与讼师：宋代司法传统的诠释》，载《中西法律传统》（第一卷），中国政法大学出版社 2001 年版。

65. 陈全伦等主编：《徐公谳词——清代名士徐士林判案手记》，齐鲁书社 2001 年版。

66. 陈寅恪著：《隋唐制度渊源略论稿》，三联书店 1954 年版。

67. 陈爱娥：《萨维尼——历史法学派与近代法学方法论的创始者》，载"法律思想网"。

68. 程树德著：《九朝律考》，商务印书馆 1934 年版。

69. 董暤著：《司法解释论》，中国政法大学出版社 1999 年版。

70. 范进学著：《宪法解释的理论建构》，山东人民出版社 2004 年版。

71. 范愉著：《非诉讼纠纷解决机制研究》，中国人民大学出版社 2000 年版。

72. 傅有德：《神人关系与天人关系——犹太教与儒学之比较》，载傅有德主编：《犹太研究》（第 1 期）。

73. 费孝通著：《乡土中国》，三联书店 1985 年版。

74. 费正清著：《东亚：伟大的传统》，转引自高道蕴等编：《美国学者论中国法律传统·导言》，中国政法大学出版社 1994

年版。

75. 高浣月著：《清代刑名幕友研究》，中国政法大学出版社 2000 年版。

76. 郭建著：《五刑六典——刑罚与法制》，长春出版社 2004 年版。

77. 郭沫若著：《郭沫若全集·历史编》（第二卷），人民出版社 1982 年版。

78. 韩秀桃著：《司法独立与近代中国》，清华大学出版社 2003 年版。

79. 郝铁川著：《中华法系研究》，复旦大学出版社 1997 年版。

80. 何怀宏著：《选举社会及其终结》，三联书店 1997 年版。

81. 何敏著：《清代注释律学研究》，中国政法大学博士学位论文·1994 年。

82. 何勤华著：《中国法学史》（第一、二卷），法律出版社 2000 年版。

83. 洪汉鼎著：《诠释学——它的历史和当代发展》，人民出版社 2001 年版。

84. 侯健：《实质法治、形式法治与中国的选择》，载《湖南社会科学》2004 年第 2 期。

85. 胡长清著：《中国民法总论》，中国政法大学出版社 1997 年版。

86. 怀效锋：《中国律学丛刊·总序》，法律出版社 2000 年版。

87. 季卫东：《法律程序的意义》，载季卫东著：《法治秩序的建构》，中国政法大学出版社 1999 年版。

88. 瞿同祖著：《中国法律与中国社会》，中华书局 1981 年版。

89. 林端著：《韦伯论中国法律传统》，（台北）三民书局 2003 年版。

90. 李大钊：《东西文明之根本异点》，载《李大钊文集》（上），人民出版社 1984 年版。

91. 李红著：《当代西方分析哲学与诠释学的融合》，中国社会科学出版社 2002 年版。

92. 李泽厚著：《中国古代思想史论》，人民出版社 1986 年版。

93. 李泽厚著：《中国现代思想史论》，东方出版社 1987 年版。

94. 梁漱溟著：《东西文化及其哲学》，商务印书馆 2000 年版。

95. 梁治平著：《寻求自然秩序中的和谐》，中国政法大学出版社 2002 年版。

96. 刘大钧、林忠军著：《周易古经白话解》，山东友谊出版社 1989 年版。

97. 刘岐山选编：《古代法案选编》，北京出版社 1981 年版。

98. 刘星：《法律"强制力"观念的弱化——当代西方法理学的本体论变革》，载《外国法译评》1995 年第 3 期。

99. 刘星著：《古律寻义·杜周》，中国法制出版社 2000 年版。

100. 刘世德等主编：《古代公安小说丛书》（共三册），群众出版社 1999 年版。

101. 吕伯涛等著：《中国古代的告状与判案》，商务印书馆国际有限公司 1995 年版。

102. 吕世伦主编：《现代西方法学流派》（上卷），中国大百科全书出版社 2000 年版。

103. 牛庆华：《论判前评断》，载谢晖等主编：《民间法》（第二卷），山东人民出版社 2003 年版。

　　104．沈家本著：《历代刑法考》（二），中华书局 1985 年版。

　　105．盛晓明著：《话语规则与知识基础——语用学维度》，学林出版社 2000 年版。

　　106．汤能松等著：《探索的轨迹——中国法学教育发展史略》，法律出版社 1995 年版。

　　107．汪世荣著：《中国古代判词研究》，中国政法大学出版社1997 年版。

　　108．汪世荣著：《中国古代判例研究》，中国政法大学出版社1997 年版。

　　109．王世舜著：《尚书译注》，四川人民出版社 1982 年版。

　　110．吴思著：《潜规则：中国历史中的真实游戏》，云南人民出版社 2001 年版。

　　111．吴思著：《血酬定律：中国历史中的生存游戏》，中国工人出版社 2003 年版。

　　112．武树臣等著：《中国传统法律文化》，北京大学出版社1994 年版。

　　113．肖功秦著：《儒家文化的困境》，四川人民出版社 1986年版。

　　114．谢晖：《道统与法制》，载龙大轩著：《道与中国法律传统》，山东人民出版社 2004 年版。

　　115．谢晖：《解释法律与法律解释》，载《法学研究》2000年第 5 期。

　　116．谢晖：《论法律规则》，载"北大法律信息网"。

　　117．谢晖：《论法律调整》，载《山东大学学报》2003 年第5 期。

　　118．谢晖：《政治家的法理与政治化的法》，载《法学评论》1999 年第 3 期。

119．谢晖著：《法律的意义追问——诠释学视野中的法哲学》，商务印书馆 2003 年版。

120．谢晖著：《法律信仰的理念与基础》，山东人民出版社 1997 年版。

121．辛子牛主编：《中国历代名案集成》（上、中、下卷），复旦大学出版社 1997 年版。

122．徐杰舜主编：《雪球——汉民族的人类学分析》，上海人民出版社 1999 年版。

123．颜厥安著：《法与实践理性》，（台北）允辰文化事业有限公司 1998 年版。

124．杨兆龙著：《杨兆龙法学文选》，中国政法大学出版社 2000 年版。

125．杨昂：《中国古代法律诠释传统形成的历史语境》，载《中国诠释学》（第一卷），山东人民出版社 2003 年版。

126．虞山襟霞阁主编：《刀笔菁华》，中华工商联合出版社 2001 年版。

127．张文显著：《二十世纪西方法哲学思潮研究》，法律出版社 1996 年版。

128．张志铭著：《法律解释操作分析》，中国政法大学出版社 1999 年版。

129．张紫葛等著：《〈尚书〉法学内容译注》，四川人民出版社 1988 年版。

130．周裕锴著：《中国古代阐释学研究》，上海人民出版社 2003 年版。

131．〔德〕伽达默尔著：《真理与方法》（第一卷），洪汉鼎译，上海译文出版社 1999 年版。

132．〔德〕黑格尔著：《小逻辑》，贺麟译，商务印书馆 1980 年版。

133．［德］马克斯·韦伯著：《经济与社会》（下卷），林远荣译，商务印书馆 1997 年版。

134．［古希腊］柏拉图著：《法律篇》，何勤华等译，上海人民出版社 2000 年版。

135．［古希腊］柏拉图著：《理想国》，郭斌和等译，商务印书馆 1986 年版。

136．［古希腊］柏拉图著：《政治家》，黄克剑译，北京广播学院出版社 1994 年版。

137．［古希腊］色诺芬著：《回忆苏格拉底》，吴永泉译，商务印书馆 1984 年版。

138．［古希腊］亚里士多德著：《政治学》，吴彭寿译，商务印书馆 1965 年版。

139．［美］德沃金著：《法律帝国》，李常青译，中国大百科全书出版社 1998 年版。

140．［美］林毓生著：《中国意识的危机》，穆善培译，贵州人民出版社 1986 年版。

141．［美］庞德著：《通过法律的社会控制、法律的任务》，沈宗灵译，商务印书馆 1984 年版。

142．［美］皮文睿：《儒家法学：超越自然法》，李存捧译，载高道蕴等编：《美国学者论中国法律传统》，中国政法大学出版社 1994 年版。

143．［意］朱塞佩·格罗素著：《罗马法史》，黄风译，中国政法大学出版社 1994 年版。

144．［英］洛克著：《人类理解论》（下册），关文运译，商务印书馆 1981 年版。

后　记

　　1996 年 8 月，在徐老师显明教授的邀请和引荐下，我从江南来到山东大学工作，转眼已经八年过去了！原先选择山东大学，只是想在这个儒风泽被的地方好好做个教书匠，以实现鄙人"得天下英才而教之"的夙愿与快慰。只是数年过去，好心的校领导们总觉得作为学校的学科带头人，没有一个博士头衔，尽管在我们学校里可以，但出去参加学术会议、尤其是国际学术会议似不"光彩"。此种形式合理的要求再加之校领导们的善意规劝和督促，终于在 2001 年年初，使我"忍辱负重"般地走向考场，随之也就顺理成章地做起了这里的学生，而且最终师从我所尊敬的易学家刘老师大钧教授和哲学史家傅老师有德教授！

　　不知何故，我与山东大学好像挺有缘分。早在中学时期，受我小学业师王老师润成先生的影响，这里出版的誉满天下的《文史哲》就成了我最早订阅的刊物。彼时尽管囊中羞涩，但还算爱读书的山里娃总是想方设法坚持订阅该刊。直到我在宁夏大学工作，当别的年轻人们纷纷订阅《辽宁青年》、《读者文摘》这些热门的刊物时，我仍钟情于《文史哲》。因此，在山东大学从教的大家名师们的名字于我而言就格外熟悉（虽然有不少大家和名师们只是我到这里工作之后才知道他们原本是山大人的）。

　　这样的经历使我对做一名山大的学生颇感自豪，尽管天性孤傲的我曾拒绝以学生的名义申请这里的"校长奖学金"（原因仅在于这所学校我尊敬的校长也只是比我长一岁的年轻人），但对她的内心崇敬，使我对曾经发生在这里的一切充满了好奇，以至于不论走到哪里，我总要习惯性地给友人们讲讲山大的掌故。以愚管见，这是一所 20 世纪以来，无论在人文、还是在科学领域皆颇有贡献，在中国学坛卓尔不群、兀然而立的大学，她的不事喧嚣，恰恰助成了一批学人的茁壮成长。

我经常在想，曾拥有"杏坛"和"稷下学宫"的山东，曾养育出孔子、孙子、孟子、诸葛亮、王羲之、贾思勰、刘勰等千古英杰的山东，曾吸引管仲、墨翟、庄周、荀况等思想和学术巨匠来此施展才华的山东……理应在学术文化上引领中国潮流。在此意义上讲，山大应当更加有所作为，应当为中国学术文化的发展做出更大的贡献，甚至应当成为中国学术文化的真正"圣地"！

正是基于此种考虑，这些年来，我在山大所提供的较好条件下，认真学习，努力工作，凭自己单薄的力量主持《法理文库》丛书、《公法研究》丛书和《民间法》年刊。与此同时，我也发现人文社科领域的新一代山大人在各个方面都展示着自己的存在和努力。特别是哲学学科学者们的研究动向，更对我以深深地吸引。也许是出于自身的学术偏好，我也就最终选择了在哲学学科继续深造，攻读博士学位（这其中的重要原因之一还在于我已经是法学学科的"博士生导师"）。

但需说明的是，尽管我选择了中国哲学方向，也尽管投身刘师和傅师门下，但因为我们各自紧张的工作安排，我当面向两位师长请教的时间总是有限。甚至连最后博士论文题目的选定，也没有仔细地向两位师长请教！这种遗憾，此刻我真是难以言表！好在两位师长对我信任有加，我也就在近三年半的时间里，以《中国古典法律解释的哲学向度》为题，勉强完成了这篇论文。

还需要说明的是：尽管本人对中国古典法律文化问题有着浓厚的兴趣，但因以往近 20 年间我所关注的更多地是法理学的问题，因此，遽然转到法史的领域，并且还是一个以往学者们很少系统地研究和开发的中国古典法律解释领域，自己在知识上的储备就总是显得捉襟见肘，在见识上的发明也就可想而知。尤为重要的是：虽然多年来我也多少涉猎了一些哲学学科的知识，但我毕竟以往不是哲学科班出身，因此，文中内容是否表达的就是哲学问题，笔者还相当没有自信。这些，皆需要各位老师和各位读者给我继续以批评和帮助，以便在以后的研究中有所提高。

近三年半来，哲学学科的蔡老师德贵先生，何中华教授、傅永军教授、刘杰教授、颜炳罡教授以及中央党校的林喆教授等都通过各种方式给我以帮助；在哲学系兼任教席的洪老师汉鼎先生，更是对我的学术研究以悉心的关照与呵护；日本北海道大学的铃木贤教授、京都大学的寺田浩明教授、德国科隆大学的何意志教授、韩国汉城大学的崔钟库教授等都给了我多方面的学术支持和帮助。对他们的支持和帮助，我将永铭于心！特别是我的导师刘老师大钧先生和傅老师有德先生，尽管两人所研究的领域、理路以及其学术风格都迥然有别，但他们各自对工作的狂热和对学术的挚爱却并无差异。这种敬业精神，将永远是我的精神食粮和行为榜样！

末了，我还要把很不情愿写在这里，但不写出来又觉得苦闷难当的一件事公诸于此：当本文初稿于上半年完成之际，一直期待它能尽早完成、并在 16 年来对我的生活、工作关怀无微不至、竭尽心力的妻子突然查出身染恶疾！这对我们全家以及众多亲友们无疑都是最大的打击！但即使如此，病床上的妻子还是期望我能尽快彻底完成此文。在很大程度上，她对我获得博士学位的期待比我自己要强烈的多。也因此，我决定尽早做论文答辩，并谨以此文祈求上苍能保佑我们顺利度过此巨大难关！！

作者 2004 年 11 月 18 日于泉城望山居

图书在版编目(CIP)数据

中国古典法律解释的哲学向度/谢晖著 —北京:中国政法大学
出版社,2005.7
ISBN 7 – 5620 – 2800 – 1

Ⅰ.中...　Ⅱ.谢...　Ⅲ.法律解释 – 研究 – 中国 – 古代
Ⅳ.D929.2

中国版本图书馆 CIP 数据核字(2005)第 086208 号

书　　名	中国古典法律解释的哲学向度	
出 版 人	李传敢	
经　　销	全国各地新华书店	
出版发行	中国政法大学出版社	
承　　印	固安华明印刷厂	
开　　本	880×1230　1/32	
印　　张	9.5	
字　　数	240 千字	
版　　本	2005 年 9 月第 1 版　　2005 年 9 月第 1 次印刷	
书　　号	ISBN 7 – 5620 – 2800 – 1/D·2760	
定　　价	24.00 元	
社　　址	北京市海淀区西土城路 25 号　　邮政编码 100088	
电　　话	(010)62229563(发行部) 62229278(总编室) 62229803(邮购部)	
电子信箱	zf5620@263.net	
网　　址	http://www.cuplpress.com(网络实名:中国政法大学出版社)	

声　　明　1.版权所有,侵权必究。
　　　　　2.如发现缺页、倒装问题,请与出版社联系调换。

本社法律顾问　北京地平线律师事务所